SAS

ROUGE LIBAN

CW00953147

ABONNEMENT / RÉABONNEMENT 2007
Je souhaite m'abonner aux collections suivantes
Merci de nous préciser à partir de quel numéro vous vous abonnez
Remise 5 % incluse par abonnement

☐ **BLADE**
6 titres par an - 40,56 € port inclus

☐ **INTÉGRALES DE BRUSSOLO**
6 titres par an - 53,10 € port inclus

☐ **BRIGADE MONDAINE**
11 titres par an - 74,36 € port inclus

☐ **L'EXÉCUTEUR**
10 titres par an - 72,38 € port inclus

☐ **LE CELTE**
8 titres par an - 54,08 € port inclus

☐ **HANK LE MERCENAIRE**
6 titres par an - 40,56 € port inclus

☐ **POLICE DES MŒURS**
6 titres par an - 40,56 € port inclus

Paiement par chèque à l'ordre de :
GECEP
15, chemin des Courtilles - 92600 Asnières

☐ **S.A.S.**
4 titres par an - 31,56 € port inclus

Paiement par chèque à l'ordre de :
EDITIONS GÉRARD DE VILLIERS
14, rue Léonce Reynaud - 75116 Paris

Frais de port EUROPE : 3,50 € par livre

Nom : .... Prénom : ....

Adresse : ....

....

Code postal : .... Ville : ....

DU MÊME AUTEUR

(* TITRES ÉPUISÉS)

N° 1 S.A.S. A ISTANBUL
N° 2 S.A.S. CONTRE C.I.A.
*N° 3 S.A.S. OPÉRATION APOCALYPSE
N° 4 SAMBA POUR S.A.S.
*N° 5 S.A.S. RENDEZ-VOUS A SAN FRANCISCO
*N° 6 S.A.S. DOSSIER KENNEDY
N° 7 S.A.S. BROIE DU NOIR
*N° 8 S.A.S. AUX CARAÏBES
*N° 9 S.A.S. A L'OUEST DE JÉRUSALEM
*N°10 S.A.S. L'OR DE LA RIVIÈRE KWAÏ
*N°11 S.A.S. MAGIE NOIRE A NEW YORK
N° 12 S.A.S. LES TR OIS VEUVES DE HONG KONG
N° 13 S.A.S. L'ABOMINABLE SIRÈNE
N° 14 S.A.S. LES PENDUS DE BAGDAD
N° 15 S.A.S. LA PANTHÈRE D'HOLLYWOOD
N° 16 S.A.S. ESCALE A PAGO-PAGO
N° 17 S.A.S. AMOK A BALI
N° 18 S.A.S. QUE VIVA GUEVARA
N° 19 S.A.S. CYCLONE A L'ONU
N° 20 S.A.S. MISSION A SAIGON
N° 21 S.A.S. LE BAL DE LA COMTESSE ADLER
N° 22 S.A.S. LES PARIAS DE CEYLAN
N° 23 S.A.S. MASSACRE A AMMAN
N° 24 S.A.S. REQUIEM POUR TONTONS MACOUTES
*N° 25 S.A.S. L'HOMME DE KABUL
*N° 26 S.A.S. MORT A BEYROUTH
N° 27 S.A.S. SAFARI A LA PAZ
N° 28 S.A.S. L'HÉROÏNE DE VIENTIANE
*N°29 S.A.S. BERLIN CHECK POINT CHARLIE
N°30 S.A.S. MOURIR POUR ZANZIBAR
N°31 S.A.S. L'ANGE DE MONTEVIDEO

*N°32 S.A.S. MURDER INC. LAS VEGAS
N°33 S.A.S. RENDEZ-VOUS A BORIS GLEB
*N°34 S.A.S. KILL HENRY KISSINGER !
*N°35 S.A.S. ROULETTE CAMBODGIENNE
*N°36 S.A.S. FURIE A BELFAST
*N°37 S.A.S. GUÊPIER EN ANGOLA
*N°38 S.A.S. LES OTAGES DE TOKYO
*N°39 S.A.S. L'ORDRE RÈGNE A SANTIAGO
*N°40 S.A.S. LES SORCIERS DU TAGE
N°41 S.A.S. EMBARGO
N°42 S.A.S. LE DISPARU DE SINGAPOUR
N°43 S.A.S. COMPTE A REBOURS EN RHODÉSIE
N°44 S.A.S. MEURTRE A ATHÈNES
N°45 S.A.S. LE TRÉSOR DU NÉGUS
N°46 S.A.S. PROTECTION POUR TEDDY BEAR
N°47 S.A.S. MISSION IMPOSSIBLE EN SOMALIE
*N°48 S.A.S. MARATHON A SPANISH HARLEM
*N°49 S.A.S. NAUFRAGE AUX SEYCHELLES
*N°50 S.A.S. LE PRINTEMPS DE VARSOVIE
N°51 S.A.S. LE GARDIEN D'ISRAËL
N°52 S.A.S. PANIQUE AU ZAÏRE
*N°53 S.A.S. CROISADE A MANAGUA
*N°54 S.A.S. VOIR MALTE ET MOURIR
N°55 S.A.S. SHANGHAÏ EXPRESS
N°56 S.A.S. OPÉRATION MATADOR
N°57 S.A.S. DUEL A BARRANQUILLA
N°58 S.A.S. PIÈGE A BUDAPEST
*N°59 S.A.S. CARNAGE A ABU DHABI
*N°60 S.A.S. TERREUR AU SAN SALVADOR
*N°61 S.A.S. LE COMPLOT DU CAIRE
N°62 S.A.S. VENGEANCE ROMAINE

GÉRARD DE VILLIERS

ROUGE LIBAN

Éditions Gérard de Villiers

COUVERTURE
photographe : Thierry Vasseur
armurerie : Courty et fils
44 rue des Petits-Champs 75002 PARIS

© Éditions Gérard de Villiers, 2007.
ISBN 978-2-84267-833-3

CHAPITRE PREMIER

Le jeune prince Ryad Bin Aziz Al-Whaleed se réveilla d'excellente humeur. Pour sa première nuit à Beyrouth, il avait dormi comme un loir. Arrivé la veille au soir de Riyad, il avait d'abord profité d'une somptueuse créature qui, pour 5 000 dollars, lui avait offert tous ses orifices naturels. Ryad Al-Whaleed était ravi de retrouver le charme sulfureux de cette ville qui faisait fantasmer tous les Saoudiens, étouffés dans le carcan du wahhabisme, où tous les plaisirs de la vie étaient interdits.

À cette satisfaction hédoniste se mêlait une fierté légitime : son oncle, le prince Mikrin Al-Saoud ben-Abdelaziz, demi-frère du roi Abdallah, responsable du *General Intelligence Department*[1], l'avait chargé de prendre la direction du poste de Beyrouth, dirigé par un simple haut fonctionnaire du royaume, Fouad El-Rorbal, afin d'accomplir une mission de la plus haute importance. Jusqu'à ce jour, le jeune prince Al-Whaleed, membre du cabinet de son oncle, s'occupait des relations avec les Services étrangers. Ce qui consistait essentiellement à emmener au restaurant des délégations de barbouzes pressées de

1. Services de renseignements saoudiens.

quitter ce pays sinistre, sans aucune distraction, où les femmes étaient inaccessibles et quasi invisibles, n'ayant même pas le droit de conduire… Fouad El-Rorbal était un fonctionnaire sérieux et obéissant, qui faisait régulièrement le tour des différents Services libanais, une valise de billets à la main, pour nourrir ses comptes rendus, mais pour cette mission, le prince Mikrin voulait quelqu'un d'absolument sûr, de son sang.

Ryad Al-Whaleed s'étira, face à l'énorme écran plasma de télévision accroché au mur, en face du lit, et bloqué sur CNN, sans le son. On l'avait installé dans la plus belle suite de l'hôtel *Bristol*, dans Hamra, à un jet de pierre de l'ambassade. Deux cents mètres carrés de luxe raffiné. Il appuya sur une sonnette, afin de prévenir qu'il était réveillé. Euphorique, il repensa à la conversation avec son oncle, dans son *diwan*, autour d'une bouteille de Chivas Regal. Dans l'intimité, les Saoudiens buvaient comme des trous.

– Sa Majesté – que Dieu le protège –, avait-il révélé à son neveu, a pris une décision de la plus haute importance qui doit rester secrète.

Ryad Al-Whaleed avait attendu la suite, suspendu aux lèvres de son oncle. Ce dernier avait baissé la voix pour annoncer :

– Il faut renvoyer à *Shatan*[1] ce chien hérétique de Hassan Nasrallah !

On sentait qu'il avait du mal à prononcer ce nom honni. Ryad Bin Aziz Al-Whaleed, en dépit de la climatisation féroce, avait senti une perle de sueur couler le long de son dos.

Le *sayyed*[2] Hassan Nasrallah, chef du Hezbollah libanais depuis 1992, à la suite de l'assassinat par les Israéliens de son prédécesseur Abbas Moussaoui, était devenu depuis la guerre éclair de juillet 2006 la

1. Satan.
2. Descendant du Prophète.

coqueluche du monde arabe, l'homme le plus populaire
de la région. Sa milice avait tenu tête à l'armée israélienne, qui avait envahi le Sud-Liban suite à une opération du Hezbollah dans le nord d'Israël, le 12 juillet,
s'étant soldée par la mort de huit soldats de Tsahal et
l'enlèvement de deux autres. Le Hezbollah avait
ensuite, à partir du Liban sud, lancé des milliers de missiles sur Israël. Désarçonnés par la résistance imprévue
des miliciens au drapeau jaune frappé d'une kalachnikov, les Israéliens avaient stoppé leur offensive, per-
dant une cinquantaine de blindés, et avaient dû accepter
un humiliant cessez-le-feu imposé par l'ONU. Leur
aviation avait pourtant écrasé le Liban sous des tonnes
de bombes, provoquant des dégâts considérables. Une
partie de la banlieue sud de Beyrouth, peuplée princi-
palement de chiites, avait été aplatie – 254 immeubles
rasés –, les villages du sud du Liban transformés en tas
de gravats, et plus de mille civils libanais avaient
trouvé la mort dans ces bombardements, en dépit des
bombes « intelligentes ». Cela, au moment où le Liban
émergeait de l'interminable cauchemar de la guerre
civile et de l'occupation syrienne. Les bombes israéliennes avaient fait revenir le pays vingt ans en arrière,
détruisant de nombreuses infrastructures et déplaçant
un million de réfugiés. Exsangue, après cette guerre
« éclair », le Liban pansait ses plaies et se préparait à
une énième reconstruction.

Et pourtant, Hassan Nasrallah, l'homme qui avait
déclenché ce cataclysme, était devenu le leader le plus
populaire du monde musulman.

Or, c'était un chiite !

Depuis quatorze siècles, sunnites et chiites se
livraient une guerre féroce. Les chiites, environ 10 %
des musulmans, se trouvaient surtout en Iran et en Irak,
mais représentaient 35 % de la population du Liban…
Exécrés par les sunnites, c'est-à-dire presque tout le
monde arabe, ils relevaient la tête. Dans beaucoup de

foyers sunnites, on avait décroché la photo d'Oussama Bin Laden pour la remplacer par celle de Hassan Nasrallah.

Pour le roi Abdallah d'Arabie Saoudite, gardien des lieux saints et chef de file des sunnites, c'était l'horreur absolue, l'humiliation suprême.

Si on ne les arrêtait pas, nul ne savait où allaient s'arrêter ces hérétiques.

Pétrifié de respect et d'émotion, le jeune Ryad Bin Aziz Al-Whaleed n'avait pu que demander :

– Que dois-je faire pour mener à bien ce projet ?

Le prince Mikrin Al-Saoud l'avait rassuré.

– Tu ne seras pas seul. Dans sa très grande sagesse, notre roi a décidé de s'allier aux Juifs et aux croisés pour mener cette tâche à bien.

Le jeune Saoudien n'avait pu s'empêcher de sursauter.

– Aux Juifs ?

Il avait l'impression que le ciel lui tombait sur la tête. Certes, officiellement, et pour ne pas déplaire aux Américains, le roi Abdallah soutenait du bout des lèvres un «plan de paix» entre Israël et les Palestiniens. Mais tous savaient que, dans le secret de son cœur, il rêvait de rejeter tous les Israéliens à la mer, pour reconquérir Al Qods[1], la Très Sainte, et rendre leurs terres aux Palestiniens, de vrais croyants.

– Les Juifs souhaitent autant que nous la mort de ce chien de Hassan Nasrallah, avait enchaîné le prince Mikrin. Nos alliés de Washington aussi. Tu vas donc partir à Beyrouth, sous couvert d'une mission diplomatique, et tu aideras nos deux alliés. Les Israéliens sont très forts mais ils ont besoin de nous. Au Liban, ils ont perdu beaucoup de contacts. Les Américains aussi.

Écrasé par l'importance de sa tâche, Ryad Al-Whaleed avait osé demander à son oncle :

---

1. Jérusalem en arabe.

– Quel sera notre rôle dans ce projet ?

– Fouad El-Rorbal te mettra au courant. Il a infiltré des hommes de mon Service dans les équipes du Croissant-Rouge qui opèrent au Liban sud, pour nous aider à la reconstruction. Ces agents, qui sont en contact avec la population chiite et le Hezbollah, ont pour mission de recruter des informateurs permettant de «cerner» Hassan Nasrallah. C'est toi qui traiteras ces «sources» et qui rendra compte à ceux qui sont associés à ce projet.

Ryad Al-Whaleed s'était alors permis une timide remarque.

– Mon oncle, les Juifs n'ont pas réussi à se débarrasser de Nasrallah en dépit de leurs moyens…

Le prince Mikrin, Al-Saoud avait balayé l'objection.

– Ils n'ont aucune source au sein du Hezbollah. Ce sera à toi de leur en fournir.

– Si Dieu le veut, ce sera fait, mon oncle, avait approuvé le jeune Saoudien.

La veille, à son arrivée à Beyrouth, Fouad El-Rorbal était venu le chercher à l'aéroport, dans la voiture blindée de l'ambassade, et, avant de l'emmener au *Bristol* où l'attendait une pute recrutée par ses soins, l'avait mis au courant des derniers développements.

Mustapha Al-Khobar, un de ses hommes infiltrés dans le Croissant-Rouge, avait recruté un informateur potentiel, Sohbi, membre du Hezbollah au village de Khia, qui avait perdu toute sa famille dans les bombardements israéliens. Il semblait en éprouver une certaine amertume. Du coup, Mustapha lui avait fait un don de 10 000 dollars au nom du Croissant-Rouge. La relation entre les deux hommes s'était étoffée et ils s'étaient revus à Beyrouth, où Sohbi était venu assister à une réunion des cadres du Hezbollah. C'est en déjeunant avec le chiite dans une pizzéria de la Corniche que l'agent saoudien avait découvert que le militant hezbollah savait beaucoup de choses sur Hassan

Nasrallah, participant même parfois à sa sécurité rapprochée. La « source » idéale.

Lors du dernier rendez-vous, l'agent saoudien avait proposé au jeune Hezbollah de rencontrer quelqu'un d'important qui pourrait lui procurer beaucoup d'avantages matériels. L'autre avait accepté. C'est là que Ryad Al-Whaleed intervenait. C'est *lui* qui allait se rendre à ce prochain rendez-vous, où la « source » hezbollah serait basculée sur un agent de la CIA. Miracle, Sohbi parlait bien anglais. Tout avait été arrangé avec la CIA de Beyrouth et Ryad Al-Whaleed n'avait plus qu'à se rendre au rendez-vous. Fixé à Byblos, dans une zone chrétienne, par sécurité, il aurait lieu le jour même, à sept heures du soir, au restaurant *Pepe Abed*.

Cela excitait beaucoup le jeune prince saoudien. Enfin, il allait pratiquer vraiment le métier d'espion. Il réalisa soudain qu'une érection impressionnante jaillissait de son ventre. Effet retard du Viagra dont il s'était bourré avant son rendez-vous de la veille. Une poignée de dollars dans une main et une boîte de Viagra dans l'autre, il avait simplifié à l'extrême sa vie sexuelle.

Un coup timide fut frappé à la porte où s'encadra une ravissante Tanagra au minois triangulaire, vêtue d'une blouse blanche. La bonne philippine choisie par l'ambassade pour prendre soin du prince Al-Whaleed.

– *Your bath is ready, sir*[1]*!* annonça-t-elle d'une voix enfantine, en semblant ne pas voir la colonne de chair qui s'élevait du lit.

Ryad Al-Whaleed n'hésita pas une seconde, faisant signe à la fille d'approcher.

Elle obéit et il l'attrapa par sa blouse, l'attirant sur le lit. Il put constater qu'elle avait maquillé sa grosse bouche et qu'elle ne portait rien sous le vêtement.

Convenablement dressée.

Bien calé sur ses oreillers, Ryad prit la fille par les

---

1. Votre bain est prêt, monsieur.

hanches, relevant du coup sa blouse, découvrant son ventre orné d'un triangle de fourrure noire soigneusement taillé. D'elle-même, la Philippine prit la base du membre dressé vers le plafond et en plaça l'extrémité contre son sexe. Ce simple contact fit disjoncter Ryad Al-Whaleed.

Le hurlement de la petite Philippine fit trembler les murs. Appuyant sur ses hanches des deux mains, le Saoudien l'avait empalée d'un seul coup sur son sexe imposant, congestionné par le Viagra.

Pour lui, une femme n'était qu'un objet de plaisir, à mi-chemin entre la poupée gonflable et l'animal. Un peu calmé par ce manchon brûlant enserrant son membre, il arracha les boutons de la blouse, découvrant une poitrine ronde, probablement refaite, et se mit à la pétrir, tirant furieusement sur les bouts de seins, tout en donnant de grands coups de reins, comme pour ouvrir en deux sa partenaire.

La Philippine retenait ses larmes, se mordait les lèvres pour ne plus crier. Si elle se plaignait, elle était virée.

Enfin, Ryad Al-Whaleed ressentit comme une secousse électrique dans le bas-ventre en donnant un ultime coup de reins. Retombant sur les draps, il écarta d'un geste brutal la Philippinne, trop heureuse de s'arracher à ce pal qui la brûlait.

Il sauta alors du lit et gagna la salle de bains, son érection toujours intacte…

De l'eau bouillonnait dans un grand Jacuzzi, entouré de boiseries où étaient incrustés de nombreux miroirs. Il se laissa glisser dedans et ferma les yeux. Pour l'instant, il n'avait plus qu'un souhait : que l'effet du Viagra se dissipe. La Philippine le rejoignit, ayant séché ses larmes, et s'agenouilla dans le Jacuzzi pour le masser, toujours sans un mot.

Le contact de l'eau chaude sur son sexe à vif était insupportable, mais Ryad Al-Whaleed, les yeux fermés, se laissait faire. Il tâta son sexe : même l'eau chaude n'arrivait pas à le faire débander. Il fallait trouver autre chose.

Il se remit debout dans une gerbe d'éclaboussures et attrapa la Philippine en crochant deux doigts dans son sexe. Sans un mot, il la jeta sur une banquette de cuir noir installée face à un miroir, à côté du Jacuzzi, bras et jambes pendant dans le vide. Il enjamba la banquette à son tour, se plaçant derrière la fille. Le miroir lui renvoya l'image du membre tout rouge, raide comme un mât, et il se sentit très viril. Morte de peur, paralysée, la Philippine s'attendait au pire. Lequel se produisit.

Après avoir placé son sexe à l'entrée des reins de la jeune femme, Ryad Al-Whaleed se laissa tomber de tout le poids de ses quatre-vingt-dix kilos.

La Philippine éprouva une brûlure atroce et se mit à pousser des cris horribles. Affalé sur elle, enfoncé jusqu'à la garde, Ryad se dit que cette fois, il allait venir à bout de son érection. Son membre était pris dans un étau. Il se retira brusquement pour replonger, de plus en plus vite, jusqu'à ce qu'à nouveau il éprouve une sorte d'orgasme, un peu plus complet que la fois précédente.

Hélas, lorsqu'il se retira, son membre était encore dur comme une pierre…

Furieux, il congédia la Philippine d'un *rouh*[1] *!* sec et plongea sous la douche, ouvrant l'eau froide à fond. Il cria d'abord, puis, enfin, vit son sexe perdre de sa raideur…

Lorsqu'il émergea de la douche, la Philippine était là pour lui tendre une serviette.

Dix minutes plus tard, il claquait la porte de la suite après avoir jeté à la fille une poignée de billets. Il avait largement le temps de passer à l'ambassade avant de se rendre à Byblos. Fouad El-Rorbal le brieferait une dernière fois.

1. Va-t'en !

*
* *

Ryad Bin Aziz Al-Whaleed contemplait le disque rougeoyant du soleil en train de disparaître, avalé par la surface paisible de la Méditerranée. La vieille tour en ruines marquant l'entrée du port de Byblos se découpait comme en ombre chinoise dans le crépuscule. Un bateau pénétra dans le port, gagnant le quai en contrebas du restaurant *Pepe Abed*, déclenchant quelques vaguelettes d'eau bleue. En trois semaines de travail acharné, les habitants du port étaient venus à bout de la nappe de mazout échappée de la centrale de Beyrouth bombardée par les Israéliens. Des flots de pétrole noirâtre qui avaient pollué toute la côte, au nord de Beyrouth. Byblos, qui, l'été, ne désemplissait pas, était devenue une ville morte. Les pêcheurs ne sortaient plus en mer, les touristes, bien entendu, avaient fui et les Beyrouthins restaient terrés chez eux. Par peur d'abord des bombardements israéliens, puis de la pollution. Les premiers jours, une couche de trente centimètres de pétrole flottait sur la mer… À force de pomper, on en était venu à bout, puis les courants avaient emporté la nappe plus au nord, vers Tripoli, et il ne restait plus que quelques rochers recouverts d'une couche gluante et nauséabonde. Seule une petite partie du port, isolée par un boudin flottant rouge, restait encore à traiter, en contrebas de l'hôtel *Byblos-sur-Mer*.

La Méditerranée était redevenue bleue, mais les clients n'étaient pas revenus.

Ryad Al-Whaleed était presque seul sur la terrasse de *Pepe Abed*. En cette fin de journée, le petit port était d'un calme lugubre, tous les bateaux de pêche amarrés au quai, peu de gens dehors et des terrasses vides. Même le centre artisanal Eddeland, jouxtant le port, était désert, la plupart des boutiques fermées. Inquiet, Ryad Al-Whaleed regarda autour de lui, craignant

d'avoir raté le rendez-vous. Pourtant, sur les instructions de Fouad El-Rorbal, il avait pris soin de poser sur
la table un exemplaire du quotidien *Al Akhbar*, l'organe
du Hezbollah, peu courant dans cette zone chrétienne.

La sonnerie de son portable fit sursauter le jeune
Saoudien, qui se jeta sur l'appareil.

— *Aiwa*[1] ?

— Mohammed ?

C'était le pseudo choisi pour lui par Fouad El-Rorbal.

— *Aiwa*.

— C'est Sohbi, je suis en retard. Je ne peux pas être
là avant une heure.

— *Mafi machkal*[2], affirma le Saoudien. Je suis à l'endroit prévu.

Le militant chiite coupa et Ryad Al-Whaleed alluma
une cigarette. La nuit tombait et les lampadaires du port
s'étaient allumés. Il réalisa qu'il mourait de faim et
appela le garçon

— Nous avons du poisson, annonça celui-ci, venez
choisir.

À l'intérieur, une demi-douzaine de barracudas
tenaient compagnie à quelques pageots sur un lit de
glace. Heureusement que le restaurant n'avait pas de
clients, il n'aurait pas eu de quoi les nourrir…

Revenu à sa table, Ryad Al-Whaleed se mit à dévorer un *hommouz* et une salade de tomates, pensant à sa
soirée. En revenant vers Beyrouth, il s'arrêterait à Maa-
malsterne, le quartier des putes russes. Son poisson
arriva et il inspecta la terrrasse, de nouveau inquiet. Où
se trouvait l'agent de la CIA supposé le rejoindre ? Il
ne le connaissait pas physiquement, mais un étranger
se voyait comme une mouche dans un verre de lait. S'il
ne venait pas, Ryad en serait quitte pour « traiter »
lui-même la source hezbollah. D'un côté, cette idée

1. Oui
2. Pas de problème.

l'excitait, mais il se demanda s'il serait à la hauteur. Il attaqua son poisson avec appétit. Bercé par les cloches d'une église voisine, un son totalement incongru pour lui.

Malko trépignait sur le trottoir de la petite impasse donnant rue de Rome, à Beyrouth ouest. La Mercedes promise par Rajjik Maatoub, le loueur de voitures collaborateur de la CIA, était en retard. De plus d'une heure. À côté de lui, pendu à son portable, éructant des menaces effroyables à l'encontre de son chauffeur, le géant aux yeux globuleux dansait sur place, fou de rage lui aussi. Il coupa et jura.

— Il sera là dans dix minutes, monsieur Malko. Ce n'est pas trop grave ?

— Je n'aime pas être en retard, lâcha Malko sans s'étendre.

Il n'aimait pas parler de ses missions, même si Maatoub était un contractuel de la CIA. Le loueur de voitures avait aussi pas mal de liens avec les différents *moukhabarat*[1] libanais qui passaient tous les jours tenter de lui extorquer de petites informations. Or, la mission de Malko devait rester totalement hermétique… Même s'il n'en savait pas beaucoup à ce stade. Une fois de plus, on l'avait arraché à l'été indien d'Autriche, la saison la plus agréable pour la chasse et les réceptions, pour l'expédier pour la seconde fois au Liban !

Arrivé la veille, il n'avait pas rencontré le chef de station de Beyrouth, Christopher Stafford, le Black qui l'avait aidé quelques mois plus tôt[2]. Il avait dû se contenter d'un bref rendez-vous au bar de l'*Albergo*, l'hôtel chic

1. Agents des services.
2. Voir SAS n° 164, *Le Trésor de Saddam*.

d'Ashrafieh, avec un agent NOC[1] de la CIA, implanté à Beyrouth sous une couverture de businessman, du nom de Harrisson Turner. Celui-ci lui avait transmis les premières instructions : le rendez-vous à Byblos avec un agent des Services saoudiens et un informateur libanais membre du Hezbollah, recruté par les Saoudiens. Rendez-vous pris dans le Saint-Tropez libanais, au mythique restaurant *Pepe Abed*, qui recevait depuis quarante ans toutes les célébrités mondiales. Le Saoudien qu'il allait rencontrer s'appelait Ryad et faisait partie de la famille royale. Malko n'osait pas croire que c'était pour ce détail qu'on lui avait confié cette mission. La CIA ne connaissait pas de telles subtilités. Le COS[2] de Vienne lui avait seulement souligné que l'Agence appréciait sa grande connaissance du Liban et de la région.

Rajjik Maatoub poussa un rugissement de joie.

– Le voilà, monsieur Malko !

Une Mercedes grise venait d'entrer en trombe dans l'impasse, frôlant le mur de la pharmacie Bustros et fonçant dans leur direction comme pour l'arrivée d'un grand prix de Formule 1. Elle stoppa dans un hurlement de pneus martyrisés et le chauffeur en jaillit. Un moustachu tout maigre aussitôt agoni d'injures par Rajjik Maatoub, qui coupa ses explications volubiles et embrouillées et se tourna avec un sourire vers Malko. Celui-ci était déjà installé sur le siège encore tiède. Il redescendit vers la mer et repassa devant le *Phoenicia* où il logeait, s'engouffrant dans le tunnel menant à l'avenue Charles-Helou. Il faisait presque nuit déjà. Pour Byblos, il fallait compter une bonne demi-heure… Si la circulation était fluide.

1. *Non Official Cover.*
2. *Chief of station.*

Très vite, Malko comprit qu'il devait réviser son timing. À partir d'Antelias, les voitures avançaient au pas, pare-chocs contre pare-chocs ! Il réalisa vite la cause de ce ralentissement : un peu plus loin, un pont enjambant l'autoroute de Tripoli s'était effondré sur la chaussée, frappé par des bombes israéliennes, et les voitures devaient franchir ce passage sur une seule file, ce qui provoquait un embouteillage abominable. Ensuite, la circulation redevenait fluide.

Il passa devant la route menant à la colline d'Akwar où se trouvait l'ambassade américaine. Depuis le conflit entre Israël et le Hezbollah, les Américains étaient de nouveau en pleine paranoïa.

La plus grande partie des agents de la CIA, y compris Christopher Stafford, avaient été repliés sur Chypre par hélicoptère et il ne subsistait à Beyrouth qu'une permanence squelettique.

Sa joie fut de courte durée. Juste avant un panneau indiquant JBAIL [1], il dut reprendre une allure d'escargot. À El-Fidar, c'était l'autoroute cette fois qui s'était effondrée dans une vallée, et il y avait deux kilomètres de bouchon… Il trépigna intérieurement, impuissant. Impossible d'avertir le Saoudien avec qui il avait rendez-vous : il ne possédait pas son numéro de portable.

Ryad Bin Aziz Al-Whaleed avait terminé son poisson depuis longtemps et avait même eu le temps de prendre deux cafés. Il était le dernier client du *Pepe Abed* et les garçons commençaient à le regarder d'un drôle d'air.

Le Saoudien ne quittait pas des yeux la rampe descendant en contrebas de l'hôtel *Byblos-sur-Mer*, seule voie d'accès au port. De rares véhicules l'empruntaient

_____
1. Byblos, en arabe.

pour contourner le port, passant en contrebas de la terrasse où il se trouvait, continuant ensuite vers le centre
artisanal, Les phares d'un nouveau véhicule apparurent
sur la rampe mais, cette fois, il stoppa le long du bassin à côté des bateaux sur cales et de gros caissons
métalliques. À peine ses phares s'étaient-ils éteints que
le portable de Ryad Al-Whaleed sonna.

— C'est Sohbi, annonça une voix d'homme.

— Où êtes-vous ? demanda aussitôt le Saoudien.

— Ici, sur le port. Je viens d'arriver.

Ryad Al-Whaleed fixa la voiture arrêtée, assez loin
de la terrasse où il se trouvait. Son interlocuteur avait
mal compris.

— Je suis à la terrasse du restaurant *Pepe Abed,* précisa-t-il. Vous pouvez vous garer juste en dessous, il y
a de la place.

— Non, rétorqua calmement le Libanais, venez,
vous. Ce n'est pas prudent que l'on me voie en votre
compagnie. Je vous attends à l'entrée du port.

Agacé, mais soulagé de quitter enfin cette terrasse
où il poireautait depuis plus de deux heures, Ryad
Al-Whaleed demanda l'addition. Dès qu'il eut récupéré sa monnaie, il descendit les escaliers de pierre
menant au port et, laissant sa voiture garée devant le
restaurant, partit à pied le long du quai. Il avait à peine
cent mètres à parcourir.

Malko dut ralentir brutalement pour négocier le
virage à angle droit, en face de la piscine municipale
brillamment éclairée. La route faisait un coude et plongeait ensuite vers le port. Il se souvenait de l'emplacement du restaurant et se gara en contrebas de la terrasse
de *Pepe Abed*, montant ensuite l'escalier quatre à
quatre.

La terrasse était vide. Furieux de son retard, il se dit que le Saoudien n'avait pas pu l'attendre.

Un garçon s'approcha et annonça avec un sourire d'excuse :

– Nous ne servons plus à dîner, la cuisine est fermée, mais vous pouvez boire un verre.

– J'avais rendez-vous ici avec un ami, répondit Malko, mais je suis en retard.

Le garçon hocha la tête.

– Il y avait ici un monsieur qui a attendu longtemps. Il vient juste de partir.

– Merci, fit Malko, en rage contre lui-même et frustré.

Soudain, le garçon qui s'était avancé jusqu'au bord de la terrasse se retourna.

– Sa voiture est encore en bas. Tenez, je crois que c'est lui, là-bas.

Il désignait une silhouette en train de marcher, tout au bout du port.

Soulagé, Malko dévala l'escalier de pierre et se dirigea à pas rapides vers l'entrée du port. La silhouette désignée par le garçon s'était fondue dans la pénombre. Il contourna le bassin, zigzaguant au milieu d'énormes caissons métalliques et de bateaux sur cales. La zone était à peine éclairée.

Il entendit soudain un frôlement derrière lui et voulut se retourner. Il n'en eut pas le temps. Un bras musculeux entoura son cou, l'étranglant à moitié, tandis qu'une main pesait sur sa nuque.

Un homme d'une force herculéenne, surgi derrière lui, essayait de lui briser les vertèbres cervicales.

CHAPITRE II

L'homme qui essayait de briser la nuque de Malko était beaucoup plus fort que lui et il avait beau lutter, il commençait à sentir sa résistance diminuer. Le bras passé autour de son cou lui écrasait la trachée et les carotides. Il essaya de tournoyer sur lui-même, heurtant la coque d'un bateau sur cales, et aperçut, à quelques mètres, l'eau sombre du port.

Il comprit que c'était sa seule chance. D'un effort surhumain, il se rapprocha du bord. Son adversaire réalisa trop tard sa manœuvre : ils étaient déjà en train de basculer dans le bassin.

Malko s'enfonça le premier dans l'eau fraîche, retenant sa respiration. Surpris, son agresseur relâcha sa prise et il s'éloigna de lui, se mettant à nager le plus vite possible. Apparemment, l'homme qui venait d'essayer de le tuer n'était pas à l'aise dans l'eau... Malko le distança de plusieurs mètres, puis ses pieds touchèrent la rampe inclinée servant à mettre les bateaux à l'eau et il put se mettre debout, remontant peu à peu jusqu'au bord.

Cette fois, en pleine lumière d'un lampadaire. Encore choqué, il se retourna et aperçut, dans la pénombre, l'homme en train d'escalader une échelle métallique pour regagner la terre ferme.

Trempé, crachant de l'eau, respirant difficilement, il resta sur place, prêt à affronter le retour de son agresseur.

*
* *

Au moment où Ryad Al-Whaleed arrivait devant la voiture de son «contact», il entendit un *plouf* sourd et se retourna. Sans rien voir, son champ de vision étant occulté par un gros caisson métallique. Intrigué, il examina la voiture : une vieille BMW bleue, garée à côté de la pompe servant à nettoyer les dernières traces de pollution.

Le véhicule était vide.

Le Saoudien regarda autour de lui et vit alors un homme surgir de l'obscurité, là où s'alignaient les fûts contenant le mazout retiré du port, à côté de grands containers bleus pleins de déchets divers. L'inconnu, jeune, de haute taille, s'approcha du Saoudien et annonça :

— Je suis Sohbi.

Ryad Al-Whaleed l'embrassa aussitôt trois fois. Le Libanais sentait l'eau de Cologne bon marché.

— Je m'appelle Ryad, dit le Saoudien. Il faudrait retourner chez *Pepe Abed*, car nous avons rendez-vous avec une troisième personne.

Sohbi ne répondit pas et, faisant demi-tour, lui fit signe de le suivre, s'engageant aussitôt entre les énormes fûts alignés le long du port, comme une muraille. Pensant qu'il n'avait pas compris, le Saoudien le suivit et l'appela.

— Sohbi !

Le Libanais se retourna quelques mètres plus loin, sans mot dire. Ryad Al-Whaleed n'eut pas le temps de se poser de questions.

Deux hommes surgirent de l'obscurité et l'encadrèrent. L'un mesurait près de deux mètres. Il ceintura le Saoudien, lui immobilisant les bras le long du corps, et le souleva du sol. Le second, plus petit mais trapu, lui saisit les chevilles, faisant basculer son corps à l'horizontale. Stupéfait et affolé, Ryad Al-Whaleed poussa un cri et tenta de se débattre, mais celui qui le tenait avait une force herculéenne. Il pensa immédiatement à un kidnapping, spécialité du Hezbollah. En tant que neveu du prince Mikrin, il représentait une valeur énorme.

Malko entendit un cri bref, venant de la zone plongée dans la pénombre, là où se trouvaient des bateaux à sec et des containers.

L'adrénaline envahit ses artères : il se passait quelque chose de très inquiétant. Il regarda la zone d'où provenait le cri. Sans arme, c'était de la folie d'y aller. Transi, ses vêtements trempés lui collant à la peau, il prit son portable et l'ouvrit. Rien ne s'alluma. Noyé. Il en avait un autre dans sa voiture et partit en courant dans cette direction.

Ryad Al-Whaleed réalisa trop tard qu'il ne s'agissait pas d'un kidnapping. Le géant qui le ceinturait venait de s'immobiliser devant un fût de deux cents litres rempli à ras bord de pétrole et dépourvu de couvercle. Il y en avait une douzaine de semblables, prêts à être évacués vers l'usine de retraitement. Comprenant ce qui l'attendait, le Saoudien tenta encore de se débattre et poussa un cri strident.

Juste au moment où l'homme qui lui tenait les chevilles poussait violemment ses jambes vers le haut, faisant basculer son corps presque à la verticale. Quand ses cheveux touchèrent la surface du pétrole, Ryad Bin

Aziz Al-Whaleed avait encore la bouche ouverte. Sa tête disparut sous la surface visqueuse et son cri cessa net.

Le géant qui l'immobilisait le lâcha d'un coup et le Saoudien s'enfonça dans le fût rempli de pétrole. Sa tête heurta le fond. Fermant désespérément la bouche, il tenta en prenant appui sur les mains de s'extraire de son cercueil liquide, sans succès. À l'extérieur, les deux hommes maintenaient ses jambes en position verticale.

Pendant plus d'une minute, elles battirent l'air et une chaussure s'arracha de ses pieds. Ses deux bourreaux tenaient bon, sous le regard froid de celui qui s'appelait Sohbi et d'un quatrième homme encore trempé de son bain forcé.

Dès que les jambes de Ryad Al-Whaleed cessèrent de s'agiter, Sohbi lança d'une voix sèche :

– *Yallah*[1] *!*

Les poumons pleins de pétrole, Ryad Al-Whaleed était forcément mort. Seuls ses pieds et ses chevilles dépassaient du fût, presque invisibles dans l'obscurité.

Les quatre hommes se hâtèrent vers la BMW. L'homme qu'ils avaient tenté de neutraliser pouvait revenir et leurs ordres étaient, avant tout, de ne pas se faire repérer.

Le géant se mit au volant et, tandis qu'ils sortaient du port, Sohbi composa un numéro sur son portable. Dès qu'il eut son interlocuteur en ligne, il prononça une seule phrase :

– Un chien est mort.

*
* *

Trempé, fou de rage, Malko composa le numéro de portable de Christopher Stafford. Immédiatement, un

1. On y va.

répondeur se déclencha. Cela valait peut-être mieux, car cet appareil-là n'était pas crypté. Il laissa un court message :

— Le rendez-vous s'est mal passé.

Après avoir ôté sa veste, mal à l'aise dans ses vêtements trempés, il longea le quai en voiture et s'arrêta en face de la rampe par laquelle il était remonté, ses phares éclairant la zone où le Saoudien avait disparu. La voiture n'était plus là. Il donna un léger coup de klaxon, sans résultat. Enfin, laissant ses phares allumés, il s'avança à pied dans cette zone encombrée de vieux bateaux, de containers et d'objets divers. Il s'arrêta pour écouter.

Rien. Un silence minéral.

Dix mètres plus loin, il découvrit un alignement de gros fûts dégageant l'odeur fade et écœurante du pétrole. Il allait rebrousser chemin lorsque son regard fut attiré par ce qui ressemblait à deux bouts de bois émergeant d'un des fûts. Son sang se chargea brutalement d'adrénaline. Les morceaux de bois ne portent pas de chaussures.

*
* *

L'odeur fade du pétrole évoquait la mort. Immobile dans l'obscurité, balayé par la brise tiède qui le faisait claquer des dents dans ses vêtements mouillés, Malko fixait les deux pieds émergeant du fût, retourné de dégoût. Il y avait de très fortes chances pour qu'ils appartiennent à celui avec lequel il avait rendez-vous, l'agent des Services saoudiens. De toute évidence, sa « source » au sein du Hezbollah avait été retournée et le rendez-vous de contact s'était transformé en guet-apens.

Grelottant, amer mais content d'être vivant, Malko mit beaucoup moins de temps qu'à l'aller pour regagner Beyrouth. Les employés du *Phoenicia* lui jetèrent des regards intrigués. Heureusement, l'hôtel, fermé aux deux tiers pour cause de guerre, ne comptait guère de clients, ses immenses couloirs déserts évoquant plus Marienbad qu'un palace moderne.

Dans sa chambre, il se débarrassa de ses vêtements et se jeta sous une douche chaude. Tout son cou était douloureux et il pouvait à peine tourner la tête.

Une nouvelle fois, il tenta de joindre Christopher Stafford, le chef de station de la CIA. En vain. Il réalisa alors qu'il mourait de faim. Sa Breitling indiquait dix heures dix. L'unique restaurant ouvert du *Phoenicia* ne devait plus servir. Il n'avait pas envie de rester seul. D'avoir failli mourir avait aiguisé sa soif de vivre. Il pensa soudain à Tamara Terzian, la jeune journaliste du *Commerce du Levant*, qui l'avait aidé et accompagné lors de sa précédente mission à Beyrouth. Avec elle, il pouvait être lui-même, sans risques. Hélas, à cette heure, il avait peu de chances de la joindre.

Il essaya quand même.

Miracle, la voix fraîche de la ravissante journaliste rousse répondit, émergeant d'un brouhaha infernal.

– Allô, qui parle ?

– Malko.

– Malko ! Où es-tu ?

– À Beyrouth. Au *Phoenicia*.

Tamara Terzian eut un rire complice.

– Si tu m'appelles, c'est que tu es seul…

– Exact, et je n'ai même pas dîné.

– Eh bien, rejoins-nous ! Je suis avec des amis dans un nouveau restaurant hypersympa, *L'Ex*, rue Gounod. Tu es là dans combien de temps ?

– Un quart d'heure.

– Je t'attendrai dans la rue, devant, parce que c'est difficile à trouver.

Malko avait presque descendu la rue Gounod quand ses phares éclairèrent une silhouette féminine, debout au bord du trottoir.

Un pull blanc, une courte jupe de cuir noir, découvrant la plus grande partie de longues jambes, et des cheveux roux ébouriffés. Tamara Terzian était toujours aussi sexy… À peine Malko s'était-il arrêté qu'elle se glissa dans la voiture et lui sauta au cou, le faisant sursauter de douleur.

– *Ayeté*[1] !

Son baiser envoya des bulles de mercure dans l'épine dorsale de Malko et il put constater *de tactu* qu'elle ne portait toujours pas de soutien-gorge. Un peu essoufflée, elle se détacha de lui, le regard moqueur.

– Ne t'excite pas trop ! J'ai un nouveau jules, Amin, et il est avec moi ce soir. On essaiera quand même de se voir. En tout cas, je vais te présenter à une copine ravissante, Rima. Une chiite qui travaille dans un cabinet dentaire.

– Une chiite !

– Une chiite laïque, précisa aussitôt Tamara. Elle boit, elle fume et elle baise… Seulement, elle vient de divorcer et n'a pas trop la tête aux hommes. C'est à toi de jouer.

Elle l'embrassa encore une fois et ils pénétrèrent dans le restaurant. Comme toujours à Beyrouth, la musique était assourdissante, l'éclairage limité, et il y avait beaucoup de jolies femmes. Tamara le guida jusqu'à une grande table couverte de bouteilles, dont un magnum de Taittinger Comtes de Champagne, et l'installa à côté d'une ravissante brune très maquillée, dont le haut boutonné jusqu'au cou moulait une poitrine magnifique.

Malko sentit sa libido se mettre au diapason de la musique. Tamara se pencha vers la brune et hurla, pour couvrir le bruit.

– Rima, je te présente un vieil ami, Malko.

1. Chéri !

Rima lui tendit une main fuselée aux longs ongles très rouges et lui adressa un sourire éblouissant.

– Bonsoir

Tamara avait déjà rejoint son compagnon, un moustachu avantageux, avec quinze kilos en trop, qui posa aussitôt une main possessive sur sa cuisse. À cause du brouhaha, la conversation était difficile. Malko commanda un steak et une vodka.

*
* *

Il était plus d'une heure du matin lorsqu'ils sortirent de *L'Ex*. Malko avait découvert que sa voisine marchait à la tequila et qu'elle n'était pas bavarde.

Quand elle se leva, il découvrit *aussi* une taille de guêpe et une croupe de folie, moulée dans une jupe tombant aux chevilles qui paraissait cousue sur elle... Elle était beaucoup plus excitante que ses voisines en mini.

– On va prendre un verre chez Amin, proposa Tamara. Il habite pas loin, rue Abdel-Wahad.

C'était au quinzième étage d'une tour moderne qui s'élevait au milieu des vieilles maisons ottomanes, comme un obélisque de béton. Tamara mit de la musique arabe et commença à danser toute seule, rattrapé par Amin qui, visiblement, n'avait pas envie qu'elle excite les autres mâles présents.

Rima fumait en échangeant des banalités avec Malko. En dépit de son «emballage» hypersexy, elle était plutôt distante. Contrairement aux autres couples qui flirtaient un peu partout sur les canapés...

Lui réfrénait difficilement une très forte envie de se jeter sur elle. L'incident de Byblos avait déclenché chez lui une puissante pulsion sexuelle que Tamara, en dépit de ses coups d'œil sournois, ne semblait pas prête à apaiser... Soudain, la jeune chiite regarda sa montre et lança quelques mots en arabe à Tamara. Celle-ci dit aussitôt à Malko :

– Rima veut rentrer, elle travaille tôt demain. Tu peux la raccompagner ?

– Je vais prendre un taxi, proposa Rima.

Mais Malko était déjà debout. Dans l'ascenseur exigu, les seins aigus effleurèrent l'alpaga noir de sa veste et il faillit la prendre dans ses bras. Hélas, c'était déjà le rez-de-chaussée.

– Où habitez-vous ? demanda Malko.

– À Basta.

Un quartier musulman, sunnite et chiite. Rima le guida dans un dédale de rues mal éclairées, le faisant s'arrêter sur une petite place.

– Je suis arrivée, annonça-t-elle.

– J'aimerais vous revoir, dit Malko. Je suis de passage à Beyrouth et un peu seul.

Sans répondre directement, elle griffonna un numéro sur un papier qu'elle lui tendit.

– C'est mon portable, mais je ne réponds pas toujours.

Elle ouvrit son sac et en sortit un hijab noir dont elle s'entoura la tête, ne laissant dépasser que l'ovale de son visage. Devant la surprise de Malko, elle précisa avec un sourire :

– Mes parents sont très conservateurs.

Il la regarda s'éloigner. À cause de sa longue jupe, elle était obligée de marcher à petits pas. Il repartit par le nord et se perdit deux fois. Repensant à ce qui s'était passé à Byblos, il se dit que ce nouveau séjour à Beyrouth risquait d'être aussi sanglant que le précédent.

Harrisson Turner semblait perturbé par le récit de Malko. Il l'avait appelé à huit heures pour un *breakfast* à *L'Albergo*. Les SOS de la veille lui avaient été transmis.

– Il n'y a encore rien dans les journaux, ni à la radio

ni à la télé, remarqua-t-il. Normalement, il était prévu que vous alliez à Chypre aujourd'hui pour rencontrer nos associés de Riyad et de Tel-Aviv. Christopher est encore là-bas. Je vais communiquer avec lui, à partir de l'ambassade, et je vous appelle au *Phoenicia*.

Ils terminèrent leur *breakfast* et Malko retourna à son hôtel. Il souffrait tellement du cou qu'il décida d'aller se faire masser.

Il était sur la table de massage quand Tamara Terzian l'appela.

— Alors, tu as aimé ma copine ? lança-t-elle en riant.

— J'aurais préféré terminer la soirée avec toi, elle est fermée comme une boîte de conserve.

— Tu l'ouvriras. Il suffit de trouver la clef… Elle m'a dit qu'elle n'avait pas fait l'amour depuis quatre mois. Et elle a un cul qui va te rendre fou.

— J'ai vu, fit Malko, mais je n'ai pas touché.

— *Ya haram*[1] ! fit ironiquement la journaliste. J'essaierai de venir te rendre une petite visite. Mais si Amin l'apprend, il me tue.

Son massage terminé, il appela Rima. Il y avait un message sur son répondeur, en arabe et en anglais, d'une voix douce, presque irréelle, de petite fille vicieuse. Rare chez les Libanais, qui n'utilisaient jamais les messageries. Malko laissa le numéro de son portable. Un quart d'heure plus tard, Rima rappelait.

— Vous terminez à quelle heure votre travail ? demanda Malko

— Aujourd'hui, vers cinq heures. Pourquoi ?

— Je vous emmène prendre un verre au café *Gemmairé*. C'est un endroit sympa.

— D'accord, accepta-t-elle après une courte hésitation, je vous retrouve là-bas.

Il eut à peine le temps de s'habiller. Le téléphone de la chambre sonna. Une voix d'homme inconnue.

1 Pauvre de toi !

— Monsieur Linge ?

— Oui.

— Je vous appelle de la part de l'ami que vous avez vu ce matin à *L'Albergo*. Il vous enverra une voiture à quatre heures au *Phoenicia*. Une Mercedes grise immatriculée 5648 NB. Soyez sous le porche. Prenez quelques affaires. Vous risquez de ne pas revenir ce soir...

Il n'avait plus qu'à préparer un sac de voyage et à laisser un message à Rima. Il alluma la télé et mit la chaîne libanaise chrétienne LBC. C'était les informations. Elles ouvrirent sur le port de Byblos. Des pompiers étendaient une forme sur une civière, une sorte de momie noire. Hélas, le commentaire était en arabe... En tout cas, le corps du Saoudien avait été découvert.

À quatre heures moins cinq, Malko était devant le *Phoenicia*, avec son petit sac de voyage. La Mercedes dont on lui avait communiqué le numéro arriva à quatre heures pile. Malko prit place à côté du conducteur qui lui demanda aussitôt :

— Vous avez votre passeport ?

Malko le lui tendit et l'homme l'examina rapidement, avant de le lui rendre.

— Désolé, s'excusa-t-il, ce sont les consignes de M. Stafford.

— Où allons-nous ? demanda Malko.

— À l'ambassade, *sir*. Pour prendre un hélicoptère à destination de Chypre.

Le consul d'Arabie Saoudite, blanc comme un linge, contemplait le cadavre nu étendu sur une civière. On l'avait à peu près débarrassé de sa gangue de pétrole,

mais sa peau portait encore des traînées noirâtres
un peu partout. L'employé libanais de la morgue de
l'Hôtel-Dieu lui tendit un panier d'osier contenant une
montre en or magnifique, un portefeuille qui n'était
plus qu'une masse noirâtre, un mouchoir noir et une
liasse de billets collés les uns aux autres. Il expliqua :

— Nous l'avons identifié comme citoyen saoudien
grâce à la plaque de sa voiture.

Le consul, en examinant la montre, découvrit le nom
de Ryad Bin Aziz Al-Whaleed gravé sur le boîtier.

— Il s'agit d'un membre de la famille royale,
confirma-t-il, le prince Bin Aziz Al-Whaleed. Savez-
vous ce qui lui est arrivé ?

Un homme corpulent, en civil, qui avait assisté à
l'entretien sans rien dire, s'avança alors vers le consul
et se présenta.

— Je suis le colonel Mourad Trabulsi, de la police
judiciaire, dit-il. Nous avons commencé notre enquête.
Des ouvriers ont trouvé ce corps enfoncé dans un fût
de pétrole sur le port de Jbail. Il y a été jeté vivant,
apparemment. Il est mort asphyxié...

— Vous avez une idée des coupables ? demanda le
consul.

— L'enquête commence à peine, précisa le colonel
Trabulsi. Nous savons que cet homme a dîné hier soir
au restaurant *Pepe Abed*. Il attendait quelqu'un. Il a
quitté le restaurant à pied, sans avoir rencontré personne, et n'est pas revenu. Quelqu'un l'a demandé
juste après son départ. Un étranger, qui est parti à sa
recherche. Nous ignorons tout de lui.

— Vous croyez qu'il s'agit de l'assassin ? demanda
le consul.

Le colonel Trabulsi eut un geste évasif.

— Il est trop tôt pour le dire. Savez-vous ce que faisait le prince Al-Whaleed à Jbail ?

Le consul ne broncha pas.

— Je l'ignore totalement, assura-t-il. Le prince

Al-Whaleed était arrivé avant-hier pour renforcer la mission diplomatique de Beyrouth. Je ne sais rien de sa vie privée. Il habitait à l'hôtel *Bristol*, non loin de l'ambassade. Je vais établir un rapport pour Riyad. Tenez-moi donc au courant de l'enquête. S'il doit y avoir une autopsie, je souhaite que le corps soit rapatrié le plus vite possible.

— Vous pouvez compter sur moi, promit le colonel Trabulsi.

Il raccompagna le consul jusqu'à la sortie de l'hôpital et regarda pensivement s'éloigner la Mercedes en plaque Œ D. Ce meurtre étrange l'intriguait. Il n'avait pas tout dit au consul. D'abord, grâce à quelques coups de fil, il avait découvert que l'homme assassiné était le neveu du chef des services de renseignements d'Arabie Saoudite. Il y avait donc de fortes chances pour que le prince Ryad Bin Aziz Al-Whaleed en fasse aussi partie… Ensuite, un employé de l'hôtel *Byblos-sur-Mer* avait remarqué une BMW qui s'était garée sur le port, tout près de l'endroit où le cadavre avait été découvert. Elle était occupée par quatre hommes, vraisemblablement les assassins… Or, parmi eux, selon le témoin, se trouvait un homme de très grande taille, presque un géant. Ce qui correspondait au signalement d'un membre du service de sécurité du Hezbollah, un certain Jamal Al-Din, surnommé « Platine » à cause des broches métalliques qui truffaient son corps, suite à de nombreuses blessures. On lui attribuait une bonne trentaine de liquidations des ennemis du Parti de Dieu.

Le colonel Mourad Trabulsi regagna sa Cherokee où l'attendaient deux de ses hommes.

— *Yallah*, on rentre à la maison ! lança-t-il.

C'est-à-dire au QG des Forces de sécurité intérieures où il était le numéro 2 de la police judiciaire, le poste de directeur étant réservé à un Druze. Comme toujours au Liban, les équilibres confessionnels étaient délicats.

Lui-même étant maronite, il avait dû faire preuve de souplesse pour naviguer entre les Syriens, les chiites, les sunnites et les Druzes. Parvenant, pendant des dizaines d'années, à ne se brouiller avec personne. À cause de cette prudence, les FSI avaient gagné le surnom de Forces Spécialement Inutiles. Ce meurtre lui faisait renifler une affaire délicate. Ce n'était pas la première fois que les Services saoudiens se montraient actifs à Beyrouth. Presque vingt ans plus tôt, ils avaient organisé un attentat contre le cheikh chiite Fadlallah. Attentat qui avait lamentablement échoué, tuant près de 80 civils, mais épargnant Fadlallah.

C'était déjà une opération antichiite…

Après avoir franchi les innombrables *check-points*, chicanes, barrières, portails magnétiques défendant l'ambassade américaine, et avoir été palpé par des Marines aimables comme des portes de prison, Malko parvint au bâtiment principal de l'ambassade. Un jeune homme l'attendait en bas des marches.

— *Sir*, dit-il, l'hélicoptère vous attend. M. Stafford vous accueillera à Nicosie.

Les pales du Blackhawk tournaient déjà sur l'hélipad protégé par des filets métalliques et une batterie de missiles sol-air. Malko était le seul passager, en plus de l'équipage. Cinq minutes plus tard, il filait au-dessus de la Méditerranée. Vingt minutes de vol jusqu'à Nicosie. L'appareil se posa sur le tarmac de l'aéroport de Limassol, à côté d'une limousine grise d'où émergea Christopher Stafford, le chef de station black de la CIA à Beyrouth. Il serra chaleureusement la main de Malko, en lançant :

— Je ne pensais pas vous revoir si vite… Je sais que votre séjour a très mal commencé.

— Que faisons nous ici ? demanda Malko.

Christopher Stafford eut un sourire entendu.

– Nous allons rencontrer nos associés dans la prochaine coproduction de l'Agence : le kidnapping de Hassan Nasrallah. Une commande de nos amis de Tel-Aviv, à qui, en ce moment, on ne peut rien refuser.

CHAPITRE III

Les cheveux très courts et le col de sa chemise ouvert, Meir Feldman, le chef du Mossad israélien surnommé l'Institut, ressemblait au croisement d'un nain de jardin et d'un gorille, avec un regard si perçant qu'il en était presque gênant.

– Vous avez déjà rencontré M. Meir Feldman ? demanda Christopher Stafford à Malko.

– Non, dit Malko, en serrant la main poilue de l'Israélien, dont le visage était absolument inexpressif.

Un autre homme se trouvait dans le grand bureau de l'ambassade américaine. De type arabe prononcé, le visage barré d'une épaisse moustache noire, légèrement enveloppé, mais vêtu d'un costume très bien coupé, style Savile Row.

– Le prince Mohammed Al-Faysal est le représentant du *General Intelligence Department*, dirigé par le prince Mikrin Al-Saoud ben-Abdelaziz, annonça l'Américain. Il est venu spécialement de Riyad pour cette rencontre… informelle.

Il était même arrivé avec deux heures de retard, ce qui avait reporté d'autant la réunion. Le Saoudien découvrit des dents d'une blancheur irréelle et offrit à Malko une poignée de main chaleureuse.

– Heureux de vous rencontrer, prince Malko, fit-il. J'ai beaucoup entendu parler de vous.

Ils s'assirent autour de la table basse et un boy philippin entra dans la pièce avec un plateau de jus de fruits et d'eaux minérales. Une théière et une cafetière étaient déjà posées sur la table, avec une assiette de biscuits. Malko prit un jus de tomate. C'était son premier contact avec un membre du Renseignement saoudien et avec le chef du Mossad israélien. La présence conjuguée des deux hommes était étonnante. Bien sûr, Malko savait que le prince Bandar Bin Sultan, ancien ambassadeur d'Arabie Saoudite aux États-Unis, qui possédait une magnifique demeure à Mac Lean, en Virginie, à deux pas de la Central Intelligence Agency, assurait parfois une liaison discrète, à très haut niveau, entre son pays et Israël, mais c'était autre chose d'avoir en face de lui un Saoudien et un Israélien, apparemment en parfaite entente.

Christopher Stafford but une gorgée de Pepsi et précisa :

– Bien entendu, cette réunion est absolument secrète. Nos deux amis sont arrivés en avion privé en utilisant de fausses identités. Il est évident que nos adversaires pourraient tirer un très grand profit de toute publicité faite à ce *meeting*.

Malko approuva avec un demi-sourire : un enfant de quatre ans aurait compris cela, mais les Américains adoraient mettre les points sur les i… Il remarqua que Meir Feldman regardait nerveusement sa montre. Pourtant, la réunion n'avait même pas commencé…

– Il y a un problème, Meir ? demanda presque affectueusement Christopher Stafford.

L'Israélien eut un sourire timide, contrastant avec son apparence de bulldozer.

– Nous sommes vendredi soir, dit-il. Dans une heure, nous entrons dans le shabbat. Je ne pourrai pas prendre de notes, c'est interdit…

Christopher Stafford ne put s'empêcher d'esquisser un sourire.

— Meir, ce n'est pas un problème. Je pense que, pour la confidentialité de ce briefing, personne ne doit prendre de notes…

Le Saoudien approuva avec enthousiasme. Après un bref silence, Christopher Stafford reprit la parole.

— Nous avons un ennemi commun, annonça-t-il d'une voix grave. Cet ennemi c'est l'Iran et son bras armé au Liban, le Hezbollah. Je crois que nous sommes tous d'accord ? La semaine dernière, continua-t-il, a eu lieu à Amman, en Jordanie, une réunion extrêmement importante à laquelle assistaient Son Excellence le prince Bandar Bin Sultan, neveu de Sa Majesté le roi Abdallah, le Premier ministre d'Israël et notre ami Meir Feldman, ici présent, ainsi que le nouveau patron de l'Agence, le général Michael Hayden. Cette réunion avait pour but de mettre au point une stratégie commune contre notre ennemi commun.

Malko effectua un rapide calcul : ladite réunion avait eu lieu une semaine après la fin de la guerre éclair d'Israël contre le Hezbollah. Il profita d'une pause du chef de station pour demander :

— Christopher, quel a été le résultat de cette réunion ?

Il s'en doutait un peu, mais la réponse de l'Américain fit monter son taux d'adrénaline.

— Il a été décidé de neutraliser Hassan Nasrallah, le chef du Hezbollah, l'homme qui a conduit la guerre contre Israël en faisant tirer des milliers de missiles sur le nord d'Israël.

— *Neutraliser ?* insista Malko.

Il y avait plusieurs degrés dans la « neutralisation » Feu le vieux Cheikh Yacine, chef spirituel du Hamas, l'avait été, définitivement, à coups de missiles. On n'avait retrouvé de lui qu'une chaussure et une roue de son fauteuil d'infirme…

Christopher Stafford enchaîna :

– La réunion d'Amman a clarifié le problème, en dépit des divergences initiales. Nos amis israéliens souhaitent que Hassan Nasrallah soit kidnappé, de façon à obtenir son échange contre les deux soldats israéliens aux mains du Hezbollah. Ou, à défaut, pour le juger publiquement. Comme cela a été fait pour Adolf Eichman.

Adolf Eichman, responsable du bureau IVB de la Gestapo pendant la Seconde Guerre mondiale, avait envoyé à la mort des millions de Juifs. Enfui en Argentine, il avait été retrouvé des années après la guerre, kidnappé par le Mossad et jugé pour ses crimes. La seule condamnation à mort de l'État d'Israël. Pendu, puis ses cendres avaient été dispersées dans la mer.

Malko se permit une esquisse de sourire.

– Vous ne recherchez pas la facilité…

Meir Feldman intervint pour la première fois, d'une voix posée, en anglais, avec un lourd accent hébreu.

– Si la solution du kidnapping se révélait impossible, précisa-t-il, il serait évidemment possible d'appliquer un plan B, incluant l'élimination physique de Hassan Nasrallah.

Le prince Mohammed Al-Faysal eut une moue dégoûtée et laissa tomber, dans un anglais parfait :

– Cet homme est un *schmuck*, je préférerais le voir mort !

C'était amusant de voir un Saoudien employer un mot d'argot yiddish signifiant un moins que rien… Il avait dû beaucoup fréquenter les Israéliens. Malko se rendit compte soudain que tous les regards étaient braqués sur lui. Il se tourna vers Meir Feldman et demanda suavement :

– Depuis quand avez-vous ce projet concernant Hassan Nasrallah ?

Le chef du Mossad ne broncha pas.

– Depuis pas mal de temps, laissa-t-il tomber.

Au moins, il était franc…

— Pourtant, remarqua Malko, votre Service est connu pour son efficacité…

L'Israélien ne se troubla pas plus.

— Nous n'allons pas nous raconter des histoires, dit-il. Nous n'y sommes pas arrivés, pour différentes raisons. D'abord la volonté d'éliminer cet homme n'a pas toujours été partagée par nos politiques. Ce n'est que depuis l'humiliation subie il y a deux mois par Tsahal que le Premier ministre a décidé de réunir toutes nos forces pour atteindre ce but. Seulement, notre implantation au Liban n'est plus ce qu'elle était. Nos alliés naturels, les Forces libanaises, ont été très affaiblies par leur scission. Même aujourd'hui, où Samir Geagea a été libéré de prison, elles ne nous sont pas d'un grand secours.

— Et quelle est la seconde raison ? demanda Malko.

Meir Feldman le regarda sans ciller.

— Notre ami Christopher Stafford vous le confirmera : jamais aucun Service n'est parvenu à «pénétrer» le Hezbollah. C'est une secte, et sa branche militaire, conseillée par les Iraniens, prend des précautions extraordinaires. Bien entendu, nous avons tout fait pour localiser Hassan Nasrallah dès le début des opérations de Tsahal au mois de juillet. Nous n'y sommes pas parvenus. Un moment, nous avons nourri un petit espoir. Certains de nos spécialistes avaient cru discerner au cours de ses prestations télévisées une gêne causée par une blessure. Cela n'a jamais été confirmé.

— Avez-vous une idée de l'endroit où il se trouve en ce moment ?

L'Israélien secoua lentement la tête.

— Aucune. Il peut se trouver dans la banlieue sud, où le Hezbollah compte des centaines de caches, à l'ambassade d'Iran, mais c'est peu probable, ou encore dans le nord-est du pays, dans la région montagneuse du Hermel, là où le Hezbollah possède un émetteur de télévision, tout près de la frontière syrienne… Il n'a pas réapparu depuis le début de la guerre, mais enregistre régulièrement des émissions à partir de studios jamais localisés…

— Et les écoutes ? suggéra Malko. Vous êtes très forts dans ce domaine.

Meir Feldman le fixa de son regard perçant.

— Merci, mais nous n'avons pas réussi à intercepter les communications du Hezbollah. Ils ont construit un réseau filaire crypté et enterré, qui va de Beyrouth au sud du Liban et au Hermel.

— Et les portables ?

— Ils ne s'en servent pas pour les messages importants. Nous aurions pu bloquer tout le réseau libanais, mais cela n'aurait servi à rien…

Un ange passa et s'enfuit, épouvanté.

Comme pour apporter une bonne nouvelle dans cet océan de noirceur, le chef du Mossad précisa :

— Nous avons suivi, par contre, les déplacements du cheikh Fadlallah. Il est parti en Syrie, tout de suite après le début de la guerre.

Le cheikh Fadlallah, très âgé, était le guide spirituel des chiites du Liban, un ayatollah très respecté et proche du dirigeant iranien modéré Khatami, l'ancien président iranien. Il n'appartenait pas au Hezbollah, même s'il entretenait des rapports étroits avec Hassan Nasrallah. Du coup, les Israéliens, dans leurs bombardements, avaient aussi aplati sa résidence officielle de Beyrouth sud.

— Il est visé également ? demanda Malko.

— Non, il ne fait pas partie de nos objectifs, répliqua sobrement Meir Feldman.

Il y eut un bref silence, rompu par Christopher Stafford.

— Je peux vous confirmer ce que dit notre ami Meir, dit-il. Personne n'a «pénétré» le Hezbollah. Pas

même les Libanais. Seuls les gens de la Sûreté générale, liée aux Syriens, y ont quelques amis. Mais,
même à eux, le premier cercle est interdit. Les «Cousins [1]» et les Français ne sont pas meilleurs que nous,
en l'occurrence.

– Et les Syriens ?

Formés par la Stasi de l'ex-Allemagne de l'Est,
c'étaient d'excellents professionnels… L'Américain
eut une moue dépitée.

– Les Syriens savent peut-être quelques trucs, mais,
même à eux, les gens du Hezbollah ne font pas
confiance…

Encourageant. Malko s'adressa de nouveau à Meir
Feldman :

– Avez-vous pu localiser vos deux soldats enle-
vés par le Hezbollah ?

L'Israélien eut un rictus amer.

– Nous savons seulement où ils ne sont pas. Certaines sources ont essayé de nous faire croire qu'ils se
trouvaient à l'ambassade d'Iran à Beyrouth, mais
jamais le Hezbollah ne confierait un bien aussi précieux à ses amis. De toute façon, nous ne sommes pas
inquiets pour eux. Ils ont trop de valeur pour qu'on
touche un cheveu de leur tête. Leur sort se réglera avec
le temps. Ce n'est pas le sujet actuellement. Nous voulons Hassan Nasrallah. C'est indispensable pour redon-
ner confiance à notre population.

Le prince saoudien renchérit aussitôt :

– Nous sommes également très inquiets du déve-
loppement de l'emprise chiite au Liban et dans la
région. Hassan Nasrallah est devenu un héros, comme
Nasser. Même aux yeux des sunnites. Il faut faire
quelque chose…

Malko prit un peu de café. Tout cela était irréel. Il
faisait maintenant nuit noire et on se serait cru dans un

1. Les Britanniques.

sous-marin. Calmement, il se tourna vers Christopher Stafford.

— Chris, je suis très flatté d'avoir été convié à ce *meeting* avec des gens aussi éminents, mais je me pose une question : si le Mossad, qui est très motivé, et l'Agence, qui dispose de moyens énormes, n'ont pas réussi à trouver Nasrallah, comment voulez-vous que je fasse ? Je ne suis pas Superman...

Visiblement, l'Américain s'était attendu à cette question.

— Je ne vous flatterai pas, reconnut-il. Vos dernières interventions dans ce pays ont été des succès. Vous connaissez le Liban et les Libanais.

— Cela ne suffit pas. Je n'ai jamais eu aucun contact avec le Hezbollah. En plus, je ne parle pas arabe...

— Le Service de notre ami le prince Mohammed est prêt à vous aider, précisa l'Américain. Ils disposent de gens à Beyrouth, qui parlent arabe et sont des Arabes.

Malko revit les deux pieds émergeant du fût de pétrole, à Byblos.

— J'avais rendez-vous avec un de ces hommes, remarqua-t-il, hier soir, à Byblos. Vous savez ce qui lui est arrivé... Qui était-il et quel était son rôle ?

Le visage du prince saoudien s'assombrit.

— C'était en effet un de nos agents. Grâce à notre réseau du Croissant-Rouge, nous pensions avoir recruté un membre du Hezbollah prêt à donner des informations. C'était un piège.

Meir Feldman secoua la tête.

— Cela nous est arrivé plusieurs fois, avec d'anciens membres de l'ALS [1] que nous avions envoyés au contact. Ils n'ont jamais réussi à «tamponner» quelqu'un de sérieux et plusieurs ont trouvé la mort. Souvent de façon atroce.

---

1. Armée du Sud-Liban, supplétifs des Israéliens.

Christopher Stafford se hâta de lancer, comme pour rassurer Malko :

— Cette piste est évidemment abandonnée.

— Je suis prêt à m'investir dans cette mission, reprit Malko, mais encore faudrait-il savoir par quel bout commencer...

— J'ai un plan à vous soumettre, annonça soudain Meir Feldman

Malko lui adressa un regard méfiant.

— Pourquoi ne le réalisez-vous pas, dans ce cas ?

— Pour les raisons que je vais vous expliquer, répondit l'Israélien. Disons que vous avez un profil unique pour cette affaire.

Le profil d'un condamné à mort, se dit Malko.

Lucide.

CHAPITRE IV

La tension dans la pièce monta d'un cran. Visiblement, le chef du Mossad n'était pas certain de convaincre Malko. Ce dernier demanda :

– Que voulez-vous dire par « profil » ?

L'Israélien se pencha en avant comme pour mieux appuyer sa démonstration, plantant son regard dans celui de Malko.

– Vous savez peut-être que le dernier échange de prisonniers entre le Hezbollah et nous a été effectué sous l'égide des Allemands. La négociation a été menée par un conseiller du ministre de la Défense allemand, Dieter Muller.

– J'en ai entendu parler, confirma Malko.

Les Allemands avaient toujours été très présents dans la région et cherchaient par tous les moyens à rendre service aux Israéliens, afin de faire oublier l'Holocauste…

– Bien, confirma Meir Feldman. Dieter Muller vient d'être nommé à la tête du BND[1] et nous lui avons demandé d'essayer de récupérer nos deux soldats kidnappés le 12 juillet. Il a accepté et vient d'arriver à Beyrouth pour ses premiers contacts.

---

1. *Bundesnachtrichtendienst* : Service de renseignements de la République fédérale d'Allemagne.

– Quel lien avec notre affaire ?

Le regard de l'Israélien se fit encore plus perçant.

– Ce genre d'échange implique les responsables du Hezbollah au plus haut niveau. Pour le dernier échange, Dieter Muller a négocié avec Hassan Nasrallah en personne. Il l'a rencontré à plusieurs reprises. Dans le cas présent, il en sera sûrement de même. Le Hezbollah a confiance dans les Allemands…

– Que viens-je faire là-dedans ?

Malko commençait à comprendre, mais préférait faire l'idiot. Cela sentait le soufre. Meir Feldman échangea un bref regard avec Christofer Stafford avant de continuer :

– Le Premier ministre, Ehoud Olmert, a parlé de ce problème avec la chancelière Angela Merkel. Celle-ci lui a donné son accord pour que vous fassiez partie de la toute petite équipe de Dieter Muller. À titre de « consultant ». Vous parlez allemand et vous connaissez assez ces problèmes pour être crédible.

– Quel est le but de l'opération ? demanda Malko, de plus en plus méfiant.

– Recueillir assez d'éléments pour localiser Hassan Nasrallah. Afin de mener à bien notre projet commun.

Malko sentit un léger picotement courir le long de sa colonne vertébrale. Décidément, les Israéliens ne reculaient devant rien. Mais il voulait en avoir le cœur net.

– Autrement dit, précisa-t-il, nous allons infiltrer cette opération humanitaire afin de préparer le kidnapping ou l'élimination de Hassan Nasrallah.

Un ange passa et s'enfuit, épouvanté. Le silence se prolongea, brisé par Meir Feldman de sa voix calme et posée.

– Exactement, confirma-t-il. Nous n'avons pas le choix. Il nous faut des éléments pour agir. Cette opération apporte une solution inespérée…

– En admettant que cela fonctionne, remarqua

Malko. Vous risquez de ne jamais revoir vos deux soldats kidnappés, si le Hezbollah s'aperçoit de cette
manip.

— C'est à vous de faire en sorte qu'il ne s'en doute
pas, laissa tomber le chef du Mossad.

Malko sentit la moutarde lui monter au nez.

— Vous savez bien que c'est impossible, répliqua-
t-il sèchement. Vous le dites vous-même, ils sont très
bons... Je n'arrive pas à croire qu'un homme comme
Dieter Muller ait accepté ce *deal*.

— Il n'a pas eu le choix, avoua Christopher Stafford.
Le président George W. Bush a téléphoné lui-même à
Angela Merkel. Il s'agit de mettre hors d'état de nuire
un ennemi du monde libre, un homme qui a délibéré-
ment fait pleuvoir des milliers de missiles sur Israël.
Un criminel lié à l'Iran. Si nous parvenons à nos fins,
ce sera un sérieux avertissement pour ce pays. Qui
montrera que nous ne reculons devant rien.

— Il existe aussi une autre possibilité, rétorqua
Malko. Que votre manip échoue et que le Hezbollah
s'en aperçoive. Dans ce cas, vous perdez sur les deux
tableaux...

— Nous en avons accepté les conséquences, trancha
le chef du Mossad. C'est pour limiter les risques que
nous avons fait appel à un professionnel de votre
envergure.

Un petit coup de brosse à reluire n'a jamais fait de
mal à personne... Les Israéliens ne changeaient pas,
privilégiant toujours le court terme à la stratégie. Et
n'hésitant pas à trahir leurs meilleurs amis, comme
dans l'affaire Pollard. Malko ouvrit la bouche pour dire
qu'il se refusait à entrer dans cette manip, mais croisa
le regard de Christopher Stafford. Ce qu'il y lut l'in-
cita à se taire. Visiblement, la CIA ne lui pardonnerait
pas un refus. Certes, le kidnapping ou l'élimination de
Hassan Nasrallah, responsable de nombreux crimes, ne

lui posait aucun problème de conscience, mais c'était un plan trop tiré par les cheveux.

– Très bien, dit-il, j'accepte, mais je décline d'avance toute responsabilité sur les conséquences négatives qui pourraient résulter d'un échec.

Le soulagement de ses interlocuteurs fut palpable. Meir Feldman rayonnait. Visiblement, il avait hâte de plonger dans son shabbat...

– Voilà comment nous allons procéder, dit-il. D'abord, vous allez prendre contact avec Dieter Muller. Il est descendu à l'hôtel *Alexandre*, rue Adib-Ishac, à Ashrafieh.

– Je connais, confirma Malko.

– Parfait, enchaîna l'Israélien. Vous allez donc le contacter dès votre retour à Beyrouth.

Malko se tourna vers Christopher Stafford.

– Je vous rendrai compte en temps réel ?

C'est Meir Feldman qui répondit à la place de l'Américain.

– Afin de raccourcir la chaîne de commandement, précisa-t-il, nous avons décidé que vous nous rendriez compte directement. En effet, la dernière phase de cette opération sera réalisée par nos forces armées.

Malko tiqua. Les Israéliens n'avaient bien entendu aucune représentation diplomatique au Liban, et leurs alliés traditionnels, les Forces libanaises chrétiennes, avaient perdu beaucoup de leur influence.

– Vous voyez le grand rond-point après l'hippodrome, à l'extrémité du boulevard Saeb-Salam ? continua l'Israélien.

– Oui.

– Tous les jours, un marchand de *kaak*[1] y propose ses pains, de huit heures à midi. Lorsque vous aurez réuni des informations opérationnelles, vous passerez par là et vous lui achèterez un *kaak* que vous réglerez

1. Pain en forme de croissant fermé.

avec un billet de un dollar. Vous serez ensuite contacté par une personne qui vous expliquera comment transmettre vos informations.

Décidément, le réseau du Mossad au Liban réservait encore des surprises...

– Parfait acquiesça Malko.

Meir Feldman lui adressa encore un regard concentré comme un laser.

– M. Linge, gardez à l'esprit que Beyrouth fourmille d'agents travaillant pour les Syriens ou le Hezbollah.

– Je pense que les Syriens connaissent déjà ma présence à Beyrouth, objecta Malko.

Le chef du Mossad eut un sourire froid.

– Ce n'est pas très grave. Le tout est qu'ils ne sachent pas ce que vous y faites.

Ils se regardèrent tous, n'ayant plus grand-chose à se dire. Le prince saoudien consulta le petit tas d'or et de diamants qui lui servait de montre et précisa à Malko :

– Vous recevrez très prochainement un coup de fil d'une certaine Mouna Harb, qui se présentera comme l'attachée de presse de l'hôtel *Bristol*. Elle travaille avec nous. Vous mettrez au point avec elle les détails de notre collaboration. Maintenant, je suis obligé de vous quitter.

Il serra les mains à la ronde et s'éclipsa. Meir Feldman se leva à son tour et serra longuement la main de Malko.

– Je suis sûr que notre collaboration portera ses fruits, assura-t-il.

Malko retint un sourire : l'amour entre Saoudiens et Israéliens, c'était un peu le pacte germano-soviétique de 1940. L'alliance de la carpe et du lapin. Il fallait vraiment que les sunnites haïssent les chiites pour s'allier avec des gens qu'ils rêvaient de rayer de la surface du globe...

Resté seul avec Malko, Christopher Stafford lui tendit un paquet.

— Voici un Blackberry tout neuf et crypté, pour communiquer avec moi. Soyez quand même prudent, les Syriens sont très bons pour les écoutes. Alors, que pensez-vous de ce projet ?

— Je ne voudrais pas être dans la peau de Dieter Muller, continua Malko. Je ne comprends même pas qu'il ait accepté.

— Les Israéliens lui ont tordu le bras. Ils ont absolument besoin d'un succès

Malko eut un geste fataliste.

— *Inch'Allah !* On verra bien. Mais ce n'est pas gagné. Quand repartons-nous pour Beyrouth ?

— Vous repartez, précisa l'Américain, et j'ai prévu que nous dînions ensemble. Washington préfère que je reste à Chypre encore quelques jours.

— Pourquoi les Israéliens veulent-ils que je communique avec eux de cette façon compliquée, alors que vous êtes en contact constant avec eux ?

Le chef de station eut un sourire indulgent.

— Ils veulent se sentir utiles. Et montrer qu'ils ont encore des réseaux libanais.

Malko pensa soudain à Rima, la pulpeuse assistante dentaire qui avait dû l'attendre au café *Gemmaïré.* Voilà une idylle qui commençait mal. Il serait obligé de la noyer sous des flots de Taittinger pour se faire pardonner.

— Nos amis saoudiens sont eux aussi très motivés, ajouta Christopher Stafford.

— Motivés, mais imprudents, corrigea Malko. J'ai failli y laisser ma peau. L'ennui, c'est qu'ils ont alerté le Hezbollah. J'espère que cela n'aura pas de conséquences fâcheuses.

*
* *

Malko se réveilla sous un soleil radieux. Le Blackhawk l'avait ramené tard la veille à l'ambassade américaine et, à peine à l'hôtel, il avait laissé un message
à Rima, s'excusant à nouveau de lui avoir fait faux
bond à cause d'un déplacement imprévu et proposant
un rendez-vous pour le soir.

Il prit un taxi pour gagner l'hôtel *Alexandre*, situé
dans une rue en sens unique ingarable.

Dès qu'il se fut annoncé à la réception, Dieter Muller fit dire qu'il descendait. Malko découvrit un homme
de haute taille, au visage ouvert, au regard limpide,
escorté d'un garde de sécurité ressemblant à un passe-
muraille. L'Allemand serra chaleureusement la main
de Malko et suggéra :

– Allons faire un tour.

Dans la rue, le patron du BND expliqua :

– Je suis sûr que la Sûreté générale a mis des micros
dans ma chambre. Pas mal de gens à Beyrouth veulent
savoir ce que je fais. Vous avez donc rencontré Meir
Feldman.

– Hier.

– Que pensez-vous de ce projet ?

– *Sehr Gefärlich* [1] ! laissa tomber Malko. Et d'abord
dangereux pour vous...

L'Allemand eut un haussement d'épaules fataliste.

– J'étais contre, confia-t-il, mais il s'agit d'une
affaire politique. Un ordre que je ne pouvais pas officiellement refuser. Vous savez que nous autres, Allemands, dès qu'il s'agit des Israéliens, nous ne sommes
plus tout à fait nous-mêmes.

– Quel est votre agenda avec le Hezbollah ?
demanda Malko.

– Je leur ai fait savoir que j'étais arrivé. Pour trois
jours seulement. Ils vont me fixer un rendez-vous. Je

_____

1. Très dangereux.

compte leur expliquer que, pris par mon nouveau job, je ne viendrai à Beyrouth que par à-coups.

— Comment se déroulent les négociations ?

— Oh, c'est assez simple, répondit le chef du BND. Il vont d'abord me présenter une liste de prisonniers libanais détenus en Israël, que je transmettrai. Ensuite, il faudra leur demander une « preuve de vie » des deux prisonniers. C'est la condition essentielle pour commencer la négo.

— À quel moment vais-je intervenir ? demanda Malko.

Dieter Muller s'arrêta net et le fixa, abasourdi.

— Mais vous n'apparaîtrez jamais ! martela-t-il. Le Hezbollah se méfierait immédiatement. J'ai toujours travaillé seul.

Visiblement, il y avait un malentendu. Mal à l'aise, Malko précisa :

— Meir Feldman m'a dit que je vous accompagnerai. Que c'était entendu avec Angela Merkel.

— *Das ist nicht richtig*[1] *!* lança d'une voix tendue le chef du BND. Tout ce que j'ai accepté, c'est de vous transmettre en temps réel les informations que j'aurai sur la localisation de Hassan Nasrallah. C'est moi qui ai exigé que vous soyez mon partenaire dans cette affaire extrêmement délicate, parce que je connais votre réputation de droiture.

— Merci, fit Malko.

Douché.

Ils étaient arrivés en face de l'Hôtel-Dieu et l'Allemand s'arrêta.

— Dès que j'ai quelque chose pour vous, je vous appelle. Donnez-moi votre portable.

*
* *

1. Ce n'est pas correct !

Le colonel Mourad Trabulsi referma le dossier du meurtre de Byblos et alla l'enfermer dans son coffre. Ce qu'il avait découvert était prometteur et très sensible. D'abord la confirmation de l'appartenance aux Services saoudiens de l'homme assassiné. Il n'y avait aucune explication à sa présence à Byblos, où il avait rendez-vous.

Second point, en épluchant ses archives sur le Hezbollah, le colonel Trabulsi avait trouvé la trace d'un véhicule plusieurs fois utilisé pour des exécutions. Une vieille BMW bleue immatriculée au nom d'un épicier chiite. Or, cette voiture était d'habitude conduite par Jamal Al-Din, dit «Platine», tueur du Hezbollah.

Il restait l'inconnu arrivé en retard. Là, il n'avait qu'un signalement. Grand, blond, étranger. Comme il utilisait vraisemblablement une voiture de location, deux de ses policiers faisaient le tour des loueurs de voitures de Beyrouth, avec son signalement. Pour l'instant, le colonel Trabulsi n'avait encore rien dit à son chef direct, le général Ashraf Rifi, un sunnite intègre, mais un sunnite, lié au clan Hariri. Il attendait de comprendre le mécanisme de cet étrange rendez-vous où le troisième homme pouvait être un agent américain.

Côté Hezbollah, il devait y aller sur la pointe des pieds. Les chiites n'oubliaient jamais ni le mal ni le bien qu'on leur faisait.

Il prit sa bouteille de Chivas Regal et sortit quelques glaçons de son minibar, méditant le proverbe arabe : «La parole que tu n'as pas prononcée est ton esclave, celle qui est sortie de ta bouche devient ton maître.» Il avait rendez-vous pour déjeuner au cercle des officiers de Kaslik, près de Jounieh, avec quelqu'un qui connaissait bien le Hezbollah. Peut-être cela ferait-il avancer son enquête.

*   **

En ouvrant la porte, Malko aperçut immédiatement l'enveloppe glissée dessous. Un moment, il pensa à Rima, mais il n'y avait que quelques mots écrits en majuscules : « Soyez à midi suite 536. Ne passez pas par la réception. » C'était son rendez-vous saoudien.

Cette fois, il prit sa Mercedes pour gagner Hamra, l'abandonnant au voiturier du *Bristol*. Il traversa le hall désert et gagna les ascenseurs. La porte de la suite 536 s'ouvrit sur une ravissante Philippine dont la poitrine crevait la blouse blanche. Elle le fit entrer dans une *sitting-room* immense, somptueusement meublée de meubles syriens incrustés de nacre, et disparut.

Quelques minutes plus tard, la porte s'ouvrit sur une nouvelle apparition : une brune très maquillée, avec une bouche énorme, la tête couverte d'un voile léger, vêtue d'une sorte de djellaba en soie épaisse beige.

— Bonjour, dit-elle. Je suis Mouna Harb.

— C'est avec vous que j'ai rendez-vous ? demanda Malko, agréablement surpris.

La jeune femme rougit légèrement.

— La personne que vous devez rencontrer est en route. Cette suite est louée à l'année par l'ambassade afin d'accueillir discrètement les visiteurs de marque. Je suis seulement chargée de vous faire patienter.

Son regard direct envoya le pouls de Malko au ciel. Visiblement, il n'y avait pas de limites à ses attributions. D'ailleurs, elle s'approcha à le toucher pour demander :

— Que puis-je faire pour vous ?

Au moment où il allait esquisser un geste vers la jeune femme, il y eut un bruit de porte et Mouna Harb recula vivement. Un homme corpulent, moustache abondante, costume gris rayé, un attaché-case en croco noir à la main, pénétra dans la pièce. Il s'avança vers Malko avec un sourire chaleureux.

— *Mister* Linge, pardonnez mon retard. Je m'appelle

Mahmoud Bandar et j'appartiens au cabinet de Sa Majesté le roi Abdallah. Asseyez-vous.

Ils prirent place dans des fauteuils dorés, séparés par une table basse. Mouna s'éclipsa, remplacée par la Philippine qui déposa un plateau avec thé, café et biscuits.

— J'ai déjà rencontré quelqu'un venu de Riyad à Chypre hier, précisa Malko.

— Bien sûr, mais je tenais à vous transmettre un message personnel de la part de Sa Majesté le roi, affirma le Saoudien.

— Ah, très bien, dit Malko. Intrigué.

— L'homme avec qui vous aviez rendez-vous à Byblos et qui a été sauvagement assassiné par les disciples d'Ali [1] était un des neveux de Sa Majesté, reprit son interlocuteur. Celui-ci a été très affecté par cette disparition.

Le roi Abdallah avait pourtant une centaine de neveux et de nièces.

— Je comprends, compatit Malko. Malheureusement, je n'ai pas pu empêcher ce meurtre.

— Sa Majesté souhaite qu'il ne reste pas impuni, enchaîna Mahmoud Bandar. Il considère que le responsable en est Hassan Nasrallah, car ceux qui ont commis ce forfait l'ont fait sur son ordre.

— C'est probable, reconnut Malko.

Il ne voyait pas où son interlocuteur voulait en venir. Le Saoudien se pencha sur le bras de son fauteuil.

— Je suis donc chargé de vous dire que Sa Majesté ne souhaite pas que Hassan Nasrallah soit kidnappé. Il doit payer le prix du sang. Si vous réussissez à l'éliminer, vous recevrez de notre part une récompense à la hauteur du risque : dix millions de dollars là où vous le souhaitez… Et vous deviendrez pour toujours un ami de notre pays.

Malko était un peu surpris. Voilà qu'il devenait un

---

1. Les chiites.

chasseur de primes… à son corps défendant. Prudemment, il répondit :

– Je vais garder en mémoire ce que vous venez de me dire.

– Si vous parvenez à punir Hassan Nasrallah, Sa Majesté sera très satisfaite, insista le Saoudien.

– Vous êtes venu de Riyad spécialement pour me délivrer ce message ? s'étonna Malko.

Mahmoud Bandar esquissa un sourire.

– Non, je devais, de toute façon, venir à Beyrouth prendre livraison d'un cadeau offert à Sa Majesté par un ami libanais. Une pièce extraordinaire. Voulez-vous la voir ?

– Bien sûr, acquiesça Malko, intrigué.

Le Saoudien ouvrit son attaché-case et en sortit un écrin bleu long d'une trentaine de centimètres, qu'il ouvrit solennellement. Malko aperçut un *mashaba*, un « passe-temps » semblable à un chapelet, très courant dans le monde arabe. On l'égrenait entre ses doigts pendant des heures, chaque boule représentant un des noms de Dieu. Celles qu'il avait sous les yeux étaient d'un vert magnifique.

– Celui-ci n'a que trente-trois boules, expliqua le Saoudien, il peut y en avoir soixante-six ou quatre-vingt-dix-neuf…

– C'est du jade ?

Mahmoud Bandar eut un sourire condescendant.

– Non, ce sont des diamants de couleur, taillés au laser. Ils viennent d'Australie. Un seul artisan au monde les fabrique. Un lapidaire de Beyrouth qui fournit la famille royale depuis trois générations… Ce sont des pièces uniques, enfilées sur des fils de titane, pour résister aux arêtes des diamants. Sa Majesté en fait collection. Ils sont très rares.

Malko regarda pensivement cet objet extraordinaire. Comprenant que la prime offerte pour la tête de Hassan

Nasrallah n'était qu'un modeste pourboire dans ce pays
où les chapelets étaient en diamants.

Seulement, pour le gagner, c'est sa peau qu'il était
obligé de mettre en jeu. C'était une satisfaction
d'amour-propre de se dire qu'elle valait ce prix-là.

CHAPITRE V

Mahmoud Bandar referma l'écrin contenant le *mashaba* de diamants verts avec un bruit sec et appuya sur une sonnette.

– Monsieur Linge, je dois partir. Notre collaboratrice Mouna Harb va vous emmener à l'ambassade pour que vous rencontriez le responsable de nos services, Fouad El-Rorbal. Il est à votre disposition.

À peine fut-il sorti de la pièce que Mouna Harb ressurgit, toujours aussi souriante. Elle s'approcha de Malko et demanda, les yeux dans les siens :

– Je crois que vous vouliez me dire quelque chose lorsque M. Bandar est arrivé ?

Cet appel direct fit exploser la libido de Malko, resté sur sa faim depuis la soirée à *L'Ex*.

– Je pensais à vous *faire* quelque chose, corrigea-t-il.

Le regard de Mouna Harb ne cilla pas.

– Quoi ?

À ce stade, il commençait déjà à bander. Lorsqu'il posa la main à plat sur la djellaba, au niveau du ventre, Mouna Harb réagit aussitôt en se laissant gracieusement tomber sur l'épaisse moquette. De façon que sa bouche soit exactement à la bonne hauteur. Avec dextérité, elle libéra Malko et ses lèvres se refermèrent sur lui. Ses bras se dressèrent et les doigts de la jeune femme atteignirent la poitrine de Malko, ouvrant sa chemise pour se refermer sur ses mamelons. En très peu de temps, il se sentit partir dans la bouche accueillante. La Saoudienne était extraordinaire d'efficacité.

Il se vida dans sa bouche en criant et elle le nettoya ensuite comme une chatte lèche ses petits. Avant de se remettre debout, une lueur espiègle dans ses yeux noirs tandis qu'elle observait Malko, légèrement groggy. Il ne s'était pas écoulé cinq minutes depuis le départ de Mahmoud Bandar... Comme pour ôter tout scrupule à Malko, elle précisa d'une voix douce :

– J'ai reçu l'ordre de tout faire afin que vous ne pensiez plus à ce qui est arrivé à Jbail. Si vous le voulez bien, nous allons rendre visite à Fouad El-Rorbal. Il doit s'impatienter.

Estomaqué, Malko la suivit. Elle avait repris une attitude distante et respectueuse. Elle se glissa dans une Toyota Yaris blanche garée devant le *Bristol* et ils mirent le cap sur l'ambassade d'Arabie Saoudite.

Malko se dit que les Arabes avaient vraiment le sens de l'hospitalité. Aucun Service ne l'avait encore traité ainsi.

Un moustachu corpulent, aux yeux globuleux, entra dans le salon où Mouna Harb avait installé Malko et s'inclina profondément devant lui.

– Je suis heureux de vous rencontrer, dit-il d'une voix vibrante d'humilité. Nous connaissons votre réputation et sommes fiers de coopérer avec vous. J'ai sous mes ordres plusieurs personnes parlant parfaitement anglais, comme Mouna. Elles sont à votre disposition.

– Merci, dit Malko. Avez-vous obtenu des résultats sur le terrain qui soient exploitables ?

Fouad El-Rorbal se rembrunit.

– Non, hélas. Les membres du Hezbollah sont très

méfiants et ce qui est arrivé à Jbail nous incite à être très prudents.

— Vous faites bien, approuva Malko. Pour l'instant, je n'ai rien à vous proposer, mais cela peut changer.

— Voici tous mes numéros de téléphone, dit le Saoudien.

Malko empocha sa carte, mais précisa :

— Il vaut mieux ne pas utiliser le téléphone. Si vous avez une information, envoyez-moi un messager au *Phoenicia*. De mon côté, je ferai de même.

Le Saoudien le raccompagna jusqu'au perron où Mouna Harb le rejoignit.

— Voulez-vous que je vous dépose au *Phoenicia*? demanda-t-elle.

— Non, j'ai laissé ma voiture au *Bristol*.

Elle l'y ramena et, une fois arrivés, lui tendit la main.

— Je suis à votre disposition, dit-elle. N'hésitez pas à m'appeler.

Malko lui baisa la main. C'était la moindre des choses… Il se dit cependant qu'en dépit de leur bonne volonté, les Saoudiens ne faisaient pas le poids face au Hezbollah. Le malheureux prince Ryad Al-Whaleed, apprenti espion, avait payé son inexpérience de sa vie… Le Mossad ne pouvant agir ouvertement au Liban, toute l'opération tripartite reposait pratiquement sur lui..

Le marchand de pastèques qui stationnait tous les matins au coin de la rue Marie-Curie et de la rue Tabbura s'engagea dans la descente menant à la corniche, en poussant sa charrette, après avoir vendu un de ses énormes fruits à un soldat libanais en faction devant l'ambassade d'Arabie Saoudite.

Tout le monde était habitué à sa présence et on ne le remarquait plus.

Cent mètres plus loin, rue Nassar, il gara sa charrette à bras en face d'une petite épicerie tenue par un de ses cousins et s'éloigna à pied. Il rejoignit une vieille BMW garée dans un terrain vague, en face d'un immeuble en construction. Il avait emporté une de ses pastèques qu'il posa sur le siège à côté de lui. Il fallait l'examiner de près pour voir que le fruit avait été évidé, ce qui permettait d'y dissimuler un appareil photo numérique télécommandé par un mince câble. Le marchand étant posté devant l'ambassade, ce dispositif permettait de photographier les voitures et les piétons entrant ou sortant de la légation saoudienne.

Sur son petit carnet de comptes, Ali, le marchand de pastèques, notait les numéros des voitures, des détails, des signalements.

Au volant de la vieille BMW, il suivit la Corniche, contournant les rochers de Raouchech, filant ensuite vers le sud, sur l'autoroute menant à l'aéroport. À la hauteur de la Cité sportive, il tourna à gauche, s'enfonçant dans l'enchevêtrement des rues étroites et tortueuses de la banlieue sud, rejoignant le quartier chiite de Haret Hreik. L'environnement changea brutalement. Les HLM pouilleux firent place à un paysage de désolation. Les immeubles détruits par les bombes israéliennes n'étaient plus que des tas de gravats où s'affairaient des réfugiés cherchant à récupérer quelques affaires, ou des excavations où évoluaient des engins de travaux publics en train de déblayer les morceaux de béton tordus.

Sur plus d'un kilomètre carré, toutes les constructions avaient été écrabouillées par des centaines de bombes et de missiles. Il y en aurait pour des années avant de reconstruire. C'est dans ce périmètre que se trouvaient, avant la guerre de juillet, toutes les infrastructures du Hezbollah, *Al-Mourabaa Al-Amni*.

Ali ralentit pour tourner dans la rue qui avait abrité la chaîne de télévision du Hezbollah, Al-Manar. Spec-

tacle de désolation. Tous les immeubles de la rue
avaient été éventrés par les bombes. Une large banderole était tendue entre deux poteaux ornés, l'un du
portrait de Hassan Nasrallah, l'autre de celui d'Hugo
Chavez, le président vénézuélien.

Un milicien du Hezbollah veillait à l'entrée de la
rue, un pistolet automatique Glock glissé dans la ceinture et une radio à la main. Surveillant le périmètre protégé, où seuls les gens sûrs avaient accès. Il échangea
quelques mots avec le conducteur de la BMW qui s'engagea dans la rue à la chaussée encombrée de débris,
contournant un immense trou rectangulaire où s'affairaient des pelleteuses remplissant de gigantesques
camions : ce qui avait été jadis le centre opérationnel
du Hezbollah…

Ali ressortit cinq cents mètres plus loin par un autre
check-point et fila plein est, vers Hadath, quartier
mi-chrétien mi-chiite. Ce détour avait pour but de couper court à toute éventuelle filature. Il remonta ensuite
plus au nord, gagnant une grande avenue du secteur 7
pour s'arrêter devant un élégant immeuble aux balcons
de pierre. Deux hommes en faction devant la porte lui
adressèrent un signe discret et il s'engouffra à l'intérieur,
grimpant à pied un étage. Il poussa une porte entrouverte,
pénétrant dans un appartement transformé en bureaux.
Dans une salle, à gauche, une demi-douzaine d'hommes
fumaient ou discutaient dans un nuage de fumée. Des
membres du service de sécurité du Hezbollah.

Le marchand de pastèques frappa à la porte voisine
et entra dans une toute petite pièce aux murs nus, meublée d'une télé allumée dont le son était coupé, d'un
bureau et d'une banquette. Un homme, assis derrière le
bureau, se leva et l'embrassa trois fois.

– *Kifak*, Abu Ali[1] !

Avec sa petite taille, son visage allongé, son crâne

1. Comment ça va, Ali ?

légèrement dégarni et son allure paisible, il ressemblait à un comptable. Pourtant, Walid Jalloul était à la tête du Service intérieur de contre-espionnage du Hezbollah, avec une centaine d'hommes sous ses ordres. Il était un des rares à *toujours* savoir où se trouvait Hassan Nasrallah.

C'est lui qui était garant de sa sécurité, chargé de déjouer toutes les offensives contre le chef du Hezbollah. Un travail à plein temps.

Bien entendu, son ennemi n°1 était le Mossad, qui avait juré d'avoir la peau du leader du Hezbollah. Cependant, il se méfiait aussi des Américains et de certains Libanais chrétiens, leurs alliés.

Grâce à sa vigilance, jamais les Israéliens n'avaient pu localiser Hassan Nasrallah en temps réel. Bien sûr, ils avaient écrasé sous leurs bombes l'immeuble qui abritait ses bureaux, sa résidence officielle et tous les endroits où il séjournait régulièrement. Sans parvenir à l'atteindre. C'est Walid Jalloul qui avait assuré la sécurité de Hassan Nasrallah dans ses déplacements entre plusieurs studios clandestins, pendant la guerre éclair. Al-Manar, la chaîne du Hezbollah, n'avait arrêté ses émissions que deux minutes, bien que ses émetteurs officiels aient été détruits par les bombes israéliennes. C'est aussi Walid Jalloul qui gérait les rendez-vous du chef du Hezbollah, en évitant que ses visiteurs sachent où ils le voyaient.

Ali lui tendit la cassette de son appareil photo numérique et Walid Jalloul l'inséra aussitôt dans son ordinateur. Ils examinèrent ensemble les clichés qui défilaient, représentant les entrées et les sorties de l'ambassade d'Arabie Saoudite.

Depuis que Walid Jalloul avait découvert les tentatives de pénétration du Hezbollah par des agents saoudiens, il avait mis en place une surveillance permanente autour du bâtiment, sachant que les Services saoudiens y étaient basés. Même s'il avait déjoué la première menace, grâce à la loyauté d'un militant du Hezbollah, il restait en alerte.

Il cliqua encore et s'arrêta sur une Toyota Yaris blanche sortant de l'ambassade, conduite par une femme, un homme à côté d'elle.

– Celle-là, c'est Mouna Harb, remarqua-t-il. Elle travaille pour ce gros porc de Fouad El-Rorbal. Mais je ne connais pas son passager.

– C'est un étranger, remarqua Ali, qui consulta ses notes et ajouta : Il est arrivé avec cette fille et il est resté plus d'une demi-heure à l'ambassade.

– Il faudra l'identifier, conclut Walid Jalloul. On dirait un Américain ou un Britannique.

Il se brancha sur l'imprimante et fit un tirage de la photo.

– Je vais mettre quelqu'un là-dessus, conclut-il. Tu as bien travaillé. *Choukran*[1].

Ali s'éclipsa. Demeuré seul, Walid Jalloul fixa longuement le cliché. Les Saoudiens recevaient peu d'étrangers. Cette Mouna Harb travaillant pour leurs Services, il y avait des chances que cet homme appartienne à la communauté du renseignement.

Il se demanda tout à coup si cet inconnu pouvait être celui qui se trouvait à Byblos et avait échappé à un de ses hommes qui cherchait à l'éliminer. Son équipe s'était hâtée de filer, après le meurtre du prince Ryad Al-Whaleed, et n'avait pu le neutraliser. Les journaux n'en avaient pas fait mention. Un simple «civil» se trouvant là par hasard se serait manifesté. Tout indiquait qu'il avait, lui aussi, rendez-vous avec Sohbi, le supposé traître du Hezbollah.

L'implication des Saoudiens dans la lutte anti-Hezbollah ne l'étonnait pas outre mesure. Chiite dévot, il connaissait la haine des sunnites et en particulier des

1. Merci.

Saoudiens, gardiens des lieux saints, à l'égard des chiites, hérétiques à leurs yeux.

Or, les Saoudiens étaient aussi les alliés des États-Unis, ennemis du Hezbollah autant qu'Israël.

Son téléphone sonna et il répondit aussitôt.

— *Welcome to Beyrouth, Mister Muller*, lança-t-il cordialement. J'allais vous appeler. Je vous envoie une voiture à quatre heures, à votre hôtel ?

— C'est parfait, confirma l'envoyé du gouvernement allemand.

Walid Jalloul avait beaucoup d'estime pour le chef du BND. Il s'était toujours montré loyal, les Israéliens le respectaient et il avait permis la libération de nombreux prisonniers libanais détenus en Israël. Cependant, le nouvel échange allait être difficile à mettre sur pied. Le Hezbollah était en position de force et peu pressé de rendre les deux soldats israéliens kidnappés le 12 juillet précédent. Hassan Nasrallah lui-même avait donné des instructions dans ce sens.

*
* *

La nuit commençait à tomber quand le Blackberry de Malko sonna. C'était Dieter Muller. Sans préambule, le chef du BND annonça :

— Il y a un parking dans ma rue, deux cents mètres au-dessus de l'hôtel. Dans une demi-heure ?

— *Kein Problem*, assura Malko.

Il avait juste le temps de récupérer sa voiture. L'*Alexandre* se trouvait à Ashrafieh et on roulait mal. Il monta la rue Adib-Ishac et trouva facilement le parking indiqué, en plein air, établi à la place d'un building détruit pendant la guerre civile. Dieter Muller attendait en fumant une cigarette, un peu plus loin. Il se glissa dans la Mercedes de Malko et demanda :

– Vous n'avez pas été suivi ?

– Difficile à dire, mais, depuis mon arrivée, je n'ai rien remarqué de suspect. Vous avez du nouveau ?

– Je viens de voir Walid Jalloul, le responsable de la sécurité du Hezbollah. C'est toujours par lui que je passe pour rencontrer Hassan Nasrallah.

– Cela s'est bien passé ?

– Très bien, mais lui n'est pas un politique, il ne fait que transmettre. Je lui ai demandé un rendez-vous avec Nasrallah et il doit me donner sa réponse très vite, car il sait que je ne reste pas longtemps à Beyrouth.

– Nasrallah va accepter ?

– Je le pense, car nous avons d'excellents rapports.

Ils échangèrent un bref regard et le chef du BND précisa :

– Je suis décidé à faire ce que je peux pour vous aider, mais ce ne sera pas facile. D'ailleurs, dès mon retour en Allemagne, je vais mettre les choses au clair avec la chancelière, en précisant les limites de ma coopération.

– Autrement dit, je n'ai plus qu'à reprendre l'avion, conclut Malko.

– Pas forcément, rétorqua aussitôt Dieter Muller. J'arriverai peut-être à réunir les éléments permettant de localiser Hassan Nasrallah, mais ce ne sera pas simple. Lorsqu'on va le voir, on doit abandonner son portable avant et subir une fouille approfondie. Les gens de la Sécurité sont très professionnels. Mais, au minimum, je saurai s'il est ici, à Beyrouth, ou ailleurs. Il ne se déplace guère, ce qui laisse le temps de réagir.

Malko demeura silencieux. C'était mieux que rien. Mais, de nouveau, Dieter Muller doucha son regain d'optimisme.

– Walid Jalloul m'a laissé entendre que le Hezbollah

n'était pas pressé de traiter pour les otages. Que je ne verrais peut-être Nasrallah qu'à un prochain voyage.

De mieux en mieux.

Devant la déception visible de Malko, l'Allemand demanda soudain :

— Vous vous souvenez de Imad Mugniyeh ?

CHAPITRE VI

– Imad Mugniyeh ? répéta Malko. Oui, bien sûr. Pourquoi me posez-vous cette question ?

Imad Mugniyeh était une légende. Une légende noire. Né en 1962 dans un village du Sud-Liban, Tayr Dibba, il avait fait parler de lui pour la première fois en 1976, au début de la guerre civile libanaise. Ayant rejoint la «Force 7» de Yasser Arafat, alors au Liban, il s'était distingué comme *sniper* sur la «ligne verte» séparant à Beyrouth les camps chrétien et musulman.

Ensuite, il avait pris son essor… La CIA lui attribuait une participation dans l'attentat contre l'ambassade américaine en 1983, qui avait fait 63 morts. La même année, l'organisation des deux attentats, en octobre, contre le Drakkar, l'immeuble abritant les troupes françaises, et contre le QG des Marines. Bilan : 58 soldats français et 241 Marines tués.

Deux ans plus tard, il participait au *hijacking* du vol 847 de la TWA et à de nombreux kidnappings d'étrangers. Dont celui du chef de la CIA à Beyrouth, William Buckley, torturé et assassiné. Depuis la création du Hezbollah, il avait rejoint la milice chiite, étant lui-même chiite.

Ensuite, pendant des années, il s'était évanoui dans

la nature, très probablement réfugié en Iran. Un des terroristes les plus dangereux du monde.

— Il paraît qu'Imad Mugniyeh est revenu au Liban, reprit le chef du BND. Et qu'il dirige le *Special Operation Command* du Hezbollah, où il joue un rôle très important.

— Mais c'est impossible ! protesta Malko. Il est mort ! Je l'ai abattu de ma main. Je remplissais une mission pour l'Agence avec pour objectif de m'emparer d'Imad Mugniyeh vivant[1]. C'était en 1993. Il était venu à Beyrouth rendre visite à son fils hospitalisé, Ahmad. Je l'avais enlevé avec deux membres des Forces libanaises. Mais nous avons réalisé que nous ne pourrions jamais l'exfiltrer. Alors, on m'a donné l'ordre de l'abattre…

Dieter Muller écouta Malko sans l'interrompre et conclut :

— Je connais cette histoire. Seulement, il y a un fait que vous ignoriez : Imad Mugniyeh se méfiait et il a envoyé son frère à l'hôpital, à sa place. Vous ne l'aviez jamais rencontré auparavant ?

— Non, admit Malko, et je n'avais qu'une vieille photo de lui.

— Après cette affaire, Imad Mugniyeh est reparti se cacher en Iran et le Hezbollah a laissé croire qu'il avait été tué. Pourtant, il est l'un des trois hommes-clés du Hezbollah d'aujourd'hui, grâce à ses contacts iraniens.

— Comment savez-vous tout cela ? interrogea Malko, stupéfait.

Dieter Muller sourit.

— Iman Mugnieyh a un oncle, Hassan Mugniyeh. Cet homme, de nationalité libanaise, vit partiellement en Allemagne et a épousé une citoyenne allemande, Greta Friedrich. J'ai été amené à m'occuper d'eux à la suite d'une affaire de blanchiment d'argent iranien,

---

1. Voir S.A.S. n° 112, *Vengeance à Beyrouth*.

destiné au Hezbollah, qui transitait par notre pays. Hassan Mugniyeh a été arrêté et se trouve en ce moment en prison à Berlin, tandis que sa femme, Greta, a pu s'enfuir et rejoindre le Liban, où elle est en ce moment. Elle est sous le coup d'un mandat d'arrêt. Si elle remet les pieds en Allemagne, elle ira rejoindre son mari derrière les barreaux.

Malko n'en revenait pas.

— Vous êtes certain que l'homme que j'ai tué n'était pas Imad Mugniyeh ?

— Absolument, affirma Dieter Muller. C'est son oncle qui nous a raconté l'histoire.

Pour autant, Malko n'avait pas tué un innocent. Le frère d'Imad avait participé lui aussi à de nombreuses prises d'otages. Dieter Muller jeta un coup d'œil en coin à Malko et laissa tomber :

— Il vaut mieux qu'Imad Mugniyeh ignore votre présence à Beyrouth. D'après son oncle, il vous en veut vraiment. D'autant que son fils de dix ans a été égorgé au cours de cette opération.

— Je sais, reconnut Malko, mais ce n'est pas moi qui ai commis cette horreur. L'homme qui l'a égorgé a été abattu quelques heures plus tard par un commando du Hezbollah. C'est pour me mettre en garde que vous m'avez parlé d'Imad Mugniyeh ?

— Pas seulement. Je pense que Greta Mugniyeh pourrait vous aider à localiser Hassan Nasrallah. Cela vous donne un plan B, au cas où je ne pourrais pas vous être utile.

Malko le fixa, abasourdi.

— Mais vous me dites qu'elle est mariée avec l'oncle d'Imad Mugniyeh ! C'est le noyau dur du Hezbollah.

Dieter Muller esquissa un sourire.

— Certes, mais elle n'appartient pas au Hezbollah. Elle est très désireuse de faire libérer son mari et de pouvoir elle-même retourner en Allemagne, sans être interpellée immédiatement.

– Que fait-elle à Beyrouth ?

– Pas grand-chose. Elle habite dans un hôtel de Raoucheh qui appartient à Hassan Mugniyeh, le *Duroy,* et gère d'autres affaires lui appartenant. Elle vient souvent à notre ambassade pour essayer d'obtenir un sauf-conduit pour l'Allemagne.

– En quoi pourrait-elle m'être utile ?

– Elle est en contact permanent avec des membres du Hezbollah, expliqua Dieter Muller. Elle peut arriver à savoir où se trouve Hassan Nasrallah. Si elle est moti-vée…

– C'est-à-dire ?

– Le gouvernement allemand serait prêt à fermer les yeux sur les activités de Hassan Mugniyeh en échange d'une collaboration active, expliqua le chef du BND. Je peux vendre cela à la chancelière. Et c'est moins ris-qué que le plan de Meir Feldman.

– Vous l'avez déjà rencontrée ?

– Oui, elle sait qui je suis. Je vous autorise à utiliser mon nom pour lui proposer un *deal.*

– *Schön*[1], conclut Malko, mais où vais-je la ren-contrer ?

– Elle va souvent manger des gâteaux dans une café-téria de Hamra, le *City Café.* Pour un premier contact, ce n'est pas mal. Ensuite, vous la verrez à l'ambassade.

Il regarda sa montre et enchaîna :

– Ne parlez surtout pas de sa présence ici aux Israéliens. Je me méfie d'eux.

– Comment vais-je reconnaître Greta Mugniyeh ? demanda Malko.

Dieter Muller sourit.

– Au *City Café,* il n'y a pas beaucoup de blondes d'un mètre quatre-vingts ! C'est une très belle femme. Elle a été Miss Berlin. *Viel Glück*[2] *!* Si je vois Nasrallah, je vous recontacte.

---

1. Bien.
2. Bonne chance !

Il ressortit de la Mercedes et s'éloigna à pied, laissant Malko médusé et, en même temps, soulagé. Il préférait nettement l'approche de Greta Mugniyeh au plan israélo-américain. Il ressortit du parking après avoir payé 2 000 livres libanaises [1], repensant à ce qui s'était passé treize ans plus tôt.

Incroyable.

*
* *

Un des deux militants du Hezbollah qui avaient reçu de Walid Jalloul l'ordre de ne pas quitter Dieter Muller d'une semelle ne décrocha qu'une fois l'Allemand revenu à l'hôtel *Alexandre*. Son copain avait noté le numéro de la Mercedes de son « contact ». Ce ne serait pas difficile de l'identifier.

Non que Walid Jalloul n'ait pas confiance en l'Allemand, seulement il se méfiait des Américains et des Israéliens. Ceux-ci pourraient tenter d'utiliser Dieter Muller à son insu. Si peu de gens avaient un contact direct avec Hassan Nasrallah…

Le militant repartit vers la banlieue sud, avec son appareil photo, afin de communiquer à son chef les clichés de l'homme ayant rencontré le chef du BND. Simple précaution de routine, mais ce rendez-vous dans un parking évoquait une opération des Services, pas une rencontre amicale… Et on savait à quel point Dieter Muller était « sensible ».

*
* *

Greta Mugniyeh n'avait jamais pu se faire à l'arabe : elle en parlait à peine quelques mots et détestait l'Orient. Lorsqu'elle avait rencontré son mari, il s'était présenté à elle comme un commerçant en tapis. Il avait

1. Un peu plus d'un dollar.

effectivement une grande boutique à Berlin, à côté du Kurfurstendam, et s'était tout de suite montré très généreux…

Divorcée, exerçant un job d'assistante médicale qui la faisait vivre chichement, Greta Friedrich avait vite succombé. D'autant que le Libanais semblait authentiquement fou d'elle. Il faut dire qu'avec sa taille, ses cheveux blonds, ses yeux bleu porcelaine et son physique d'ancienne Miss Berlin, Greta était extrêmement appétissante.

Hassan Mugniyeh lui avait avoué que dès leur première sortie, il avait rêvé de la sodomiser… Ce qui s'était produit un peu plus tard. Depuis, sa passion ne s'était pas émoussée et Hassan lui demandait fréquemment de venir le rejoindre dans son magasin, où il la prenait au milieu des tapis. Greta Friedrich appréciait cet homme bien membré et amoureux, qui la couvrait de cadeaux et semblait n'être jamais rassasié de son corps.

Évidemment, la découverte de son village d'origine, tout près de Tyr, avec ses maisons de pierres sèches et ses femmes voilées, l'avait un peu refroidie. Heureusement, le Libanais s'y rendait peu.

Ils s'étaient mariés à Berlin et, depuis, ils voyageaient ensemble. Mugniyeh avait beaucoup de biens au Liban, à Tyr, dans le Sud et à Beyrouth. Des hôtels, des immeubles. Ce n'est que peu à peu qu'elle avait découvert qui il était. Bien sûr, il s'était toujours défendu auprès d'elle d'être mêlé aux activités terroristes du Hezbollah, prétendant ne s'occuper que de social, mais il lui avait quand même avoué, un jour où il avait bu, que son neveu Imad était recherché par les Américains.

Curieuse, Greta avait sur Internet découvert qui était Imad Mugniyeh… Ils en avaient reparlé et il avait fini par lui avouer qu'il était parfois en contact avec lui, mais devait se montrer très prudent, car Imad était dans le collimateur des Israéliens et des Américains.

Bien entendu, elle ne l'avait jamais rencontré, mais, à deux reprises, alors qu'ils se trouvaient au Liban, son mari l'avait quittée pour de mystérieux rendez-vous.

Une fois aussi, elle avait rencontré Hassan Nasrallah, qui s'était montré très chaleureux avec son mari… Et puis, la *Kripo* [1] avait débarqué chez eux, fouillé partout, emmené des tas de papiers et son époux. L'avocat qu'elle avait pris lui avait dit qu'il fallait être très prudent, car, si les Américains réclamaient Hassan Mugniyeh, ils risquaient de l'envoyer à Guantanamo… Celui-ci, au cours d'une de ses visites à la prison de Spandau, lui avait dit d'aller s'installer dans son hôtel de Beyrouth-Ouest, en attendant de pouvoir retourner en Allemagne. Il lui avait aussi confié une liste de tâches à accomplir, liées à la gestion de ses biens libanais.

Dès son installation à l'hôtel *Duroy,* un jeune militant du Hezbollah, qui s'était présenté sous le nom de Hussein, était venu s'assurer qu'elle ne manquait de rien. Plutôt beau garçon, timide, avec de grands yeux noirs, parlant un anglais correct. Il appelait régulièrement et demandait de sa voix douce si elle ne manquait de rien. Il lui avait d'ailleurs laissé son numéro de portable. Cette belle femme blonde le fascinait visiblement, mais il gardait toujours le regard baissé et une attitude volontairement distante. Au Hezbollah, on était discipliné…

Greta se montrait parfois involontairement provocante. Sans homme depuis sept mois, elle avait parfois des démangeaisons dans le bassin. D'autant qu'à Beyrouth, la vie d'une femme seule n'était pas gaie. Impossible d'aller au restaurant ou dans un bar. Sa seule

---

1. *Kriminal Polizei* : police criminelle.

distraction était de descendre tous les jours au *City Café* dévorer quelques *baclavas*.

Prête à sortir, elle se regarda dans la glace : avec son tailleur-pantalon rayé noir qui mettait sa croupe en valeur, son pull rose moulant ses seins lourds et le bleu de ses yeux soulignés de mascara, elle se trouvait plutôt belle.

Lorsqu'elle traversa pour gagner le *City Café*, situé en bas d'une petite descente au bout de la rue Émile-Eddé, elle ne remarqua pas deux hommes en train de discuter à côté d'un camion arrêté en double file. Ils lui jetèrent un coup d'œil intéressé, selon l'habitude libanaise, et la regardèrent entrer au *City Café*. Greta Mugniyeh ne s'était jamais aperçue que les *moukhabarat* du colonel Trabulsi exerçaient une surveillance discrète sur elle, à la demande de la *Kripo* allemande.

Malko se gara devant une rangée d'énormes poubelles surmontées d'une horde de chats faméliques et observa la façade du *City Café* en contrebas. Une petite terrasse déserte et de rares clients à l'intérieur. Son pouls grimpa : il venait d'apercevoir des cheveux blonds dans le coin d'une banquette. Il ferma la voiture, traversa la rue en pente et poussa la porte du *City Café*.

On ne pouvait pas rater la blonde en tailleur-pantalon assise à droite de l'entrée. La veste était ouverte sur un pull rose en V qui découvrait un peu plus que la naissance de seins magnifiques… Elle leva les yeux et jeta un regard distant à Malko. Celui-ci lui adressa un sourire. Greta Mugniyeh le lui rendit spontanément, comme quelqu'un qui s'ennuie.

Il rejoignit sa table et s'inclina légèrement.

— *Frau* Mugniyeh ?

Le sourire s'effaça instantanément, pour faire place à un regard méfiant.

— *Jawohl*. Qui êtes-vous?

— Quelqu'un qui vous veut du bien, fit Malko en s'asseyant en face d'elle.

CHAPITRE VII

Une lueur de surprise passa dans les yeux bleu cobalt de Greta Mugniyeh. La bouche était presque trop grande pour le menton, le nez petit, mais son visage était très attirant. Elle avait été une très belle femme et il lui en restait beaucoup. Ses ongles, longs, étaient soigneusement faits. Elle n'avait pas renoncé à séduire. Les pointes épaisses de ses seins dardaient sous la laine rose..

— Qui êtes-vous ? répéta-t-elle.

— Je travaille avec le BND, précisa Malko. Les gens qui ont arrêté votre mari…

Elle se redressa, une lueur haineuse dans ses yeux bleus, et eut un geste sec.

— Pourquoi venez-vous me relancer ici ! Vous avez de bonnes nouvelles ?

Malko lui adressa son sourire le plus séduisant et répondit d'une voix douce :

— Peut-être, *Frau* Mugniyeh, peut-être. Je voudrais vous aider.

Elle fronça les sourcils. Visiblement très méfiante.

— M'aider. Comment ? jeta-t-elle sans aménité.

— À rentrer en Allemagne sans avoir de problème. Et même à résoudre les problèmes de votre époux.

Greta Mugniyeh lança un long regard à Malko et précisa calmement, à mi-voix :

— Mon mari est en prison, avec plusieurs inculpations très graves sur le dos. D'après son avocat, il risque de passer des années en prison ou pire, d'être livré aux Américains. Comment pourriez-vous l'aider ?

— Connaissez-vous Dieter Muller ? insista Malko. Le nouveau directeur du BND.

— Oui, un peu.

— C'est un homme très puissant, qui peut agir en votre faveur.

— Pourquoi le ferait-il ? rétorqua Greta Mugniyeh, pas convaincue.

— C'est une longue histoire, répliqua Malko avec un sourire. Si vous désirez en savoir plus, appelez à l'ambassade d'Allemagne *Herr* Lohman et demandez-lui un rendez-vous. J'y assisterai. Surtout ne parlez à personne de cet entretien, et surtout pas aux amis libanais de votre mari. Ce serait extrêmement contre-productif. *Auf wiedersehen, Frau* Mugniyeh[1].

Il la salua à l'allemande, tout son buste incliné, et se dirigea vers la porte. Le grain était semé, il n'avait plus qu'à germer.

Le colonel Mourad Trabulsi était en train d'examiner soigneusement les clichés pris par les hommes chargés de la surveillance de Greta Mugniyeh. Depuis son arrivée à Beyrouth, c'était la première fois que l'Allemande avait un contact autre qu'avec un militant du Hezbollah. Son seul déplacement hors de la ville l'avait conduite à Tyr, où elle avait rencontré un commerçant chiite connu pour récolter de l'argent en Mauritanie pour le compte du Hezbollah.

1. Au revoir, madame Mugniyeh.

Le policier des Forces de sécurité intérieures prit une loupe pour mieux étudier le cliché, puis sortit de son coffre le dossier du meurtre de Byblos. Relisant la déposition du serveur de *Pepe Abed*, il rapprocha le signalement de l'homme qui avait demandé Ryad Al-Whaleed de la photo qu'il avait sous les yeux. Le numéro de la voiture de cet inconnu avait été noté par ses hommes et il allait probablement pouvoir l'identifier.

Soudain, il eut une idée. Il appela sa secrétaire et lui demanda d'apporter la disquette contenant le signalement de tous les agents de la CIA ayant travaillé au Liban au cours des dernières années. Plus axé sur les affaires de police, il n'avait pas des dossiers aussi complets que la Sûreté générale ou le B 2 militaire.

Un quart d'heure plus tard, il commença à faire défiler sur son écran les photos des espions américains. C'est au quinzième qu'il sentit son pouls s'emballer : il y avait deux pages de texte sur un certain prince Malko Linge, de nationalité autrichienne, mais une des stars de la Division des Opérations de la CIA ! Ses premiers exploits remontaient à une vingtaine d'années.

Le colonel Trabulsi lut avidement le compte rendu des affaires auxquelles le chef de mission avait été mêlé. Cela concernait pratiquement toute la vie du Liban ! Y compris une opération anti-Hezbollah, treize ans plus tôt, qui avait abouti, après un massacre, à l'élimination d'un homme que l'on avait longtemps considéré comme étant le terroriste Imad Mugniyeh. Jusqu'à ce que le véritable Imad Mugniyeh, réfugié en Iran, réapparaisse dans la Bekaa, sous protection syrienne.

Récemment, cet agent de la CIA avait mené une enquête en Syrie et au Liban sur les milliards envolés de Saddam Hussein[1]... Le colonel Trabulsi se dit qu'il venait de faire un pas de géant. Il appela sa secrétaire, lui donna le nom de cet espion et demanda :

---

1. Voir S.A.S. n°s 164 et 165, *Le Trésor de Saddam*, t. 1 et t. 2.

– Vérifiez les hôtels.

Tandis qu'elle s'y mettait, il alluma une cigarette, se versa un verre de Chivas Regal et se mit à réfléchir. La présence de cette « star » de la CIA à Beyrouth signifiait qu'une opération importante était en cours, que les autres Services libanais n'avaient apparemment pas détectée. Du coup, le rendez-vous de Byblos prenait tout sa signification. Saoudiens et Américains avaient tenté de « pénétrer » le Hezbollah et cela s'était mal terminé… Le but de l'opération, dans le contexte actuel, n'était pas difficile à deviner : s'attaquer au Hezbollah, bête noire des Américains. Il ne manquait que les Israéliens dans le tableau, mais ils y étaient certainement, tapis dans un coin à leur habitude.

L'excitation du colonel Trabulsi n'était pas retombée lorsque sa secrétaire posa une feuille de papier sur son bureau : le prince Malko Linge résidait à l'hôtel *Phoenicia*, chambre 2020, depuis quatre jours.

Quel rôle jouait Greta Mugniyeh dans cette histoire ? D'après les policiers, elle et Malko Linge ne semblaient pas se connaître. L'Allemande était la tante par alliance d'Imad Mugniyeh. Un contact avec elle ne pouvait pas être innocent. Brusquement, le colonel libanais se demanda si les Américains n'allaient pas s'attaquer une fois de plus à leur vieil ennemi, Imad Mugniyeh. Il prit son téléphone et appela le lieutenant Farid Karam, chef d'une petite équipe auquel il confiait les missions délicates. Lorsque le policier fut dans son bureau, il lui tendit le dossier de l'agent de la CIA.

– À partir de maintenant, vous ne lâchez plus cet homme, dit-il, je veux identifier tous les gens qu'il rencontre. N'importe qui, même les plus insignifiants. Vous me rendrez compte tous les soirs.

Célibataire, le colonel Trabulsi ne vivait que pour son travail… Cette affaire l'excitait beaucoup, mais il fallait marcher sur des œufs : Hezbollah et Américains étaient également puissants et rancuniers…

Euphorique, il convia son lieutenant à prendre un verre de Chivas. Son péché mignon, qu'il achetait à bas prix aux douaniers. Quand il était trop tendu, il mélangeait un comprimé de Rohypnol à du Chivas, et cela le faisait dormir ensuite comme un bébé…

Comme Farid Karam reposait son verre, il lui jeta :
– Surtout, pas un mot au quatrième étage !

Au quatrième étage du FSI s'était installée une toute nouvelle structure de contre-espionnage, le Jihaz Al-Maaloumet, dirigée par l'ancien responsable de la sécurité de Rafic Hariri, Wissam El-Hassad. Ce service, purgé de tout élément prosyrien, avait pour mission de réunir des informations sur le Hezbollah. Financé par les Jordaniens et les Saoudiens, il n'en était qu'à ses premiers balbutiements… Une information comme celle que détenait le colonel Trabulsi les aurait fait bondir au plafond…

Seulement, Wissam El-Hassad risquait de réagir maladroitement. Or, il travaillait pour le compte des sunnites, version Said Hariri, le fils du Premier ministre assassiné. Cela pouvait créer des interférences dangereuses. Le colonel Mourad Trabulsi aimait profondément son pays et n'avait aucune sympathie particulière pour le Hezbollah. Maronite, mais connaissant très bien la culture arabe, laïc, il voulait avant tout épargner au Liban un nouveau bain de sang. Or, une grosse opération contre le Hezbollah risquait de déclencher un nouveau conflit interconfessionnel, car les chiites y verraient la main des sunnites ou des chrétiens. Lesquels ne voudraient pas démentir, pour se donner de l'importance…

Peut-être serait-il obligé de prévenir discrètement le Hezbollah pour éviter une catastrophe.

***

Greta Mugniyeh regardait pensivement le soleil se coucher sur les rochers de Raoucheh.

Depuis sa rencontre au *City Café* avec l'envoyé du BND, elle ruminait beaucoup de choses dans sa tête. D'abord, l'idée de ne pas pouvoir se rendre en Allemagne la minait. Sa mère avait 86 ans et elle lui parlait tous les jours au téléphone. Mais si elle tombait malade, comment Greta lui expliquerait-elle qu'elle ne venait pas à son chevet ? Elle ne pouvait pas lui avouer son problème. Son premier réflexe, après son étrange rencontre au *City Café*, avait été d'alerter Hussein, le jeune militant du Hezbollah qui « veillait » sur elle. Elle ignorait son rôle dans l'organisation, mais supposait qu'il rendait compte à ses supérieurs. Cependant, en se confiant aux gens du Hezbollah, ce qui était la solution la moins risquée, elle abandonnait tout espoir de retour en Allemagne et, *a fortiori*, de libération de son mari. Malgré la vue magnifique, elle ne se voyait pas passer des années au Liban.

Elle se mit devant son ordinateur et cliqua sur Google pour s'enquérir de Dieter Muller. Elle le trouva facilement sur le site du BND. Il venait d'en prendre la direction après avoir été longtemps conseiller du ministre de la Défense. C'était effectivement un homme très important.

Finalement, elle conclut qu'elle ne risquait rien, le lendemain matin, à téléphoner à *Herr* Lohman et à prendre rendez-vous avec lui. Elle avait de fréquents contacts avec l'ambassade d'Allemagne et une visite de plus n'attirerait pas l'attention.

* *
*

Malko tournait en rond. Ni Greta Mugniyeh ni Dieter Muller n'allaient se manifester avant le lendemain, au plus tôt. En attendant, il n'avait strictement rien à faire. La perspective de passer la soirée seul le déprimait. Dans une ville qui regorgeait de femmes toutes plus superbes les unes que les autres…

Évidemment, il pouvait appeler Mouna Harb, mais c'était une relation trop artificielle. Il composa le numéro de Tamara Terzian qui répondit aussitôt. Toujours aussi chaleureuse, elle l'avertit tout de suite :

– J'allais partir à Broumanna avec Amin. Tu m'attrapes de justesse. Tu as revu Rima ?

– Je lui ai posé involontairement un lapin, avoua Malko. Depuis, j'ai laissé trois messages, mais elle ne répond pas.

– Elle est très susceptible, fit en riant la journaliste. Je vais essayer d'arranger ça. Je te rappelle.

Cinq minutes plus tard, son portable sonna.

– Appelle-la, conseilla Tamara. Elle croyait que tu t'étais moqué d'elle. Ça tombe bien, elle est à Ashrafieh, au centre ABC, en train de faire du shopping.

Malko était déjà en train de composer le numéro. Au départ, la jeune chiite fut très froide. Il dut déployer des trésors de diplomatie pour qu'elle accepte de dîner avec lui. Finalement, elle concéda :

– Je vous attends à l'ABC, à l'entrée. Dans un quart d'heure.

Il avait juste le temps de chercher sa voiture.

Le lieutenant Farid Karam donna un coup de coude à son voisin, le policier qui était au volant, garé devant l'hôtel *Monroe*, face au *Phoenicia*.

– *Yallah !* Il s'en va.

Depuis sa rencontre avec le chef du BND, l'homme qu'il surveillait n'avait pas beaucoup bougé, à part son incursion au *City Café*.

– Il va peut-être retrouver l'Allemande, avança le lieutenant Farid Karam.

*
* *

Rima attendait sur le trottoir de l'ABC, à côté d'un groupe animé de jeunes. Hijab noir encadrant son ravissant visage et tenue « islamique », mais hyper-sexy. Le haut boutonné jusqu'au cou et la jupe aux chevilles semblaient cousus sur elle, détaillant chaque courbe de son corps. Dont des seins en poire braqués à l'horizontale… Elle trottina jusqu'à la voiture et s'installa avec un sourire un peu crispé.

— Où allons-nous ?

— Au *Salmontin*, proposa Malko, un excellent restaurant, pas loin d'ici. Saumon fumé et caviar.

Rima ne réagit pas, mais ôta son hijab qu'elle enfouit dans son sac. Malko sourit.

— Pourquoi mettre votre hijab quand vous faites du shopping ?

La chiite se renfrogna imperceptiblement.

— Pour que les hommes me respectent. Sinon, ils me tournent autour comme des mouches.

— C'est vrai que, même avec le hijab, vous êtes très sexy, conclut Malko.

La jeune femme ne répondit pas. Ils entraient dans le jardin du *Salmontin*, dans la descente de la rue Accaoui. Le maître d'hôtel jeta un regard allumé à la tunique orange et à la longue jupe noire. Les efforts de Rima pour passer inaperçue n'étaient pas couronnés de succès. Elle semblait étonnée par l'atmosphère un peu compassée de ce restaurant presque vide, avec un fond de musique classique. Malko commanda du saumon fumé, du caviar et un carafon de vodka, puis remplit leurs deux verres.

— Qu'est-ce que c'est ? demanda Rima.

— C'est comme de la tequila, en mieux, affirma-t-il.

Ça pouvait aussi être la baguette magique qui ferait sortir la chiite de sa carapace.

*
* *

Walid Jalloul travaillait tard, afin de préparer sa rencontre avec Hassan Nasrallah, prévue un peu plus tard
dans la soirée. Le leader du Hezbollah affectionnait les
rendez-vous nocturnes, plus faciles à sécuriser.

Des membres de sa sécurité allaient venir chercher
Jalloul qui ignorait où son chef se trouvait, tout en
sachant qu'il n'était pas loin. Seuls les membres de sa
sécurité rapprochée connaissaient l'emplacement de
sa planque. Walid Jalloul ne cherchait même pas à
savoir. Par précaution. Capturé par les Israéliens ou les
Américains, il ne pourrait faire aucune révélation.

Un coup léger fut frappé à sa porte et un militant
passa la tête.

— Ils sont là, *sidi* [1].

Une BMW noire sans plaque attendait au pied de
l'immeuble. Elle était suivie d'une Mercedes et accom-
pagnée par trois scooters. Le petit convoi s'enfonça
dans les ruelles sombres, la Mercedes en queue de
peloton. Elle stoppa dans une rue particulièrement
étroite, laissant l'autre véhicule s'éloigner : première
rupture de filature.

Walid Jalloul, absorbé dans ses pensées, ne prêtait
aucune attention au trajet. Le dossier qu'il avait décor-
tiqué durant les dernières heures allait particulièrement
intéresser Hassan Nasrallah.

La BMW noire s'arrêta au milieu d'un spectacle de
désolation. Des immeubles détruits, des cratères béants,
des monceaux de gravats.

On changea de voiture. Un militant s'adressa respectueusement à Walid Jalloul, au moment où il prenait
place dans une autre Mercedes.

— Ton portable, *sidi*.

Walid Jalloul le lui remit. Le Hezbollah savait que,

1. Monsieur.

même éteint, il pouvait être localisé. Les Israéliens excellaient à ce genre de jeu.

Après un trajet de dix minutes, la voiture s'arrêta en face d'un immeuble aux trois quarts détruit. Extérieurement, il ressemblait à tous les buildings construits à la va-vite pour loger les nouveaux habitants de Beyrouth. Personne ne pouvait voir qu'une dalle de béton armé d'un mètre d'épaisseur avait été coulée dans son sous-sol, arrêtant la plupart des bombes utilisées par l'armée israélienne.

Précédé par un militant en costume noir, Walid Jalloul s'engagea dans un escalier étroit. Deux étages plus bas, ils s'arrêtèrent devant une porte ressemblant à celle d'une chambre forte. Elle avait été récupérée, quelques années plus tôt, dans un local de la First National City Bank. Le militant l'ouvrit et Walid Jalloul cligna des yeux sous la lumière crue. Une équipe de Al-Manar était en train d'enregistrer une interview de Hassan Nasrallah. Celui-ci, installé dans son habituel fauteuil rouge, répondait aux questions de sa voix douce, les mains croisées sur sa robe marron. Détail amusant : le décor était celui de l'ancien bureau du chef du Hezbollah, réduit en poussière par les bombes israéliennes. Rien ne manquait : la table de travail, la bibliothèque, la fenêtre aux rideaux fermés, les deux fauteuils rouges et le canapé jaune. Ceux qui connaissaient ce bureau – il y en avait parmi les membres des Services étrangers – auraient la berlue. Ils ignoraient que Hassan Nasrallah disposait de quatre bureaux absolument identiques disséminés dans la banlieue sud et le Hermel, au nord de la plaine de la Bekaa.

Hassan Nasrallah arborait sa tenue habituelle : turban noir de *sayyed*, grosses lunettes à fine monture, barbe grise bien taillée et longue robe marron. Il adressa un sourire discret à Walid Jalloul, qui s'assit hors-champ sur le coin du canapé. L'équipe de la télé

avait fini. Elle prit congé sans un regard pour le nouveau venu, escortée par quatre membres de la sécurité.

Les techniciens eux non plus ne savaient sûrement
pas où ils avaient rencontré Nasrallah...

Celui-ci but un verre d'eau et embrassa trois fois
Walid Jalloul, l'invitant à prendre place à côté de lui,
sur le canapé jaune.

— *Kifak Abu Walid ?* demanda affectueusement
Hassan Nasrallah.

Il aimait bien avoir des nouvelles du monde extérieur, même s'il avait accès à la télé, à la radio et aux
journaux. Par prudence, il recevait très peu de gens.

— Tout va bien, *sayyed*, affirma Walid Jalloul, mais
nous devons faire face à un problème inattendu.

— Je t'écoute, Walid, fit le chef du Hezbollah.

Walid Jalloul lui expliqua ce qu'il avait découvert
grâce à ses filatures. Bien sûr, Hassan Nasrallah était
habitué au danger et aux tentatives de liquidation, mais
cette fois cela semblait sérieux.

— Tu dis que les Juifs se sont alliés aux Saoudiens ?
conclut-il.

— Les gens de Riyad te haïssent encore plus que les
Juifs, *sayyed*, confirma Walid Jalloul. Les Juifs respectent en toi un adversaire coriace et dangereux, les
autres te considèrent comme un serpent dont il faut
écraser la tête... Depuis que tu as remplacé Oussama
Bin Laden dans le cœur des sunnites, ils te maudissent
chaque matin que Dieu fait.

— C'est Dieu qui m'a donné la force de vaincre les
Juifs, répondit Hassan Nasrallah. C'est une victoire
divine mais le combat n'est pas terminé. Il ne le sera
qu'une fois le dernier Juif chassé de la terre sacrée de
Palestine.

— *Inch'Allah*, j'espère voir ce jour, répondit Walid
Jalloul. Pour l'affaire que je viens de t'exposer, voilà
ma proposition, *sayyed*.

En dépit de la clim, l'air était humide et chaud dans

la petite pièce, mais Hassan Nasrallah ne semblait pas souffrir de la chaleur, dans son épaisse robe marron. Il écouta attentivement Walid Jalloul et approuva, une lueur gaie dans les yeux, derrière les verres épais de ses lunettes.

— Ton plan me paraît excellent, Walid. Il faut que ces gens apprennent à nous respecter.

Il prit une des photos apportées par le chef de la Sécurité et dit pensivement :

— Cet homme nous a causé beaucoup de tort, n'est-ce pas ?

— C'est exact, *sayyed*.

— Il faudra que ce soit une occasion de s'en débarrasser définitivement.

CHAPITRE VIII

Dieter Muller était en train de retirer sa carte d'embarquement au comptoir de la Lufthansa pour le dernier vol du soir, accompagné de son officier de sécurité, lorsque son portable sonna. Il le laissait toujours ouvert. D'un rapide coup d'œil, il vérifia qu'aucun numéro ne s'affichait, que ce n'était pas un appel crypté, et décrocha.

— Je ne vous dérange pas ?

Il reconnut la voix chaleureuse de Walid Jalloul et son pouls grimpa.

— Pas du tout, assura-t-il, je suis en train d'embarquer pour Berlin.

— Vous serait-il possible de retarder votre départ ? fit le Libanais. Pour une raison importante. Je pense pouvoir faire droit à votre requête.

Autrement dit, Hassan Nasrallah acceptait de le recevoir. C'était doublement important.

— Aucun problème, assura-t-il. Je vais décommander mes rendez-vous à Berlin. Vous pensez que je devrai rester longtemps au Liban ?

— Non, pas plus de quarante-huit heures. *Inch'Allah*, je vous expliquerai. Puis-je vous envoyer une voiture demain matin à huit heures ?

— Absolument, conclut l'Allemand, avant de couper.

Se retournant vers son officier de sécurité, il lui annonça :

— On ne part plus. Prenez une autre réservation pour dans deux jours. Et rappelez la voiture de l'ambassade.

Lorsqu'il n'était pas dans la partie « secrète » de ses missions, il utilisait la logistique de l'ambassade d'Allemagne. Tandis qu'il repassait la douane, il se dit que Malko Linge serait satisfait.

*
* *

Rima avalait son caviar comme un chat, en se léchant les babines. Sournoisement, Malko remplissait son verre de vodka dès que le niveau baissait et elle n'arrêtait pas de le vider. Ils n'avaient pas beaucoup parlé depuis leur arrivée au restaurant. Malko, absorbé dans ses pensées, se demandait comment l'amener jusqu'à son lit, et la jeune chiite ne pensait qu'à manger. Pour achever le « traitement », Malko commanda une bouteille de Taittinger Comtes de Champagne rosé, millésimé 2000. Dès que Rima trempa les lèvres dans les bulles, elle s'épanouit.

— J'aime beaucoup. C'est plus doux que la vodka.

À la table voisine, deux officiers de l'armée libanaise en uniforme se goinfraient eux aussi d'un caviar dont chaque portion devait coûter un mois de leur solde. Dieu merci, la corruption se portait bien au Liban.

— Vous avez bon goût, approuva Malko.

Il avait de plus en plus envie de cette petite liane en hijab, sainte-nitouche mais salope. La bouteille de Taittinger descendit rapidement. Rima soupira enfin en regardant sa Swatch.

— Je dois rentrer. Je travaille demain matin.

C'était le moment difficile. Dès que le voiturier les eut installés, avec les égards justifiés par une addition monstrueuse, Malko, au lieu de filer vers le sud, prit la direction de l'ouest. Euphorisée par la vodka et le Taittinger, Rima ne posa pas de question. Elle ne réagit que lorsque Malko s'arrêta devant le *Phoenicia*.

— Je vous ai dit que je rentrais ! protesta-t-elle.

— On prend un verre au bar du vingt et unième étage, annonça fermement Malko, la vue est magnifique.

Cet étage était fermé depuis la guerre mais la chiite ne devait pas le savoir. Déjà, Malko avait abandonné sa voiture au voiturier et poussait Rima vers le portail magnétique. Dans l'énorme escalier roulant menant au *lobby*, elle s'appuya involontairement sur lui et son pouls grimpa encore.

Ce n'est qu'au moment où il ouvrit la porte de sa chambre qu'elle protesta.

— Mais ce n'est pas un restaurant !

— Le restaurant est fermé, avoua Malko, mais ici, la vue est aussi belle. Il n'y a qu'un étage de différence.

Il la poussa dans la chambre et referma la porte. Le plus dur était fait. D'ailleurs, Rima marcha d'elle-même vers la grande baie vitrée donnant sur la marina.

— C'est vrai, c'est beau, reconnut-elle, mais maintenant, je dois rentrer.

Ce n'était pas vraiment l'intention de Malko. Il la rejoignit, s'approcha d'elle par-derrière et fit ce dont il rêvait depuis le début de la soirée.

En sentant ses mains se refermer sur ses seins, Rima se débattit comme un chat sauvage, ne lui laissant que quelques secondes de bonheur. Ses seins étaient encore plus fermes que ce qu'il avait imaginé ! Instinctive-ment, il se colla contre la jeune femme, pressant son ventre contre sa croupe. Elle voulut se dégager, mais, coincée entre le bureau et Malko, ne put que se tor-tiller, ce qui augmenta encore le désir de celui-ci. Rima ne pouvait plus ignorer la colonne raide incrustée contre ses fesses. Elle parvint enfin à se retourner et, le regard noir, lança :

— Laissez-moi ou je vais appeler la police !

Elle tendait déjà la main vers le téléphone. Malko en profita pour reprendre ses seins, appuyé à son ventre. Même une mongolienne aurait compris le message. Rima lutta quelques instants, puis demanda d'une voix excédée :

— Qu'est-ce que vous voulez ?

C'était pourtant évident.

— J'ai très envie de vous, répondit Malko.

— Moi, je ne veux rien faire, fit Rima. Lâchez-moi.

— Non.

Il recommença à lui caresser les seins et, avec un soupir excédé, elle lança :

— Si je vous laisse m'embrasser, vous me raccompagnerez ?

On se serait cru dans une cour de récréation. Malko sourit.

— C'est une proposition intéressante.

Les yeux fermés, elle leva le visage vers lui et leurs lèvres se frôlèrent. Il dut insister beaucoup pour que les dents de la jeune chiite s'écartent. Enfin, leurs langues se touchèrent. Celle de Rima ressemblait à une limace morte. Malko s'activa seul, quelques instants. Puis, il sentit un frémissement dans le bassin de la jeune femme. Enfin, sa langue s'anima et son sage baiser se mua en une étreinte passionnée. Malko sentit des ongles s'enfoncer dans sa nuque et le ventre de Rima se mit à danser une sarabande effrénée contre le sien.

Elle était collée à lui comme une noyée.

Fébrilement, il essaya de la déshabiller. Impossible : la tunique comportait des dizaines de boutons et la jupe semblait avoir été cousue sur elle !

Soudain, Rima trembla de tout son corps, lui mordit la langue et planta cinq griffes dans sa nuque.

Elle venait vraisemblablement de jouir.

Levant un regard un peu flou sur Malko, elle demanda, le souffle court :

– Bon, vous m'avez embrassée, je peux partir maintenant ?

Il aurait aimé savoir comment se disait « allumeuse » en arabe. Son sexe était douloureux à force de raideur.

– Pas tout de suite, fit-il.

Il la prit par la taille et la jeta sur le lit. Trente secondes plus tard, ils étaient de nouveau enroulés l'un à l'autre. Il tenta de remonter la longue jupe, mais elle était trop étroite. Rima faisait des sauts de carpe et il comprit qu'il ne parviendrait pas à ses fins. Il fallait employer les grands moyens.

En un clin d'œil, il se débarrassa de ses vêtements, ne gardant que son érection.

– Vous êtes fou ! souffla Rima, le regard quand même fixé sur son bas-ventre.

– Non, fit Malko, mais je vais le devenir si je ne vous baise pas.

Rima fixait son sexe dressé comme un lapin hypnotisé par un cobra. Malko fit un pas vers elle, bien décidé à la violer. Mais tout d'un coup, la jeune femme sauta du lit et fonça vers la porte !

Le temps de passer un slip, il arriva dehors pour voir les portes de la cabine de l'ascenseur se refermer.

**

– *Herr* Lohman ? demanda Greta Mugniyeh.

Quelques instants plus tard, une voix d'homme annonça :

– Klaus Lohman. À qui ai-je l'honneur ?

– *Frau* Greta Mugniyeh. Je souhaite vous rencontrer à l'ambassade.

Il y eut un silence très court, puis l'interlocuteur de Greta Mugniyeh proposa d'une voix égale :

– Aujourd'hui, trois heures ?

– Parfait. *Auf wiedersehen.*

Il n'y avait pas de Lohman à l'ambassade

d'Allemagne, mais la standardiste avait été avertie de transférer tout appel pour ce nom au représentant du BND.

* * *

Malko fut réveillé en sursaut par la sonnerie de son Blackberry.

– *Herr* Linge, dit une voix inconnue. La personne que vous avez contactée hier sera à l'ambassade à trois heures aujourd'hui.

– Je viendrai, promit Malko.

Il fallait bien ça pour lui faire oublier sa frustation et sa rage. Il ne s'était pas endormi avant trois heures du matin. Chauffé à blanc par cette abominable petite allumeuse de Rima. Il sortait de la douche quand le Blackberry sonna de nouveau. Étonné, il reconnut la voix de Dieter Muller.

– Je vous croyais parti. Vous êtes à Berlin ?

– Non, à Beyrouth. On peut se voir au même endroit, dans une heure ?

* * *

Le colonel Trabulsi était en train de se délecter à la lecture du rapport du lieutenant Farid Karam. Apparemment, l'agent de la CIA avait passé une très bonne soirée.

Farid Karam entra sans son bureau, égrillard.

– J'ai enquêté sur cette fille, annonça-t-il. Elle ne semble pas avoir de lien avec le Hezbollah. Elle est divorcée, habite chez ses parents et travaille dans un cabinet dentaire. Ce salaud ne l'a même pas raccompagnée, elle a pris un taxi.

– Elle avait dû l'épuiser, ricana le colonel Trabulsi.

Les espions étaient aussi des hommes et toutes les

rencontres de cet agent de la CIA n'étaient pas forcément professionnelles.

*
* *

Dieter Muller attendait dans sa voiture, au fond du
même parking.

— Walid Jalloul m'a appelé hier soir à l'aéroport,
au moment où j'allais prendre l'avion, expliqua-t-il à
Malko. Hassan Nasrallah a finalement décidé d'engager les négociations sur l'échange des prisonniers. J'ai
revu Jalloul ce matin. Je dois partir ce soir pour Baal-
bek et m'installer à l'hôtel *Palmyra*, en face des ruines.
Il appartient au fils d'un dignitaire chiite, l'ancien
président de l'Assemblée nationale. Ali El-Husseini.

— Donc, conclut Malko, vous allez vraisemblablement rencontrer Nasrallah dans la Bekaa…

— C'est peut-être une diversion, avertit le chef du
BND. Voici ce que je vous propose : mon officier de
sécurité appellera ma Centrale qui répercutera sur votre
Blackberry crypté. Maintenant, c'est à vous de jouer.

Malko redescendit jusqu'à l'Hôtel-Dieu où il avait
laissé sa voiture et regarda sa Breitling. Onze heures
dix. Il avait juste le temps d'activer le contact des
Israéliens, le marchand de *kaak*.

Heureusement, il était tout près.

Quand il s'engagea sur l'énorme rond-point, il le vit
tout de suite. Un moustachu aux cheveux gris, pauvre-
ment vêtu, à côté d'une bicyclette au guidon de laquelle
étaient accrochés une douzaine de pains ronds. Un sac
de toile posé par terre devait en contenir d'autres.

Malko fit deux fois le tour de la place, à la recherche
d'un piège possible, puis s'arrêta à côté du marchand
à qui il tendit un billet de un dollar. De loin, il était
impossible de distinguer de quel billet il s'agissait.
Sans marquer la moindre surprise, le marchand prit le

billet et tendit un *kaak* à Malko qui repartit aussitôt, sans s'attarder ni échanger un mot avec le vieil homme.

Cela faisait deux bonnes nouvelles dans la journée ! S'il n'y avait pas eu l'épisode frustrant avec Rima, la vie aurait été belle.

Le portable de Malko sonna alors qu'il arrivait à hauteur de l'hippodrome. C'était la voix joyeuse de Tamara Terzian.

– Tu m'invites à déjeuner *Chez Paul* ? proposa la journaliste. Tu me dois bien cela...

Chez Paul était une véritable volière où toutes les élégantes d'Ashrafieh venaient grignoter avec leurs copines, en échangeant les derniers potins de Beyrouth ou en comparant les performances de leurs amants respectifs, qui étaient parfois les mêmes.

Malko faillit s'étrangler.

– Je veux bien déjeuner *Chez Paul* mais avant, tu passes au *Phoenicia*.

– Ça va être juste, soupira Tamara. Bon. Je vais essayer.

**

À la seconde où Malko ouvrit la porte du 2020, Tamara comprit pourquoi il l'avait fait venir. Leurs regards se croisèrent et elle lui adressa un sourire complice.

– On n'a pas beaucoup de temps !

Elle portait un tailleur pied-de-poule très convenable et un léger pull à col roulé. Sans un mot, Malko la plaqua contre le mur et, aussitôt, elle lui offrit sa bouche. En quelques instants, il fut raide comme un manche de pioche. Lorsqu'il glissa la main sous la jupe pour arracher la culotte de la journaliste, elle pouffa.

– Dis donc, c'est Rima qui t'a mis dans cet état ?

Ça semblait l'exciter. En un clin d'œil, elle se retrouva à genoux sur la moquette, le membre de Malko enfoncé dans sa bouche jusqu'à la glotte. C'est lui qui la releva.

— Viens.

Il la poussa jusqu'au lit, remonta sa jupe étroite sur ses hanches, se plaça derrière elle et l'embrocha d'un seul coup. Prosternée, Tamara poussa un feulement bref et se mit à gémir sous les coups de boutoir de Malko déchaîné.

— Tu vas me faire jouir ! lâcha-t-elle soudain. C'est excitant de baiser tout habillée. Comme une bourgeoise bien salope, les cuisses écartées…

Elle délirait toujours quand il se déversa en elle. Comme il continuait à bander, il la retourna, replia ses jambes jusqu'à ses épaules et plongea de nouveau en elle. Cela dura plus longtemps et, de nouveau, Tamara poussa un cri bref.

— Voilà, maintenant on peut déjeuner ! conclut Malko, apaisé.

Tamara hurlait encore de rire en écoutant le récit de la soirée de Malko quand ils entrèrent *Chez Paul*.

— Finalement, je vais lui dire merci, à cette petite allumeuse. Tu m'as très bien baisée.

*
* *

Il était trois heures dix quand Malko poussa la porte de l'ambassade d'Allemagne. Il se fit connaître à la standardiste et quelques instants plus tard, un homme d'une cinquantaine d'années le rejoignit.

— Je suis le docteur Zoller, du BND, annonça-t-il. La personne avec qui vous avez rendez-vous est arrivée.

Malko le suivit dans un des salons de l'ambassade, au premier étage.

Greta Mugniyeh attendait, assise sur un canapé, en train de fumer, visiblement nerveuse. La veste de son tailleur rose était boutonnée, mais des bas noirs

attiraient le regard sur ses longues jambes. Elle écrasa
sa cigarette dans le cendrier et lança à Malko :

— J'espère que vous ne m'avez pas fait venir pour
rien !

Il la regarda froidement.

— *Frau* Mugniyeh, cela dépend de vous. Êtes-vous
décidée à coopérer ?

Greta Mugniyeh hésita quelques secondes puis
répondit d'une voix imperceptible :

— *Jawohl.*

CHAPITRE IX

Le colonel Mourad Trabulsi écoutait pensivement le rapport du lieutenant Farid Karam, chargé de surveiller l'agent de la CIA Malko Linge. L'épisode du vendeur de *kaak* le laissait rêveur. C'était évidemment une manip, car les étrangers n'aimaient pas ce pain-là. Pour un contact avec qui ?

Cela ne ressemblait pas aux méthodes américaines. Les Saoudiens, à la rigueur... Mais plutôt les Israéliens. Il savait que ces derniers maintenaient des réseaux logistiques au Liban, grâce à des agents en principe insoupçonnables, comme ce marchand de *kaak*. Il ne voulait surtout pas l'interpeller pour l'interroger, ce qui alerterait le réseau auquel il appartenait. Il devait donc resserrer encore la surveillance de sa « cible ».

— Ne le lâchez pas, intima-t-il. Et faites très attention, vous savez à qui on a affaire...

Il adressa au lieutenant un clignement d'yeux appuyé d'une mimique adéquate. Mourad Trabulsi adorait faire des grimaces... Lorsque le policier eut quitté son bureau, il sortit sa bouteille de Chivas, s'en versa un peu et arriva à une double conclusion.

D'abord, c'était presque certainement avec les Israéliens que l'agent de la CIA avait pris contact. S'il pouvait pénétrer un réseau israélien, ce serait, le cas échéant, une bonne monnaie d'échange avec le Hezbollah, très friand de ce genre d'information.

Ensuite, si cet agent de la CIA « activait » les Israéliens, c'est qu'une action était en préparation…

Le colonel était tellement excité qu'il faillit monter à l'étage supérieur en parler à son chef, le général Ashraf Rifi. Il se retint. Il était encore trop tôt.

Le parfum lourd dont Greta Mugniyeh s'était arrosée imprégnait tout la petite pièce. Elle se pencha en avant et un peu de dentelle noire pointa entre les revers du tailleur. Visiblement, elle aimait bien utiliser son physique. La tension de ses traits contrastait avec ce geste de séduction muette.

Elle avait peur.

— Il faut que personne ne sache que je vous ai vu, souffla-t-elle. Ce serait très dangereux.

— Je crois que vous venez souvent ici, dit Malko en s'asseyant à côté d'elle. Et nous ne sommes pas arrivés ensemble.

Greta Mugniyeh sortit un paquet de cigarettes et Malko lui en alluma une. Après avoir longuement soufflé la fumée puis croisé et décroisé les jambes, elle le fixa de ses magnifiques yeux bleus.

— Que voulez-vous de moi ? Je ne connais rien des affaires de mon mari et je ne suis pas une terroriste.

— J'ignore encore si vous pouvez m'aider, avoua Malko, mais je vais vous dire ce que moi j'attends de vous. Je suppose qu'à travers votre mari, vous avez des contacts avec la structure clandestine du Hezbollah. Je sais que votre mari et vous avez participé à du blanchiment d'argent, au profit du Hezbollah. Ma proposition est très simple : je veux par votre intermédiaire

localiser Hassan Nasrallah. Personne ne sait où il se
trouve.

Une lueur de panique passa dans les yeux bleus.

– Vous voulez le tuer ?

– Non.

Inutile de s'étendre. Malko insista :

– Si vous parvenez à me fournir cette information,
tous vos problèmes avec la justice allemande seront
terminés. Vous pourrez revenir en Allemagne et votre
mari sera libéré dans un délai suffisant pour ne pas
permettre de rapprochement dangereux pour lui.

Les coins de la belle bouche de l'Allemande
s'abaissèrent.

– Ma vie aussi risque d'être terminée, s'ils se dou-
tent de quelque chose. Ils me tueront, et aussi peut-
être Hassan. Ils peuvent frapper en Allemagne, je le
sais, Hassan m'a avoué un jour que le Hezbollah
avait liquidé un traître à Hambourg, en utilisant une
structure iranienne.

– Nous ne sous-estimons pas le Hezbollah, précisa
Malko, mais, dans ce genre de situation, il y a des
risques incompressibles. Si vous nous aidez, vous serez
évidemment sous la protection du BND, ainsi que votre
mari.

Greta Mugniyeh lui jeta un regard lucide.

– La protection, ça ne dure jamais longtemps. *Gut.*
Je suis une grande fille. Mais je ne vois pas comment
je peux vous être utile.

– Connaissez-vous quelqu'un au Hezbollah qui soit
en contact direct avec Hassan Nasrallah ?

L'Allemande lui jeta un long regard méfiant.

– Si je vous réponds, c'est déjà un risque. Je ne sais
pas ce que vous ferez de cette information.

– Répondez-moi, répliqua Malko.

Greta Mugniyeh secoua la tête.

– *Nein.* Je veux d'abord quelque chose : faites

libérer mon mari, même s'il ne doit pas quitter l'Allemagne.

— *Unmöglich*[1] ! rétorqua sèchement Malko.

Elle se leva d'un bloc et jeta, furieuse :

— *Sehr gut!* Oubliez que vous m'avez vue. Je n'ai pas envie de risquer ma vie pour rien… .

Comme elle se dirigeait vers la porte, Malko remarqua calmement :

— Aux yeux du Hezbollah, votre visite ici est déjà une trahison. Je crois que vous ne pouvez plus reculer…

Greta Mugniyeh le fixa, pétrifiée, puis explosa.

— *Schweinerei*[2] ! Vous leur diriez…

— Ils peuvent l'apprendre, insinua Malko, volontairement énigmatique. Ce sont des professionnels.

Comme une automate, elle revint sur ses pas et se laissa à nouveau tomber sur le canapé. Malko vit que ses mains tremblaient, ainsi que son menton. Après un long silence, elle dit à voix basse :

— Je ne connais qu'un seul militant du Hezbollah, Hussein. Il vient régulièrement voir si je ne manque de rien. J'ai son portable pour l'appeler, en cas de besoin.

— Que savez-vous de lui ?

— Rien, avoua-t-elle. Il est jeune, très poli, très serviable.

Malko réfléchissait. Les militants du Hezbollah n'étaient généralement pas sensibles à l'argent. Ce Hussein devait faire partie du noyau dur pour qu'on l'ait chargé de cette mission. Mentalement, il passa en revue les raisons de trahir d'un jeune militant islamiste. Compte tenu du contexte, il n'en voyait qu'une possible.

— Est-ce que ce garçon vous a fait la cour ?

Les traîtres agissent soit pour de l'argent, soit par

1. Impossible.
2. Salaud !

conviction, soit par passion. Brusquement détendue, Greta Mugniyeh éclata de rire.

— Lui ! Il est mort de timidité, il garde toujours les yeux baissés quand je lui parle.

— Vous êtes une femme, répliqua Malko.Vous devez bien sentir si vous l'attirez.

— Il est très jeune, oui, je pense que je lui plais, mais il n'a jamais eu le moindre geste déplacé, audacieux ou même ambigu. On dirait un petit robot bien réglé.

Malko esquissa un sourire.

— Eh bien, il va falloir que vous tentiez de le dérégler. Même si je ne sais pas encore si ce garçon est en possession d'informations exploitables.

— Comment voulez-vous faire ? demanda Greta Mugniyeh.

— Vous le voyez où, cet Hussein ?

— Il passe chez moi, mais ne reste que quelques minutes.

— Il faut trouver un moyen de créer une intimité plus longue entre vous, suggéra Malko. Je pense à quelque chose. Il paraît que vous vous êtes déjà rendue une fois à Tyr. Pour rencontrer quelqu'un. C'est exact ?

— Oui, répondit Greta Mugniyeh. J'y suis allée en taxi et j'ai fait l'aller-retour dans la journée.

— Si vous prétextez la nécessité d'un autre voyage, pouvez-vous demander à ce garçon de vous accompagner ? Comme chauffeur garde du corps ?

— Oui, je pense. Et ensuite ?

— Ensuite, sourit Malko, il faudrait mettre à profit ce voyage pour briser la glace entre vous. Même s'il est timide, vous êtes une très belle femme et c'est un homme. Je pense que, si vous vous y prenez bien, il aura très envie de coucher avec vous.

— *Ach so*[1]. Et alors ?

— Alors, conclut Malko, vous coucherez avec lui !

1. Ah bon !

Peut-être que cela ne mènera à rien, mais c'est la seule façon de savoir si ce garçon peut nous être utile.

Greta Mugniyeh le fixa, bouche bée, désarçonnée.

– Vous voulez que je couche avec ce gamin !

Le sourire de Malko s'élargit.

– Certaines femmes de votre génération vont même jusqu'à payer pour un amant de cet âge ! Je ne vous demande pas un sacrifice inhumain.

– Mais j'aime mon mari ! protesta l'Allemande.

– Il s'agit de business, pas d'amour, rétorqua Malko. Maintenant, si vous estimez que c'est impossible, restons-en là.

Greta Mugniyeh demeura silencieuse un long moment, puis bredouilla d'une voix mal assurée :

– Bien, je peux essayer.

Malko la mit en garde :

– *Achtung*[1] ! Ce n'est pas un jeu. Les gens du Hezbollah sont très méfiants. Il faut que votre attitude paraisse totalement naturelle. C'est votre vie qui est en jeu. Dans un premier temps, il ne faut surtout poser aucune question. Vous êtes seulement une femme esseulée séduite sexuellement par un jeune et beau garçon. À propos, comment est ce Hussein ?

– Pas mal, avoua Greta du bout des lèvres.

Malko sentait qu'elle s'habituait peu à peu à l'idée. Il s'empressa de préciser :

– Le mieux serait de vous arranger pour passer la nuit à Tyr. Cela créerait plus de possibilités d'intimité.

– *Schön !* opina Greta Mugniyeh. Je vais suivre vos instructions. Dès aujourd'hui, j'appelle Hussein. Comment vais-je vous tenir au courant ?

– Appelez *Herr* Lohman, dit Malko.

Il la raccompagna jusqu'au hall, la laissant partir la première. Maintenant que la piste Dieter Muller était

1. Attention.

activée, il n'aurait peut-être pas à utiliser les charmes de la belle Allemande.

Kassem Zeglé adressa un petit signe amical aux soldats occupant un barrage de l'armée libanaise, vingt kilomètres avant Nabatiyé. Cette zone de la Bekaa sud, mitoyenne d'Israël, longtemps occupée par l'État hébreu qui y avait installé son QG à Kiam, sur une colline pelée, village repris depuis par le Hezbollah, était, en principe, interdite aux non-Libanais, pour des raisons obscures bien qu'elle ne comporte aucune installation militaire.

À côté de l'officier libanais commandant le barrage, se tenaient un civil au nez aquilin, le *moukhabarat* de service, et un jeune homme barbu appuyé à une petite moto, le représentant local du Hezbollah. En sous-main, l'organisation chiite continuait à tout contrôler au sud de la rivière Litani, là où les chiites étaient majoritaires… Kassem franchit le barrage sans problème. Lui n'était pas chiite mais druze, et habitait un petit village druze, Hasbaiya, tout au fond de la Bekaa, à moins de quinze kilomètres de la frontière syrienne et à trente de Metulla, le poste frontière avec Israël, plus au sud.

Le *check-point* franchi, Kassem Zeglé attaqua les lacets qui montaient au milieu des collines pelées vers Nabatiyé, la ville du Hezbollah. Partout flottaient les drapeaux jaunes du Parti de Dieu, plus ou moins déchirés. Les habitants de la Bekaa allaient tous faire leurs courses dans ce bourg assez important et animé, où on trouvait de tout.

Kassem Zeglé, depuis qu'il avait pris sa retraite comme adjudant de l'armée libanaise, ne bougeait guère de son village natal, sauf pour aller voir un cousin à Nabatiyé et, parfois, un autre qui avait émigré à Rome et lui envoyait des billets d'avion. La retraite d'adjudant de l'armée libanaise suffisait à le faire vivre décemment avec ses cinq enfants, et personne ne trouvait rien d'anormal dans sa vie. Même pas les *moukhabarat* soupçonneux du Hezbollah.

Et pourtant, Kassem Zeglé travaillait pour les Israéliens. Depuis longtemps déjà, lorsqu'il était le chauffeur attitré du général Jamil Saddegh, chef de la Sûreté générale, tout dévoué aux Syriens…

Pendant des années, il avait fourni des informations précieuses à Israël sans éveiller le moindre soupçon. L'argent que lui versaient les Israéliens restait sur le compte d'un autre parent proche, vivant en Israël. C'est ce dernier, à l'occasion d'une réunion familiale, qui l'avait recruté. La communauté druze se partageait entre le Liban, la Syrie et Israël. Généralement fidèle à l'État qui les abritait, mais il y avait des exceptions… Dans ce village où tous étaient druzes, il ne risquait pas d'être trahi mais il savait que le Hezbollah veillait : les chiites se méfiaient instinctivement des Druzes.

Kassem Zeglé arriva au sommet des lacets. Dans une demi-heure, il arriverait à Nabatiyé chez son cousin, qui ignorait ses activités… Le Druze avait reçu un message de Beyrouth par un cheminement compliqué. Il devait rencontrer le lendemain au château de Beaufort, vieille forteresse des croisés en ruines, perchée sur un piton dominant la Bekaa, au sud du village de Arnoun, quelqu'un qui lui transmettrait une information vitale à donner aux Israéliens. Quelques rares touristes se rendaient là-haut par curiosité, bien qu'il ne reste pas grand-chose de la forteresse, mais, par temps clair, on avait une vue magnifique, jusqu'en Israël. Kassem Zeglé, après ce rendez-vous, n'aurait plus qu'à filer sur Beyrouth et à prendre l'avion pour Rome. Son « cousin » là-bas n'était autre qu'un agent du Mossad qui virait chaque mois 5 000 dollars sur le compte au nom du druze… C'était une somme importante et depuis sa retraite, il ne la valait plus… Mais il avait menacé de cesser toute activité si on lui rognait ses trente deniers. Comme les Israéliens n'avaient plus que des réseaux squelettiques, ils avaient cédé.

Kassem Zeglé arrivait à l'entrée de Nabatiyé où se trouvait le mausolée à la mémoire de Moussa Sadr. Ici, le Hezbollah régnait sans partage. Il allait dormir chez son cousin et repartir tôt le lendemain matin, de façon à se trouver au château de Beaufort dans la matinée. C'était pratiquement la route pour rentrer chez lui, et personne ne prendrait garde à ce détour.

*
* *

Malko se sentait mal à l'aise, conscient d'être for-cément dans le collimateur d'un des nombreux Services qui sévissaient à Beyrouth. Il était revenu directement de l'ambassade d'Allemagne et, une fois de plus, n'avait plus qu'à attendre.

Son portable sonna.

– *Good evening, mister* Malko, fit la voix cristalline de Mouna Harb. Il y a un petit cocktail au *Bristol*. Voulez-vous venir prendre une coupe de champagne ?

Les Saoudiens venaient aux nouvelles.

– Pourquoi pas ? accepta Malko.

– Je serai dans le *lobby*, précisa la jeune femme.

Il descendit prendre sa voiture, garée dehors, en face de l'hôtel. Au moment d'y monter, il aperçut un papier glissé sous son pare-brise. Intrigué, il l'examina. À Beyrouth, ce ne pouvait pas être une contravention…

Effectivement, ce n'en était pas une, mais une publi-cité vantant la beauté d'un site unique, le château de Beaufort, vestige des croisades. Il allait jeter le pros-pectus lorsqu'il remarqua que sa voiture était le seul véhicule à arborer ce tract. D'habitude, les gens qui les distribuaient en mettaient sur toutes les voitures. Il le garda et se mit au volant, l'examinant avec attention.

C'est alors qu'il découvrit un mot tracé en lettres majuscules, juste en dessous de Beaufort : KASSEM.

Il réalisa instantanément : c'était la réponse des Israéliens. Il devait rencontrer quelqu'un qui s'appelait Kassem au château de Beaufort. Lisant le texte, il situa le lieu, très loin au sud de Beyrouth. Heureusement, dans le minuscule Liban, les distances étaient réduites. En deux ou trois heures, malgré les infrastructures détruites par l'aviation israélienne, il y serait. Mais pourquoi tant de complications ?

Ils avaient sûrement une bonne raison. Il prit le tract, le déchira et en répandit les morceaux sur la chaussée, tout en roulant vers le *Bristol*. Mouna Harb surgit du coin du bar, très pudique en jupe longue et veste ample. Une bouteille de Taittinger Comtes de Champagne Blanc de Blancs 1996 attendait dans un seau à glace en cristal. Sa position de « public-relations » du *Bristol* était une parfaite couverture…

Un garçon fit sauter le bouchon. Le Taittinger était parfaitement frappé. Ils le dégustèrent en discutant de choses et d'autres, puis Mouna Harb se pencha vers Malko.

– Vous avez un peu de temps ?

Il la suivit et ils se retrouvèrent au cinquième étage devant la suite qu'il connaissait déjà. Fouad El-Rorbal attendait dans la *sitting-room*.

Le Saoudien serra chaleureusement la main de Malko et annonça :

– Nous avons eu des informations, par une de nos équipes du Croissant-Rouge qui travaille dans Beyrouth sud. Un militant hezbollah a juré que Hassan Nasrallah avait été touché pendant un des bombardements et qu'il était très mal. Il serait dans un abri souterrain de Borj El-Brajnieh.

– Vous pouvez recouper cette information ? demanda Malko.

Le Saoudien lui répondit avec un sourire désolé :

– Hélas non, monsieur Malko ! C'est très difficile. Là-bas, on se méfie de nous.

– Essayez d'en savoir plus.

Bien entendu, il ne souffla mot de son voyage au château de Beaufort. Dieter Muller devait se trouver à Baalbeck à attendre Hassan Nasrallah. Pourvu qu'il recueille des informations.

* *
*

Greta Mugniyeh retint son souffle avant de composer le numéro de portable de Hussein, le jeune militant du Hezbollah. Elle avait le trac. À la quatrième sonnerie, il répondit.

– *Aiwa ?*

– C'est *Frau* Mugniyeh, annonça l'Allemande.

Le jeune homme se montra aussitôt très chaleureux.

– Ah, madame Greta, que puis-je faire pour vous ?

Greta Mugniyeh sentit la boule de son estomac commencer à fondre.

– Voilà. Mon mari possède un immeuble à Tyr, avec un restaurant au rez-de-chaussée. Or, ce locataire n'a pas payé son loyer depuis six mois. Il ne répond pas à mes fax... Je voudrais aller là-bas. Est-ce possible, après les bombardements ? Il paraît que les ponts ont été détruits. Je pourrais prendre un taxi...

– Mais je peux vous conduire ! affirma aussitôt Hussein. Ce n'est pas très loin. Trois heures au maximum. Les ponts ont été détruits par les Sionistes mais il y a des voies de contournement. Cela prend seulement un peu plus de temps, mais, jusqu'à Saïda, on peut emprunter l'autoroute. Vous voulez y aller quand ?

– Le plus tôt possible. Mais c'est loin, et vous avez sûrement mieux à faire que de faire le taxi, minauda Greta Mugniyeh.

– Votre mari est un homme très respecté, affirma le jeune militant. Je vous conduirai moi-même, il faut seulement que je demande à mon chef et que je me procure une voiture. Je vous rappelle ce soir.

Greta Mugniyeh raccrocha : le poisson avait mordu à l'hameçon.

Le plus dur commençait.

Ce n'était pas le fait d'avoir une aventure avec ce Libanais. La perspective était plutôt agréable. Mais l'idée de le cuisiner la mettait mal à l'aise.

Elle se rassura en se disant qu'au pire, elle en serait quitte pour recevoir un solide hommage. Le rôle de Mata-Hari lui déplaisait.

*
* *

Juste avant Saïda, l'autoroute menant à Tyr et à la frontière israélienne s'arrêtait brusquement. Le pont de Qasmiyé sur la rivière Litani avait été pulvérisé par l'aviation israélienne, laissant un trou béant de cent mètres de longueur. Sagement, les véhicules descendaient jusqu'à la route côtière, qui courait parallèlement à l'autoroute, le long des innombrables bananeraies. Certes, on y roulait moins vite, mais il n'y avait pas de bouchon et là, des *check-points* débonnaires de l'armée libanaise faisaient semblant de surveiller la circulation.

Malko était parti vers huit heures du *Phoenicia*. Depuis Saïda, les drapeaux jaunes du Hezbollah apparaissaient un peu partout, parfois plantés sur les ruines de bâtiments détruits ou d'ouvrages d'art. Un peu plus loin, il put remonter sur l'autoroute. L'armée libanaise avait jeté un vieux pont Bailey sur une coupure.

Impossible de voir s'il était suivi : le temps était magnifique et les gens ne semblaient pas traumatisés par la guerre de trente-quatre jours qui avait jeté un million de réfugiés sur les routes... Malko aperçut un panneau NABATIYÉ et quitta l'autoroute. La route filait vers le sud, bien entretenue. Pas de dégâts, mais quelques

immeubles détruits alentour. Plus il approchait de la
« capitale » du Hezbollahland, plus les drapeaux jaunes
ornés d'une kalachnikov étaient nombreux.

Aucune trace de l'armée libanaise, stationnée plus
au sud. Il faillit se perdre dans Nabatiyé au milieu
d'embouteillages invraisemblables et dut demander
son chemin. Les gens étaient souriants, pas agressifs, et
pourtant, il ne ressemblait pas vraiment à un Libanais.

Après Nabatiyé, la route sinuait entre des collines
pelées à perte de vue, semées de rares villages. Plus
loin, à l'est, c'était la Bekaa. Soudain, son autoradio
qui crachait de la musique se brouilla et une voix parlant dans une langue nouvelle remplaça « Nostalgie ».
Une radio israélienne, avec un émetteur puissant qu'on
captait de ce côté-ci de la frontière. Il allait un peu au
jugé, tous les panneaux indicateurs étant en arabe…
Enfin, à un embranchement, il aperçut un écriteau
« Beaufort Castle ».

Un poste de l'armée libanaise était installé à l'entrée
du village d'Arnoun. Malko s'arrêta et indiqua :

– *Beaufort Castle…*

Le soldat le fit passer avec un sourire. Il faut dire
que la ruine était un cul-de-sac. Seul un sentier de
chèvres la reliait à la route de Marjaaloun et à la Bekaa.

Malko prit à droite et regarda dans son rétroviseur.
Une voiture blanche roulait dans la même direction,
deux cents mètres derrière lui, qu'il n'avait pas remar-
quée jusque-là… De toute façon, il n'avait pas le choix.
Il continua, escaladant des collines escarpées. Enfin, il
aperçut dans le lointain l'amas de pierres qui rappelait
la présence des croisés, arrivés là dix siècles plus tôt.

Pas âme qui vive.

Il finit par atteindre l'esplanade au pied des vieilles
murailles et sortit de la voiture. Même en ruines, le château de Beaufort était encore impressionnant. Au sommet d'une des tours flottait un drapeau jaune délavé du
Hezbollah. Le site était balayé par un vent violent et

tiède. Il fit le tour, découvrant un escalier métallique rouillé qui avait jadis mené à un des donjons.

La vue était magnifique, sur un moutonnement de collines. On distinguait au sud la frontière israélienne. Le silence était absolu, à part le vent. Il s'appuya au capot de la voiture, guettant la route par laquelle il était arrivé. De tous les autres côtés, c'étaient des à-pics vertigineux, où aucun véhicule ne pouvait passer.

Vingt minutes s'écoulèrent. Cet environnement bucolique le détendait : on se sentait loin de la fureur des hommes. Même si son mystérieux correspondant ne venait pas ou si le prospectus glissé sous son pare-brise était une vraie publicité, il n'aurait pas complètement perdu son temps.

Soudain, un bruit de pierres qui roulaient attira son attention. Il se dirigea vers l'escalier métallique dominant la vallée à l'est et aperçut une petite silhouette qui grimpait péniblement un sentier tracé dans la pierraille, à peine visible. Il venait d'une route goudronnée qu'on devinait en contrebas, distante d'environ deux kilomètres.

L'homme grimpait lentement, précautionneusement. Il leva la tête et aperçut Malko, sans modifier sa route. Dix minutes plus tard, il était au pied de la vieille échelle métallique. Il avait l'air d'un Libanais ordinaire, avec des cheveux gris, une canadienne verdâtre, habillé comme un paysan. Il s'approcha de Malko et s'arrêta, comme s'il attendait quelque chose.

– Kassem ?

Le nouveau venu inclina la tête.

– *Na* [1].

Malko avait devant lui l'envoyé des Israéliens.

_____
1. Oui.

CHAPITRE X

Le lieutenant Farid Karam et son collègue Ali El-Rami transpiraient sang et eau sous le soleil brûlant. Ils avaient dû s'éloigner de leur voiture et grimper une pente escarpée pour entrer en contact avec le QG des FSI. Le vent sifflait dans les oreilles de l'officier libanais. Et il comprenait un mot sur trois de ce que lui disait le colonel Trabulsi.

Celui-ci hurla dans l'appareil pour la quatrième fois :

– Où êtes-vous ?

Les portables en usage dans les FSI n'étant pas cryptés faute de moyens, Farid Karam ne voulait pas prononcer de nom. Autant avertir tout de suite le Mossad qui écoutait tous les portables libanais. Il se contenta d'une périphrase.

– C'est très découvert, j'ai dû décrocher. On l'attend au retour.

– *Yallah!* Vous me raconterez, trancha le colonel Trabulsi, excédé.

Ses deux agents avaient suivi Malko depuis le *Phoenicia*. Lui-même ne s'expliquait pas pourquoi l'agent de la CIA s'enfonçait si loin au sud, dans une région majoritairement chiite. Le lieutenant Farid Karam ferma son portable, furieux et en sueur, et lança à son équipier :

– On attend qu'il repasse.

Ils avaient dû lever le pied à Arnoun, petit village au sud-est de Nabatiyé, pour éviter que l'homme qu'ils surveillaient s'aperçoive de leur présence.

La route qu'il avait empruntée était un cul-de-sac conduisant uniquement aux ruines du château de Beaufort. Donc, ils étaient certains de le récupérer à son retour.

Ce qui les intriguait, c'était la destination de Malko Linge. Il n'allait sûrement pas faire du tourisme au château de Beaufort. Ou un message l'y attendait, ou il en déposait un, ou il avait rendez-vous avec quelqu'un. D'où ils étaient, impossible de trancher entre ces trois hypothèses.

Ils remontèrent dans la vieille Toyota, glaces ouvertes, et allumèrent des cigarettes. Guettant d'un œil anxieux la route qui descendait du château des croisés.

*
* *

— Do *you speak english*? demanda Malko à l'homme qui venait de surgir des blocs de béton, au pied des vieilles murailles.

— *Yes*, fit le Druze.

— Vous pouvez transmettre un message écrit ?

— *La*[1].

Ça se compliquait, mais Malko n'avait pas le choix.

— Quand verrez-vous nos amis ? demanda-t-il.

Même en plein désert, on utilisait des précautions de langage.

— Demain, à Rome.

— À Rome !

Alors qu'ils se trouvaient à quelques kilomètres de la frontière israélienne ! Kassem ne se troubla pas et répéta :

1. Non.

– Je vais toujours à Rome voir mon cousin. Je peux partir demain matin, ou même ce soir.

– Bien, conclut Malko, dites à nos amis que Hassan Nasrallah se trouve dans la région de Baalbeck. Il doit y rencontrer notre ami allemand qui s'y trouve déjà.

– C'est tout ? demanda Kassem.

– Non, pour la phase finale, il me faut un moyen de transmission plus rapide, en temps réel.

Kassem hocha la tête.

– O.K., je transmettrai. J'ai quelque chose pour vous. Il faudrait le fixer sur le véhicule de la personne. Dès que le poussoir vert est activé, il est actif quarante-huit heures.

Il sortit de sa poche un boîtier gris foncé et le lui tendit. Il était très lourd. C'était une balise émettrice couramment utilisée par les Israéliens. Fixée sur un véhicule, elle émettait un signal permettant de localiser la cible à partir d'un avion, d'un hélicoptère ou d'un drone. La méthode utilisée pour liquider les activistes du Hamas dans la bande de Gaza. Il suffisait d'avoir un complice pour coller la face aimantée de la balise sous la voiture choisie. Les Apache qui tournaient sans cesse dans le ciel de Gaza faisaient le reste, avec une précision digne d'éloges.

Évidemment, un de leurs auxiliaires se retrouvait parfois pendu à un pylône électrique et égorgé, mais il savait les risques qu'il prenait. Malko empocha la balise, sceptique. Les Israéliens ne doutaient de rien... Malko se voyait mal demander au chef du BND un tel service. Sans parler de la quasi-impossibilité de procéder de cette façon avec la voiture de Hassan Nasrallah.

– Comment puis-je avoir un nouveau contact ? demanda Malko.

– Par la même voie, laissa tomber Kassem.

Agacé, Malko insista :

– Je vous l'ai dit, j'ai besoin d'une procédure qui me permette un contact en temps réel.

Après une longue hésitation, Kassem griffonna un numéro de téléphone sur un bout de papier et le tendit à Malko.

– Vous demandez Mahmoud. Personne ne parle anglais à ce numéro. Mais vous serez contacté dans les deux heures, si vous êtes à Beyrouth.

Il adressa à Malko un petit signe de tête, fit demi-tour et disparut entre deux blocs de béton pour gagner au milieu de la rocaille le sentier menant à la route, beaucoup plus bas. Bientôt, il ne fut plus qu'une minuscule silhouette sur la paroi rocheuse... Malko retourna à la Mercedes et décida que l'endroit le plus sûr pour dissimuler sa balise était encore sa voiture. Après s'être assuré que le dispositif était inerte, il la fixa sous la carrosserie. L'engin se plaqua sur la tôle avec une force incroyable. Si quelqu'un le découvrait, il pourrait prétendre être une victime des Israéliens. Ils étaient les seuls à utiliser ce procédé.

Syriens et Libanais passaient directement au stade suivant : la charge explosive, convenablement dosée, de façon à ne pas faire de dégâts collatéraux, à part d'éventuels gardes du corps...

Dix minutes plus tard, il traversait Arnoun et reprenait la route de Nabatyié.

* * *

Dieter Muller avait mal dormi dans le lit défoncé de l'hôtel *Palmyre* et prenait son *breakfast* avec un officier de sécurité, Otto Linz. On aurait dit un établissement abandonné, avec la poussière, l'éclairage crépusculaire et surtout l'absence de clients... Seul agrément de ce dinosaure de l'hôtellerie : le *breakfast* servi dans le jardin, sous un magnifique figuier.

Depuis son départ de Beyrouth, la veille, le chef du BND n'avait eu aucune nouvelle de Walid Jalloul. À l'hôtel, il était attendu et un gros moustachu l'avait conduit à la plus belle chambre de l'établissement. Le Hezbollah contrôlait tout à Baalbeck.

Dieter Muller ne voulait pas relancer Walid Jalloul pour ne pas l'alerter, mais se demandait comment aider Malko. Les rendez-vous précédents s'étaient toujours déroulés de la même façon. Une voiture occupée par des militants souriants et polis venaient le chercher et l'embarquaient pour un périple compliqué, incluant plusieurs changements de véhicules. Souvent, il ignorait où il se trouvait. On ne lui avait jamais bandé les yeux, réclamant simplement qu'il laisse son portable à un des gardes de sécurité. Il repensa à Malko : si cela se passait de cette façon, il ne voyait pas comment lui être utile. Hassan Nasrallah ne resterait sûrement pas longtemps à l'endroit du rendez-vous et repartirait vers une destination inconnue.

Il leva la tête en entendant un bruit de pas sur le gravier du jardin. Deux hommes arrivèrent à sa table et le saluèrent poliment.

– *Mister Jalloul is expecting you,* annoncèrent-ils.

Dieter Muller partit aussitôt dans sa chambre prendre sa serviette contenant la liste de prisonniers libanais à échanger. Le document de base.

Une BMW rouge presque neuve attendait devant l'hôtel *Palmyre*. Elle s'engagea dans la pente raide montant vers la vieille ville pour s'arrêter sur une petite place animée. Précédé par ses deux guides, Dieter Muller tourna dans une étroite rue transversale bordée de boutiques. Ils lui désignèrent l'entrée d'une petite galerie commerciale.

– *Please, come in.*

Sur la façade, une enseigne annonçait : *Restaurant Shéhérazade*. Ils gagnèrent le cinquième grâce à un ascenseur qui avait connu des jours meilleurs et grinçait comme une sorcière. Le *Shéhérazade* occupait tout l'étage et semblait totalement vide. Ses guides amenèrent l'Allemand jusqu'à un box, au fond de la salle, protégé par un rideau qu'ils écartèrent. Walid Jalloul se trouvait seul à une table, face à la baie vitrée donnant sur les ruines, devant un Pepsi-Cola.

Il se leva vivement pour accueillir chaleureusement le chef du BND, l'embrassant à trois reprises.

— Je suis désolé de vous avoir fait venir jusqu'ici pour rien, s'excusa-t-il aussitôt.

Dieter Muller sentit son pouls s'emballer.

— Les plans ont changé ?

C'est vrai que ce restaurant n'était pas le genre d'endroit pour un rendez-vous avec un homme traqué comme Hassan Nasrallah.

— Non, ce n'est qu'un contretemps, affirma aussitôt Walid Jalloul. Le *sayyed* a été retenu dans le Nord pour une réunion importante. Mais il vous rencontrera demain ou après-demain. *Inch'Allah.*

Le garçon avait déposé sur la table des kebabs et du riz et ils commencèrent à manger.

— À Beyrouth ou ici ? demanda Dieter Muller.

— Plutôt ici. C'est une zone plus sûre que Beyrouth, répondit le chef de la Sécurité du Hezbollah. Donc, profitez-en pour visiter les ruines. Elles sont magnifiques.

Il semblait parfaitement détendu et Dieter Muller retrouva son appétit. Il venait quand même de récupérer une information précieuse : son rendez-vous avec Nasrallah aurait lieu à Baalbeck dans vingt-quatre ou quarante-huit heures. Seulement, il fallait avertir Malko Linge, et cela, c'était nettement plus difficile. Pas question d'utiliser le téléphone. Il ne restait donc qu'un moyen : retourner à Beyrouth, distant d'une heure et demie. Il décida de jouer la franchise et lança :

— Il n'est que deux heures. Je suis parti si vite de Beyrouth que j'ai laissé des tas de choses en plan ; j'ai envie d'y faire un saut, quitte à revenir ici ce soir.

Walid Jalloul eut un geste onctueux.

— C'est une très bonne idée, mais revenez ce soir.

On ne sait jamais avec le *sayyed*… Le rendez-vous peut avoir lieu tôt demain matin.

Ils terminèrent leur repas frugal et reprirent l'ascenseur ensemble, se séparèrent à l'entrée de la rue principale. La BMW ramena Dieter Muller au *Palmyre*. Cinq minutes plus tard, la voiture du chef du BND fonçait vers Beyrouth, Otto Linz au volant. Il ne ralentit qu'à Chtaura, après avoir contourné Zaalé, capitale de la zone chrétienne de la Bekaa et centre de la culture du haschich, production traditionnelle de la vallée. La route grimpait sec au milieu des collines nues. Dans l'autre sens, des dizaines de camions descendaient au pas pour ne pas se laisser embarquer dans la pente. La température baissait. Le col avant le versant ouest culminait à près de 1500 mètres et l'hiver, il y avait souvent de la neige. Dieter Muller arriva à l'hôtel *Alexandre* une heure plus tard. Il monta dans sa chambre prendre des papiers et repartit aussitôt pour l'ambassade d'Allemagne. La partie la plus délicate de son voyage éclair commençait.

Malko était sonné après plus de six heures de route. Il fut content d'arriver au tunnel passant sous l'aéroport de Beyrouth. Il se gara non loin du *Phoenicia* et fila directement dans sa chambre. Il sortait de l'ascenseur quand il se trouva nez à nez avec un visage connu.

L'officier de sécurité de Dieter Muller, Otto Linz !

– *Herr* Linge, je vous attendais. *Herr* Muller m'a chargé d'un message important pour vous.

– Il est revenu à Beyrouth ?

– Oui, mais nous repartons tout à l'heure pour Baalbeck.

– Vous n'avez pas été suivi ? s'inquiéta Malko.

Cette rencontre représentait un risque de sécurité élevé. L'Allemand sourit.

— Non, *Herr* Linge, je suis entré dans l'ambassade avec *Herr* Muller qui est resté là-bas et je suis sorti par une petite porte qui donne dans une rue transversale. Comme elle n'est jamais utilisée, on ne la surveille pas. Je rentrerai de la même façon.

— Que se passe-t-il ?

— *Herr* Muller a rencontré Walid Jalloul aujourd'hui à Baalbeck. Le rendez-vous avec Hassan Nasrallah est reporté à demain ou après-demain.

— Où ?

— D'après *Herr* Jalloul, à Baalbeck ou dans les environs. Il semble que Nasrallah soit dans le Hermel, plus au nord, et qu'il vienne exprès pour ce rendez-vous.

C'était une information vitale. Autant, dans le labyrinthe de la banlieue sud, il était impossible de repérer les déplacements de Hassan Nasrallah, autant, sur les routes peu fréquentées de la Bekaa, c'était potentiellement faisable. Malko faillit mentionner la balise à Otto Linz mais y renonça. Jamais Dieter Muller n'accepterait une participation aussi active.

— Dès que vous en saurez plus, demanda Malko, appelez sur votre ligne cryptée l'ambassade. Qu'on m'envoie un messager.

— *Jawohl, Herr* Linge, assura l'officier de sécurité. Ce sera fait.

Dès qu'il se fut engouffré dans l'ascenseur, Malko entra dans sa chambre et se pencha sur une carte de la Bekaa. Baalbeck était à un quart d'heure de vol d'Israël et il n'ignorait pas que Tsahal avaient déjà mené plusieurs opérations commando héliportées dans cette zone où les massifs montagneux inhabités offraient des lieux d'atterrissage discrets. Celui qui courait le long de la frontière syrienne était désertique et un commando pouvait très bien s'y poser. Les

Israéliens connaissaient la Bekaa comme leur poche, pour l'avoir très souvent bombardée.

Désormais, il devait les avertir. Son rendez-vous du château de Beaufort était déjà dépassé. Il fallait activer la nouvelle liaison avec le Mossad.

Il redescendit, traversa Fakhreddine Street et s'engouffra dans l'hôtel *Monroe*, juste en face du *Phoenicia*. Il trouva aussitôt ce qu'il cherchait : une cabine fonctionnant avec une carte téléphonique qu'on achetait 10 000 livres libanaises.

Le numéro donné par Kassem se mit à sonner, une sonnerie grelottante comme si le correspondant avait été au bout du monde. On décrocha enfin et une voix d'homme dit quelques mots en arabe.

– Je veux parler à Mahmoud, dit Malko en anglais.

– *No* Mahmoud, fit la voix, avant de raccrocher.

Malko ressortit du *Monroe*. Normalement, il allait être contacté dans les deux heures suivantes. Seulement, il ignorait comment. Plutôt que de tourner en rond, il remonta dans sa chambre et, pour tromper son anxiété, mit CNN. Mais il n'arrivait pas à s'intéresser aux nouvelles répétées en boucle. Il était dans l'œil du cyclone et c'était dur pour les nerfs.

Pour se laver le cerveau, il eut soudain une idée folle. Au moins, pour quelques instants, il ne penserait pas à Hassan Nasrallah. Quand il eut composé le numéro de Rima, il attendit quelques secondes, sans trop d'espoir. Soudain, la voix douce, presque imperceptible de la chiite fit « allô ».

Malko en fut tellement surpris qu'il demeura sans voix une seconde avant de dire :

– Rima ?

– Oui.

Apparemment, elle était aussi surprise que lui. Mais elle ne lui avait pas raccroché au nez. Il décida de faire l'impasse sur ce qui s'était passé la dernière fois, allant droit au but.

– Vous êtes libre pour dîner ce soir ?

Elle ne l'insulta pas, ne se mit pas en colère, mais dit simplement :

– Oui, mais pas avant neuf heures, je travaille.

Il se revit, nu, en pleine érection, tandis que la pulpeuse petite chiite s'enfuyait de sa chambre. Il fallait reprendre le match là où il l'avait laissé. L'adrénaline commença à lui chauffer le ventre.

– Où ? demanda-t-il.

– Au carrefour Sodeco, à l'arrêt du bus.

Elle raccrocha aussitôt. Ce rendez-vous était si inespéré qu'il resta abasourdi quelques instants, sur fond de *news* réchauffées. Le téléphone fixe le fit sursauter.

– C'est la réception, *sir*, quelqu'un m'a prévenu que la police voulait enlever votre voiture. Il faudrait la déplacer.

– Je descends, fit Malko.

De temps en temps, les policiers faisaient du zèle, autour des grands hôtels. Toujours à cause des voitures piégées. Il avait garé la Mercedes au début de Ibn-Sina Street, face à l'épave de l'hôtel *Saint-Georges*. Il arriva devant mais n'aperçut aucun policier. Par contre, un homme affublé d'une grosse moustache et d'une chevelure hirsute s'approcha de lui d'une curieuse démarche. Sa jambe droite semblait raide, écartée bizarrement de son corps, le pied tourné vers l'extérieur. À chaque pas, son corps effectuait une sorte de demi-tour. Cet infirme le mit mal à l'aise, mais il se força à lui sourire.

– C'est vous qui avez prévenu l'hôtel ? demanda-t-il.

– *Yes, sir*, fit l'homme. *I told police not to take your car*.

– *Thank you*, fit Malko en lui tendant un billet de 10 000 livres.

– *Thank you, sir, my name is Mahmoud*.

Il fixait Malko avec insistance et ce dernier sentit

son pouls s'envoler. L'homme qu'il avait en face de lui
était le « contact » des Israéliens.

Mahmoud attendait, appuyé de guingois sur sa
jambe valide. Malko hésita quelques secondes à
confier une information ultrasecrète à un inconnu.
Hélas, il n'avait pas le choix

— Hassan Nasrallah sera demain ou après-demain à
Baalbeck pour y rencontrer l'envoyé du gouvernement
allemand, dit-il. Celui-ci loge à l'hôtel *Palmyre.*

— C'est tout ?

— C'est tout, reconnut Malko.

— *Tarb* [1]. Le message sera transmis.

Il s'éloigna de son étrange démarche tournoyante,
lançant d'abord le pied gauche en biais, pivotant
ensuite de tout son corps. Malgré son infirmité, il arrivait à se déplacer assez vite. Malko le vit disparaître
dans la rue étroite séparant le *Phoenicia* de la carcasse
du *Saint-Georges*, jamais reconstruit.

Étalé dans son vieux fauteuil club, le colonel Trabulsi écoutait le récit du lieutenant Farid Karam. Ce
qu'il racontait était à la fois passionnant et frustrant. Il
fallait savoir ce que cet agent de la CIA était allé faire
au château de Beaufort. Le lieu avait été bien choisi
pour un rendez-vous, dans une zone où on repérait facilement un suiveur. Le colonel Trabulsi avait étudié une
carte d'état-major de la zone, et découvert que si la
route menant à l'ancien château des croisés était bien
un cul-de-sac, à partir de sa façade est plusieurs sen-
tiers la reliaient à la route goudronnée Nabatyié-Mar-
jaaloun, qui passait deux kilomètres plus bas. Donc,
celui avec qui l'agent de la CIA avait rendez-vous
venait de la Bekaa.

1. O.K.

– Qu'est-ce qu'il a fait en revenant à Beyrouth ? demanda-t-il.

– Il est rentré à son hôtel. Il semblait crevé, dit le lieutenant Farid Karam.

– Et ensuite, il n'est pas ressorti ?

– On a décroché, avoua le lieutenant, on mourait de faim. Mais l'équipe du soir a dû prendre le relais, on les avait prévenus. Ils sont en place maintenant, j'ai vérifié…

– Bon, ça va, conclut le colonel Trabulsi, agacé.

Quelque chose se tramait sous son nez et il n'arrivait pas à voir de quoi il s'agissait.

*
* *

Plusieurs officiers étaient penchés sur une carte à grande échelle de la Bekaa qui occupait toute la table, au centre de la *war room* de la *Kyria*, le QG de Tsahal, juste au bout de l'avenue Rehauv-Shaul-Hama-loku, à Tel-Aviv. Cette salle de conférences spartiate était située dans un building anonyme de béton gris, sans aucune inscription.

Parmi les militaires se trouvait le chef de la *Sayeret Maktal* l'unité la plus secrète de Tsahal, celle à qui on confiait les missions les plus difficiles et les plus dangereuses. Dans le passé, Benjamin Netanyahu et Ehoud Barak l'avaient commandée. Meir Feldman écoutait en silence les discussions. C'est lui qui était le responsable de ce *meeting*, mais il ne voulait pas s'immiscer dans les paramètres techniques d'une opération délicate.

Grâce aux informations transmises par son réseau libanais, il était persuadé d'avoir, enfin, une occasion de s'emparer de Hassan Nasrallah. Jamais il n'avait obtenu autant d'informations sur un déplacement du chef du Hezbollah. Mais, hélas, ce n'était pas suffisant.

Un des officiers de la *Sayeret Maktal*, le lieutenant-colonel Murano, se tourna vers lui.

— Vous n'avez pas d'informations complémentaires ?

— Non, dut reconnaître le responsable du Mossad. Mais je peux en obtenir très vite. Il faut que l'opération soit planifiée et organisée dès ce soir : moyens, itinéraire d'accès et de repli, *dropping zone*, couverture aérienne…

— Bien, fit son interlocuteur. Faute de mieux, je suppose que l'action se déroulera à Baalbeck ou dans le voisinage proche. Mais cela fourmille d'endroits possibles pour une rencontre discrète. La zone est entièrement contrôlée par le Hezbollah. Il y a la grande caserne désaffectée qui domine Baalbeck, et tant d'autres endroits…

Sentant son découragement, Meir Feldman ouvrit un dossier qu'il posa sur la table. Tout ce qu'il savait sur les déplacements de Hassan Nasrallah.

— En dehors de Beyrouth, expliqua-t-il, Nasrallah se déplace toujours en convoi. Au moins quatre ou cinq voitures, dont deux blindées, identiques, et deux autres équipées de contre-mesures électroniques. Mais, une fois, il suivait son convoi, installé sur le siège arrière d'un scooter conduit par un de ses neveux. Dans la Bekaa, un tel convoi doit pouvoir se repérer du ciel. Il faut utiliser des drones.

— Cela risque d'alerter le Hezbollah, objecta le lieutenant-colonel Murano.

Meir Feldman secoua la tête.

— Les habitants de la Bekaa sont habitués à en voir. Et sans drones, on ne peut rien faire. Où comptez-vous poser vos hommes ? continua le chef du Mossad.

— À mi-chemin entre Byblos et Baalbeck, répondit l'officier. Au sud de la ville de Bcharre, qui est à égale distance des deux villes, il y a une zone totalement déserte et moins surveillée que la frontière syrienne, le Jabal Mnaitra. Nous l'avons déjà utilisé. De là, nous sommes à une quarantaine de kilomètres de Balbeck, dans une zone où il y a peu de *check-points* hezbollah.

– Quels moyens allez-vous employer ?

– Trois ou quatre véhicules aux couleurs de l'armée libanaise. Vingt-cinq hommes pas plus, tous parlant arabe.

– Qui va diriger l'opération sur le terrain ?

– C'est moi, répondit le lieutenant-colonel Murano.

– Couverture aérienne ?

– Nous avons prévu trois F-16, mais on peut en mettre plus si cela s'avère nécessaire. Ils n'interviendront qu'en cas de problème

Autrement dit, si le commando se faisait intercepter. Meir Feldman contempla la carte en silence. C'étaient des hommes courageux. Même avec le soutien des F-16, ils allaient se trouver en territoire ennemi. Et le Hezbollah, ce n'était pas les Palestiniens…

Le lieutenant-colonel Murano alluma une cigarette et laissa tomber :

– J'espère que vous aurez des informations plus précises. Sinon, nous risquons de ne pas dépasser le Jabal Mnaitra.

Meir Feldman ne répondit pas. Il se sentait toujours un peu coupable d'envoyer des hommes dans une mission risquée. Tsahal en avait perdu 156 durant la guerre éclair contre le Hezbollah. L'opération qu'il était en train de monter risquait de provoquer d'autres pertes. Mais, s'il capturait Hassan Nasrallah, cela éviterait beaucoup de morts dans l'avenir et redonnerait le moral aux Israéliens.

– J'ai décidé de donner à cette opération le nom de code de « *Happy Valley* [1] », annonça-t-il.

1. Vallée heureuse.

CHAPITRE XI

Rima découpait sa viande avec application, comme une petite fille. Malko l'observait, fasciné par cette allumeuse à l'apparence tellement angélique. Lorsqu'il l'avait rejointe à l'arrêt du bus, au carrefour Sodeco, elle attendait sagement, en lisant à la lueur d'un réverbère. Avec son hijab, sa tunique boutonnée jusqu'au cou et sa jupe aux chevilles, on lui aurait donné le Bon Dieu sans confession. Ce n'est qu'en découvrant son maquillage sophistiqué et la coupe extrêmement moulante de ses vêtements qu'on pouvait avoir des doutes...

À peine dans la Mercedes de Malko, elle avait ôté son hijab, libérant ses magnifiques cheveux noirs. Lorsqu'elle l'avait fixé de son regard transparent, il avait repensé à ses griffes enfoncées dans sa nuque, alors qu'elle se donnait du plaisir en se frottant contre lui.

– À quoi pensez-vous ? demanda-t-elle soudain.

– À l'autre soir, dit-il, pourquoi vous êtes-vous enfuie ?

Elle fronça les sourcils, choquée.

– Mais parce que vous vouliez me violer !

– J'avais quelques raisons, plaida Malko. Nous

venions de flirter d'une façon, disons, très intense. Et nous ne sommes plus des gamins.

— Ce n'est pas une raison, fit Rima, butée, je ne voulais pas faire l'amour avec vous.

— Pourquoi ?

— Je ne vous connais pas, vous êtes un *agnabi*[1]. Et vous avez été très brutal.

— Alors, pourquoi avez-vous accepté de me revoir ?

Elle ne se troubla pas une seconde.

— Parce que vous êtes un homme séduisant. Mais, dans notre culture, les hommes doivent savoir attendre. De semaines, des mois, plus parfois.

Malko se dit que les murs de la brasserie *Cocteau*, au début de la rue Ashrafieh, n'avaient jamais entendu de telles billevesées. Au moins, pendant qu'il était avec Rima, il ne pensait pas à ce qui se préparait dans la Bekaa. Elle repoussa son assiette.

— Je n'ai plus faim.

Malko était déjà en train de régler l'addition. À peine dans la voiture, Rima demanda :

— Où allons-nous ?

— Prendre un verre au *Phoenicia*.

Elle ne sauta pas hors de la voiture, mais demeura muette le reste du trajet, remettant son hijab pour rentrer dans l'hôtel. Malko l'emmena directement au vingtième étage et elle se retrouva sagement assise sur le canapé.

Il sortit une bouteille de Taittinger Comtes de Champagne Blanc de Blancs du minibar, fit sauter le bouchon et emplit deux flûtes.

Ce n'est qu'à la troisième flûte que Rima enleva de nouveau son hijab. Puis, elle se leva et s'approcha de la baie vitrée

— C'est vrai que c'est beau, la mer ! dit-elle.

Malko l'avait rejointe, avec l'impression de rejouer

---

1. Étranger.

la même scène. Il emprisonna ses seins en poire entre
ses mains avec le même plaisir. Là, le script changea.
Rima ne retira pas ses mains, mais, au contraire, poussa
sa croupe en arrière, de façon à s'incruster contre le
ventre de Malko. Il restèrent quelques instants ainsi,
tandis qu'il avait l'impression que tout son sang se
concentrait dans son sexe.

C'est le moment que Rima choisit pour se retourner
et dire d'une petite voix :

– Vous pouvez m'embrasser, mais pas plus !

Dix secondes plus tard, elle se frottait à Malko
comme une chatte en chaleur, sa langue dansant une
sarabande effrénée contre la sienne, ses ongles lui grif-
fant la nuque. Ce fut une tornade de courte durée qui
se termina par une secousse chez Rima et un cri de
douleur de Malko. Elle lui avait pratiquement arraché
la lèvre inférieure d'un coup de dent. Il sentit une
brûlure sur sa nuque et envoya sa main, la ramenant
ensanglantée.

– Je vais rentrer maintenant, annonça Rima d'une
voix égale.

Malko faillit exploser de fureur. Elle se servait de
lui comme d'une *sex-machine*. Venant tranquillement
chercher son petit orgasme et filant ensuite.

– Pas encore !

Elle le laissa faire lorsqu'il plaqua sa main droite sur
son ventre, là où son sexe hurlait à la mort. Rima ne
broncha pas, remarquant simplement :

– C'est vrai, vous avez envie de moi.

Furieux, Malko descendit son Zip et se libéra. Rima
s'écarta vivement, mais il la retint, posant ses doigts
sur le membre nu. Doucement, Rima les noua autour
de la chair raidie. Dans l'état où Malko se trouvait,
c'était déjà délicieux. Il se remit à caresser la poitrine
de Rima et, miracle, sentit ses doigts commencer à
s'agiter lentement.

Très, très peu de temps après, il poussa un

rugissement en sentant la sève jaillir de ses reins et, instinctivement, malmena les seins de Rima. Elle fit un bond en arrière en protestant.

– Vous me faites mal !

Apaisé, Malko n'avait plus envie de se lancer dans un combat douteux pour obtenir plus de la jeune chiite. Il avait l'impression de revenir plusieurs dizaines d'années en arrière, avec sa cousine Hildegarde... Rima était déjà en train de remettre posément son hijab.

Au moins, pendant un moment, il n'avait plus pensé à la Bekaa.

Dieter Muller se réveilla en nage. La clim de sa chambre était tombée en panne en 1982 et personne ne l'avait jamais réparée. Il jeta un coup d'œil à sa montre. 9 h 10. Il était revenu de Beyrouth la veille au soir vers huit heures et avait dîné au *Shéhérazade* avec Otto Linz, son officier de sécurité.

Brutalement, il eut envie de fuir la petite chambre poussiéreuse aux vitres sales et se jeta dans la douche. Étreint par une angoisse diffuse. Ce rendez-vous remis avec Hassan Nasrallah l'inquiétait. Cela ne s'était jamais produit. De même, Walid Jalloul ne lui avait *jamais* parlé à l'avance du lieu du rendez-vous.

À peine sorti de la douche, il fila dans le jardin, où la table du *breakfast* était disposée sous le figuier. Otto Linz avait déjà pris le sien. Dieter Muller se força à manger : il n'avait pas faim et le café était infect.

Aucune nouvelle de Walid Jalloul. L'hôtel semblait abandonné, et le silence en était oppressant.

Soudain, un son le brisa, comme le bourdonnement d'un gros insecte. Machinalement, il regarda autour de lui et ne vit rien. Pourtant, le bourdonnement continuait, lancinant.

Il réalisa soudain que cela venait du ciel ! Il leva les

yeux et ne vit rien. Le bruit était trop faible pour être produit par un avion ou un hélicoptère. Il comprit d'un coup. C'était un drone ! Un drone forcément israélien. Les Israéliens utilisaient ces avions sans pilote à profusion pour surveiller le ciel libanais. Ils permettaient, en temps réel, d'inspecter une zone précise. Équipés d'un missile Hellfire, ils servaient souvent aux éliminations ponctuelles d'activistes palestiniens. Ils fourmillaient au-dessus du sud du Liban et parfois dans la Bekaa où se trouvaient de nombreuses bases du Hezbollah. En théorie, la présence de ce drone n'avait rien d'inhabituel. Les Israéliens, en dépit du cessez-le-feu d'août, violaient allégrement l'espace aérien libanais. Le Hezbollah leur avait abattu un drone, mais ne réagissaient pas trop pour ne pas dévoiler leurs bases de feu.

Dieter Muller gagna la rue et leva les yeux vers le ciel. Le bourdonnement avait diminué et aucun point noir n'était visible dans l'azur. Les quelques Libanais qui traînaient devant le *Palmyre* ne semblaient pas particulièrement alertés.

Le chef du BND regagna sa chambre. Pour lui, la présence de ce drone signifiait que le message qu'il avait fait passer à Malko Linge était bien parvenu aux Israéliens. Lesquels avaient commencé à surveiller la zone sensible. Les dés étaient jetés, mais si le Hezbollah s'apercevait de cette surveillance, ils risquaient d'annuler son rendez-vous avec Hassan Nasrallah. Or, sa mission première au Liban consistait à procéder à l'échange de prisonniers. Il ne voulait pas perdre de temps sur ce point à cause d'une opération qui le mettait mal à l'aise. Il avait gagné définitivement la confiance du Hezbollah et ne voulait pas la perdre.

*
* *

Le colonel Mourad Trabulsi arrivait toujours très tôt à son bureau pour affecter ses hommes à leurs différentes missions. Il avait beaucoup réfléchi depuis la veille et conclut qu'une opération anti-Hezbollah était en préparation, dans laquelle l'agent de la CIA qu'il surveillait jouait un rôle important, pas encore défini.

Le lieutenant Farid Karam et l'adjudant Ali El-Rami, chargés de la surveillance du suspect, arrivèrent à huit heures moins cinq. Le colonel Trabulsi les apostropha aussitôt d'un ton furieux.

– Vous êtes des nuls ! Hier, vous avez merdé ! Il fallait vous déguiser en mouton, faire n'importe quoi, pour savoir ce que ce type allait faire au château de Beaufort.

– On ne voulait pas se faire repérer, protesta le lieutenant Karam.

– Je veux des résultats, insista Mourad Trabulsi. Il se trame quelque chose sous notre nez. Si ça nous pète à la gueule, je suis viré. Ne lâchez plus ce type d'une semelle. Vérifiez tout. Même ce qui semble innocent. Sinon, je vous fais détacher à Tripoli…

Tripoli, c'était l'horreur. Les deux policiers quittèrent le bureau, regonflés à bloc.

Resté seul, le colonel Trabulsi se servit son premier Chivas de la journée. Il était en face d'un dilemme. Au sein des FSI, il n'était pas chargé de surveiller le Hezbollah, ni de lui rendre service. Mais, en possession d'une information très sensible, il devait rendre compte. S'il le faisait à sa hiérarchie, il ignorait comment cette information serait traitée. Ou même si elle serait traitée… Or, si quelque chose se produisait et que le Hezbollah apprenne qu'il était au courant, ce serait fâcheux pour lui. Le lieutenant-colonel Samir Chehadé, adjoint du général Ashraf Rifi, avait échappé de justesse à un attentat, quelques jours plus tôt, parce qu'il avait trop parlé. Mais, au Liban, on pouvait aussi mourir parce qu'on ne parlait pas assez.

Ayant mûrement réfléchi, il appela Walid Jalloul.

– Walid, c'est Mourad Trabulsi, on pourrait prendre un café…

C'était la formule habituelle.

– Avec plaisir ! accepta le chef de la Sécurité du Hezbollah. Tu sais où je suis, viens à trois heures.

Le colonel Trabulsi était un des rares à connaître l'emplacement du building abritant le QG de la Sécurité intérieure du Hezbollah. Il se reversa une larme de Chivas. Il allait devoir peser ses mots.

* *

Malko tournait en rond dans sa chambre du *Phoenicia*. La matinée s'écoulait avec une lenteur exaspérante. Il avait laissé la télé allumée, sans le son, au cas où. Il décida d'aller au *Bristol*, rencontrer Mouna Harb. Il venait de réaliser qu'il n'avait aucun moyen de défense. Depuis longtemps, son pistolet ultraplat restait au château de Liezen, à cause des contrôles dans les aéroports, et il se fournissait sur place. Les gens du Hezbollah étaient des brutaux. Il se sentirait mieux avec une arme. Bien qu'au Liban, les comptes se règlent plutôt à la voiture piégée.

* *

Greta Mugniyeh sortit de chez elle avec un petit sac de voyage Vuitton. Elle avait soigné sa tenue, un pull noir de laine très fine, ras du cou, moulant, serré dans la ceinture retenant son jean Versace coulé sur elle, et des bottes à talons hauts. Une tenue totalement pudique et extrêmement sexy. Un léger coup de klaxon retentit. Il venait d'un gros 4×4 noir aux vitres fumées stationné en face de l'hôtel *Duroy*. La porte s'ouvrit et Hussein, le jeune militant du Hezbollah, se précipita pour prendre son sac. Son regard dérapa brièvement

vers la lourde poitrine de l'Allemande puis il se reprit
et demanda :

— Vous n'avez rien oublié ?

— Rien, affirma l'Allemande en montant dans le 4×4.

Elle avait hésité à mettre une jupe mais il ne fallait
pas trop ostensiblement provoquer le jeune homme.
Celui-ci se mit au volant et reprit :

— Nous en avons pour deux bonnes heures. Les
Sionistes ont cassé tous les ponts… Mais on pourra
s'arrêter en route.

— *Sehr gut*[1] *!* fit simplement Greta Mugniyeh.

Tandis qu'ils roulaient vers le sud, elle regarda le
jeune homme à la dérobée. Finalement, il était plutôt
beau garçon, avec ses cheveux frisés et ses grands yeux
noirs.

Ils bavardèrent, ce qu'ils n'avaient jamais fait. En
arrivant à Saïda, Greta Mugniyeh savait tout du jeune
Hezbollah. Il venait du village de Tar Zahal, dans le
Sud, et militait depuis son plus jeune âge. Son rêve
était de faire des études, mais il n'avait pas assez d'argent. Sa solde au Hezbollah lui permettait tout juste de
vivre. Il habitait une seule pièce à Ayas Al-Dilbah,
dans la banlieue sud.

— Tu ne veux pas te marier ? demanda Greta
Mugniyeh, comme ils quittaient l'autoroute.

Le jeune Hussein eut un rire gêné.

— Bien sûr, mais je n'ai pas d'argent, alors…

Elle le sentit mal à l'aise et n'insista pas. Ils chan-
gèrent de sujet mais Greta Mugniyeh avait enregistré
le principal : il était sûrement frustré sexuellement…
Ce qui en faisait une proie plus facile. Ils ne s'arrêtèrent pas jusqu'à Tyr. L'immeuble appartenant à son
mari se trouvait au sud de la ville sur la corniche
Nabib-Berri. Inachevé, il abritait, au rez-de-chaussée,
un restaurant, le *Skandar's Café*.

_____

1. Très bien.

– C'est là, annonça Greta Mugniyeh.

Hussein stoppa en face du building voisin, dont tout le premier étage était éventré.

– C'est la marine israélienne ! expliqua-t-il. Un de nos frères habitait là, ils l'ont tué avec toute sa famille.

Le *Skandar's Café* était vide mais un homme, coiffé d'un étrange chapeau mou, à la Gabin, surgit aussitôt, souriant.

– *Frau* Mugniyeh ! Quelle bonne surprise.

C'est lui qui s'occupait de certains transferts d'argent à partir de la Mauritanie.

– Vous avez déjeuné ? demanda-t-il..

Devant la réponse négative de Greta Mugniyeh, il lança joyeusement :

– Eh bien, mettez-vous à table, je viens de recevoir des gambas superbes.

Timidement, Hussein allait s'esquiver, mais Greta le retint.

– Tu déjeunes avec nous !

La veste du jeune homme s'écarta quand il s'assit, découvrant la crosse d'un gros pistolet automatique noir, et Greta Mugniyeh sentit une petite démangeaison agréable dans le bassin.

*
* *

Le colonel Trabulsi se pencha pour embrasser trois fois Walid Jalloul, plus petit que lui.

– Entre, Mourad ! fit le chef de la Sécurité du Hezbollah.

Ils s'installèrent dans le bureau minuscule autour d'un plateau de thé et se mirent à bavarder de choses et d'autres, de leurs familles respectives, pendant un bon quart d'heure. Interrompus par quelques appels, auxquels Walid Jalloul répondait par monosyllabes. Il termina son thé et lança enfin :

– Tu voulais me dire quelque chose ?

Mourad Trabulsi tordit son visage dans une grimace comique et avoua :

— Oui, j'ai entendu des choses. Une opération serait en route contre le *sayyed*...

— Les amis du Sud ?

C'est-à-dire les Israéliens.

— Je l'ignore, avoua l'officier des FSI. Mais je crois qu'ils sont dans la phase finale. Je regrette de ne pas pouvoir t'en dire plus...

Walid Jalloul l'apaisa d'un geste.

— J'apprécie ta démarche. Je sais que tu n'es pas un ennemi. Ce qui vient de toi est sérieux. Tu n'as rien sur ce fou de Geagea ?

— Non. Pourquoi ?

La lumière s'éteignit brusquement et ils continuèrent leur conversation dans le noir.

— J'ai peur qu'ils ne fassent une connerie dans le Sud en nous l'attribuant.

— Vous êtes bien placés là-bas, remarqua Trabulsi.

— Nous ne contrôlons pas les Palestiniens, corrigea Walid Jalloul. Or, les Syriens ont sorti de leurs prisons quelques centaines d'islamistes et les ont lâchés dans la nature. Certains sont dans le camp Al-Buss, à côté de Sour[1]. Ces types-là peuvent se faire payer par n'importe qui...

— Les Syriens sont vos amis, remarqua Mourad Trabulsi au moment où la lumière revenait.

— Les Syriens n'ont pas d'amis, corrigea Walid Jalloul en ouvrant la porte, ils n'ont que des alliés et pas toujours les mêmes. *Inch' Allah*, on verra bien.

Malko ressortit du *Bristol* avec un pistolet automatique Herstal 9mm flambant neuf, encore dans sa boîte

1. Tyr.

d'origine. Il avait attendu Mouna Harb en buvant une vodka au bar, tandis qu'elle allait chercher l'arme à l'ambassade saoudienne.

Son portable sécurisé demeurait obstinément muet. Ou il ne se passait rien à Baalbeck, ou Dieter Muller n'était pas en mesure de communiquer. S'il avait rencontré Hassan Nasrallah, il serait déjà revenu.

Malko revint au *Phoenicia* mettre le Herstal au coffre. Pour l'instant, il ne faisait qu'appliquer le principe de précaution. Les heures allaient s'écouler lentement jusqu'à la nuit. Ensuite, il se changerait les idées avec Rima, qui avait accepté de dîner une fois de plus avec lui. Cette fois, il espérait bien arriver à un résultat plus conforme à la nature volcanique de la jeune chiite.

Meir Feldman avait passé la journée dans son QG de Glilot, au nord de Tel-Aviv, une villa discrète, abritant une partie du Mossad. Là où se trouvait le Mémorial de l'Institut, quatre-vingt-onze noms sur un mur de grès, ceux des agents tués en mission. L'autre QG se trouvait dans l'immeuble d'El Al à Tel-Aviv.

Il ne gérait pas directement l'opération «Happy Valley», menée par une unité de la *Sayeret Matkal* en liaison avec l'armée de l'air qui fournissait les drones d'observation et l'éventuelle couverture de F-16. Le renseignement militaire – AMAN – coordonnait le tout.

Les drones avaient survolé la Bekaa toute la journée sans rien voir qui ressemble au convoi de Hassan Nasrallah. Évidemment, le chef du Hezbollah pouvait aussi de déplacer d'une autre façon… Pendant ce temps, le commando de la *Sayeret Matkal* était resté tapi au fond d'une petite vallée déserte, à côté des hélicoptères. Prêt à intervenir en moins d'une demi-heure. Personne n'avait repéré sa présence. La zone était totalement inhabitée et l'aviation militaire libanaise inexistante. Il avait été convenu que le commando resterait encore une journée avant de se replier.

L'activité des drones avait cessé à la tombée de la nuit. Meir Feldman décida de coucher dans la chambre attenante à son bureau de Glilot. S'il ne recevait pas d'information complémentaire par l'intermédiaire de Malko Linge, l'opération risquait de ne pas pouvoir être déclenchée.

*
* *

Malko s'était garé sur l'énorme rond-point, en face de l'ambassade du Koweït, à Bir Hassan, juste en face de la Cité sportive, assez loin dans la banlieue sud.

Bercé par la radio, il ne vit pas le temps passer et réalisa tout à coup en consultant sa Breitling que Rima avait trois quarts d'heure de retard ! Il appela son portable : sur répondeur.

Vingt minutes plus tard, au moment où il s'apprêtait à partir, furieux, il aperçut une femme qui traversait d'un pas rapide le pont enjambant l'autoroute Charles-Helou. Il reconnut Rima à sa tenue. Elle marchait aussi vite que lui permettait sa longue jupe étroite. Lorsqu'elle se laissa tomber sur le siège, essoufflée, elle dit à Malko :

– Excusez-moi, une cliente est venue très tard et on ne pouvait pas la refuser.

– Pourquoi ? s'étonna Malko.

– C'était Mme Nasrallah, expliqua Rima. Elle et son mari sont clients de mon patron, le docteur Risk. C'est un des meilleurs dentistes de Beyrouth. Un chrétien.

La mauvaise humeur de Malko se dissipa d'un coup.

– Ce n'est pas grave, assura-t-il. On va quand même passer une bonne soirée.

Dieu était peut-être finalement de son côté. Si l'opération de la Bekaa échouait, il aurait encore une piste à explorer.

CHAPITRE XII

Le séjour de Greta Mugniyeh à Tyr se déroulait parfaitement. Après leur déjeuner au *Skandar's Café*, elle avait demandé à Hussein de lui faire visiter la ville et ses environs. Ce qu'il avait accepté avec une joie évidente. Ils étaient même allés à Bazouriyé, le village ou Hassan Nasrallah avait passé une partie de sa vie.

Greta Mugniyeh avait expliqué au jeune Hussein qu'elle était obligée de dormir à Tyr, car elle devait récupérer quelque chose le lendemain matin. Ils étaient revenus au *Skandar's Café* pour dîner. Peu à peu, le jeune Hezbollah se dégelait et perdait de sa timidité. Le patron avait installé Greta dans une chambre de l'immeuble inachevé et Hussein devait coucher chez des cousins.

Après sa balade, l'Allemande était allée se changer, troquant son jean contre un tailleur à la jupe plutôt courte. Assis à côté d'elle, Hussein avait beaucoup de mal à décoller son regard de ses cuisses en partie découvertes. Dans la banlieue sud, il n'avait pas souvent l'occasion d'admirer des jambes de femmes. Consciente de l'effet produit, Greta Mugniyeh prenait soin de croiser et de décroiser les jambes, lui permettant de plonger le regard dans l'ombre de ses cuisses.

Si elle voulait « accrocher » le jeune militant, c'était ce soir ou jamais.

Timidement, Hussein avait goûté au vin offert par le patron.

– Du vin de la Bekaa, avait précisé ce dernier, cultivé par un chiite.

Rassuré, Hussein s'était laissé aller et désormais, son regard était extrêmement brillant : il n'avait pas vraiment l'habitude de l'alcool...

Greta Mugniyeh termina son café et lui lança :

– Hussein, vous m'éclairez jusqu'à ma chambre ?

Il n'y avait pas de lumière dans les couloirs et l'escalier de l'immeuble inachevé. Hussein se précipita pour prendre une torche électrique dans le 4×4, tandis que l'Allemande attendait sur le trottoir. L'air était tiède et les vagues clapotaient doucement contre les rochers bordant la corniche Nabib-Berri.

Greta ouvrant la marche, ils s'engagèrent dans le couloir, à droite du restaurant, et l'Allemande commença à monter les marches, guidée par le faisceau de la torche électrique. Il fallait atteindre le deuxième étage. Greta Mugniyeh montait lentement, attentive au balancement de ses hanches. Guettant le moment propice pour attaquer...

Juste avant d'arriver au palier, elle fit exprès de rater une marche, vacilla et serait tombée si Hussein ne l'avait pas rattrapée.

Greta s'arrangea pour pivoter, de façon que la main droite du jeune homme effleure sa poitrine. Il la retira aussitôt comme si c'était une plaque brûlante. Greta Mugniyeh, appuyée au mur, soupira.

– Je me suis fait mal à la cheville.

Arrivée au palier, elle s'appuya contre le mur, le ventre en avant, dans une position volontairement provocante. Hussein, en face d'elle, respirait un peu trop rapidement, comme essoufflé. La chambre était au fond du couloir.

– Je ne sais pas si je vais y arriver, se plaignit Greta. J'ai très mal.

– Je peux appeler un médecin, proposa aussitôt le jeune homme.

– Non, tu vas me soutenir jusqu'à la chambre.

Il passa un bras autour de sa taille et elle s'appuya contre lui, avançant à petits pas dans la lueur dansante de la torche électrique. Hussein ne disait plus un mot. Arrivée devant la porte, elle prit la clef dans son sac et demanda :

– Éclaire-moi !

Elle mit la clef dans la serrure, ouvrit la porte et se retourna.

– Merci, dit-elle.

D'un geste qu'elle essaya de rendre naturel, elle avança un peu pour l'embrasser sur la joue. Chastement. Mais, en même temps, son ventre effleura brièvement celui du jeune homme. Assez précisément pour sentir l'énorme bosse déformant son jean.

En un éclair, Greta se mit à couler comme une fontaine, Oubliant tout calcul, elle imagina ce gros sexe se frayant un chemin en elle et en eut le vertige. Se méprenant sur son silence, Hussein s'inquiéta :

– Ça ne va pas, madame Greta ?

– Si, si, assura-t-elle.

Ils étaient à quelques centimètres l'un de l'autre et le jeune homme éclairait le sol, la torche à bout de bras. Presque sans réfléchir, Greta posa la main sur la protubérance du jean et dit :

– C'est toi qui ne vas pas…

Hussein fit un saut en arrière, comme si un serpent l'avait piqué. Et jeta d'une voix mal assurée :

– Si, si, ça va très bien, madame Greta. Il faut vous coucher maintenant, je dois partir.

Greta s'avança et, de nouveau, posa sa main à plat sur l'érection du jeune homme. Elle ne calculait plus. Une femelle excitée par un mâle bien membré. Ses doigts pressèrent un peu plus. Même à travers l'étoffe épaisse, elle sentait palpiter le sexe du jeune homme.

– Tu as envie de faire l'amour, murmura-t-elle.

– Non, non, protesta-t-il, contre toute évidence.

– Ce n'est pas mal, tu sais, insista Greta, c'est normal.

Tout en parlant, elle le massait doucement et Hussein poussa un cri étranglé.

– *La ! La !*

Elle comprit qu'il allait jouir et éloigna sa main. Elle le sentait prêt à s'enfuir en courant. Faire l'amour avec la femme de Hassan Mugniyeh, ce devait être au-delà de ses fantasmes les plus fous.

Elle saisit la main de Hussein et l'entraîna vers la chambre.

Tétanisé, il se laissa faire À peine eurent-ils franchi la porte que Greta s'y adossa et l'attira contre elle en le tirant par la ceinture de son jean.

– Personne ne le saura jamais. *Fuck me. Fuck me hard*[1], murmura-t-elle.

Collé à elle, Hussein était paralysé, les bras le long du corps. Greta comprit qu'elle ne parviendrait jamais à lui faire faire le premier geste. Alors, elle saisit le Zip et le descendit, découvrant un slip noir. Elle l'écarta facilement, libérant une colonne de chair brûlante sur laquelle elle referma les doigts. Hussein poussa un gémissement.

– *La !* C'est *haram*[2].

Cependant, il ne protesta pas quand elle défit sa ceinture, faisant tomber le jean sur ses chevilles. Il semblait cloué au sol et Greta n'hésita pas. Il fallait rendre la situation irréversible. Elle s'accroupit, enfonçant le membre dans sa bouche aussi loin qu'elle le pouvait, tout en le caressant. Sa main eut à peine le temps de

1. Baise-moi. De toutes tes forces.
2. Non. C'est péché.

monter et descendre trois fois qu'elle sentit le goût âcre et chaud du sperme frapper son palais avec une force qu'elle ne connaissait plus. Hussein poussa un cri d'agonie, tandis qu'il se vidait en elle.

Greta, elle, avait le ventre en feu. Quel gaspillage !

Lorsqu'elle se redressa, le jeune homme remonta précipitamment son slip et son jean, balbutiant des excuses en anglais, dépassé, terrifié. C'était sûrement la première fois qu'il jouissait dans la bouche d'une femme. Greta le poussa vers le lit et dit à voix basse :

– *Don't go. I want your prick in my pussy* [1].

C'était de l'argot simple qu'il devait comprendre. Il ne réagit pas. En un clin d'œil, Greta l'eut débarrassé de sa veste, jetant le pistolet sur un fauteuil. Puis elle déboutonna sa chemise, son jean.

Elle le fit asseoir sur le lit pour lui ôter ses mocassins et il se retrouva nu comme un ver. Greta remarqua avec plaisir qu'il rebandait déjà.

C'est beau la jeunesse…

À son tour, elle ôta la veste de son tailleur, puis son chemisier, découvrant le soutien-gorge bien rempli. La jupe suivit. Hussein regardait, fasciné. Cette fois, elle s'allongea sur le dos, tout en le masturbant doucement. Priant de toutes ses forces pour qu'il lui arrache sa culotte.

Ce qu'il fit, très vite. Avant de bondir sur elle, de lui écarter les cuisses d'un coup de genou et de plonger dans son ventre d'un trait. Greta Mugniyeh était si excitée qu'elle jouit instantanément. Appuyé sur les coudes, Hussein n'était plus qu'une bielle en folie. C'était tellement divin que l'Allemande se sentit partir à nouveau, les ongles plantés dans les reins du jeune homme. Elle eut un second orgasme, encore plus fort que le premier. Cet énorme membre dur comme de l'acier la rendait folle… En un éclair, elle se dit que

1. Ne t'en va pas. Je veux ta queue dans ma chatte.

ses copines qui avaient de jeunes amants avaient bien raison. Enfin, le jeune homme se répandit avec un rugissement, demeurant fiché en elle. Greta Mugniyeh planait. Même si elle ne parvenait pas à obtenir les informations qu'elle cherchait, elle n'aurait pas tout perdu...

D'une voix cassée, Hussein murmura :

– Je vous demande pardon, madame.

Déjà, il essayait de sauter du lit. Greta passa le bras autour de ses reins et dit d'une voix ferme :

– Ne pars pas. Baise-moi encore.

Elle employait volontairement un langage cru, pour mieux l'exciter. Hussein ne répondit pas, mais elle sentit son sexe recommencer à durcir, au fond de son ventre.

*
* *

Le jour se levait sur la Bekaa. Dieter Muller avait peu et mal dormi. De nouveau il prêta l'oreille et entendit aussitôt le bourdonnement lointain du drone. Les Israéliens ne lâchaient pas.

Il se sentait horriblement coupable. Bien sûr, Hassan Nasrallah n'était pas un ange, mais un fanatique, ennemi de l'Occident, cependant cet homme lui avait donné sa confiance. Et ce n'était pas non plus un assassin sanguinaire. Plutôt un chef de guerre avisé.

Pour la seconde fois, il se prépara à prendre son *breakfast* sous le figuier du jardin. Otto Linz s'y trouvait déjà. Le chef du BND se demanda ce qui se passait loin de la Bekaa. Pas de journaux à Baalbeck, et aucune chaîne de télévision étrangère. Par principe, lorsqu'il était dans ce genre de mission, Dieter Muller s'abstenait d'utiliser son téléphone crypté, facilement localisable. Il sortait de sa chambre lorsqu'une silhouette se découpa dans la pénombre du couloir. Un des hommes de Walid Jalloul.

– *Mister Jalloul is waiting for you,* annonça-t-il.

– *O.K. I am coming.*

L'homme le retint avec un sourire.

– *Not now.* Je voulais juste être sûr que vous étiez prêt. Je reviens dans une heure, nous n'allons pas loin, à la mosquée à la sortie de la ville.

Avec un petit geste de la main, il s'éclipsa et Dieter Muller entendit le bruit d'une voiture qui démarrait. Il regagna sa chambre, perplexe et mal à l'aise, alluma une cigarette. Il se mit à réfléchir. Depuis qu'il traitait avec le Hezbollah, c'était la première fois qu'on l'informait à l'avance du lieu du rendez-vous…

Évidemment, cela pouvait s'expliquer par le fait qu'il était isolé à Baalbeck et que le Hezbollah pouvait vérifier s'il se servait de son portable.

Pourtant, le Hezbollah ne prenait jamais aucun risque Brutalement, il fut certain que Walid Jalloul savait qu'il allait se passer quelque chose. Le survol des drones avait dû alerter les guetteurs du Hezbollah et on lui tendait un piège. Hassan Nasrallah ne serait sûrement pas dans cette mosquée.

C'était aveuglant : les Israéliens allaient tomber dans un piège. Il fallait coûte que coûte les avertir. D'abord, pour dégager sa responsabilité et ensuite, pour éviter un bain de sang. S'il appelait l'ambassade d'Allemagne à Beyrouth, cet appel laisserait une trace.

Et il serait définitivement grillé avec le Hezbollah.

Pendant plusieurs minutes, il tourna comme un lion en cage, cherchant désespérément un moyen d'avertir les Israéliens. Le seul moyen était de contacter Malko Linge. En espérant qu'il puisse, lui, prévenir les Israéliens. Il regarda le vieux téléphone de sa chambre. Une ligne fixe. Il souleva le combiné : miracle, il y avait de la tonalité.

Fiévreusement, il composa le numéro de l'hôtel *Phoenicia.* Il y avait moins de risques à passer par le standard et il pourrait toujours donner une explication.

Le cœur dans la gorge, il écouta la sonnerie. Pas de réponse, puis cela passa sur la messagerie. D'une voix aussi calme que possible, Dieter Muller laissa un message :

– Je suis retardé. Il faut annuler notre rendez-vous. Je vous rappellerai.

Il raccrocha, priant le ciel que Malko comprenne et puisse ensuite transmettre le SOS. Il avait l'impression d'avoir un bloc de béton dans l'estomac...

Greta Mugniyeh se réveilla et mit quelques secondes à réaliser où elle se trouvait. Hussein, nu comme un ver, dormait à côté d'elle, en chien de fusil. Elle l'avait épuisé, avait tiré de lui ses dernières étincelles d'érotisme. Il lui avait fait cinq fois l'amour, en comptant celle où il s'était répandu dans sa bouche.

Sans finesse, pas de caresses, pas de baisers. Une machine qui plongeait dans son ventre de toutes ses forces, à un rythme dément, jusqu'à ce qu'il explose. Sans imagination non plus. Ce qui avait même provoqué un malentendu. Lasse d'être laminée par ses quatre-vingt-cinq kilos, Greta s'était retournée alors qu'il allait la prendre et accroupie sur le lit, la croupe haute, espérant une variante.

Elle n'avait même pas eu le temps de réagir. Se méprenant sur son changement d'attitude, sans hésiter, Hussein, qui semblait avoir l'habitude de cette pratique, l'avait sodomisée avec une violence qui lui avait arraché un hurlement de douleur. L'Allemande se souviendrait toute sa vie de cette nuit, et Hussein probablement aussi. Maintenant, il restait à « capitaliser » sur cette rencontre.

Elle bougea avec l'intention de filer dans le minuscule cabinet de toilette et cela réveilla le jeune homme.

Il se colla à Greta, qui sentit son sexe se développer comme un ballon qui se gonfle.

Jamais elle n'avait vu un homme bander aussi vite, surtout après sa performance récente. Hussein ne perdit pas de temps : avec un grognement, il la rejeta sur le dos, bascula sur elle, pointa son sexe vers le sien et, d'un formidable coup de reins, l'embrocha jusqu'à la garde.

Greta hurla. De douleur, les muqueuses à vif. Hussein n'en eut cure, retrouvant son rythme de *sex-machine*. C'en était effrayant. Elle s'accrocha à ses reins, essayant de le freiner. En vain. Elle avait l'impression qu'on la ramonait au papier de verre. Enfin, il jouit avec un nouveau grognement sauvage, demeurant fiché en elle comme un pieu brûlant.

* *
*

Malko, en sortant de la salle de bains, aperçut le voyant rouge qui clignotait sur son téléphone et alla lire le message. C'était peut-être Rima qui s'excusait. Après le dîner, elle avait demandé à Malko de la raccompagner à Basta, prétextant la fatigue. Comme la première fois, Malko l'avait laissée sur une place dont il ignorait le nom.

En écoutant le message de Dieter Muller, il sentit son pouls s'envoler. Plus que les mots, c'est le ton de l'Allemand qui le paniqua. Une voix tendue, stressée, d'un calme artificiel. Il écouta trois fois le message et l'effaça. La conclusion était claire : l'opération de Baalbeck était compromise et il fallait prévenir les Israéliens.

Comment ?

Il ne voyait qu'un moyen : l'intermédiaire Mahmoud. En souhaitant que cela ne soit pas trop tard.

Il s'habilla à toute vitesse. Pas question de téléphoner de l'hôtel. Heureusement, il y avait la cabine à l'intérieur de l'hôtel *Monroe*. Il composa fiévreusement le numéro de Mahmoud et une voix de femme arabe répondit aussitôt.

– Mahmoud ? demanda Malko.

Il y eut un remue-ménage, il entendit quelques mots indistincts et on raccrocha !

Il essaya à nouveau : la ligne était occupée.

Il retraversa, regagnant le *Phoenicia*. Fou d'angoisse. Il n'avait plus qu'à regarder la télé en attendant la catastrophe

Ne pouvant plus supporter l'inaction, il décida de filer à l'hôtel *Alexandre*. Il pourrait peut-être y glaner des informations.

Le lieutenant Farid Karam et son collègue Ali El-Rami étaient en planque dans le *lobby* du *Phoenicia* depuis huit heures du matin. Décontractés. L'agent de la CIA descendait généralement plus tard prendre son *breakfast*.

Farid Karam le vit pourtant surgir de l'ascenseur, visiblement pressé, traverser et s'engouffrer dans l'hôtel *Monroe*. Il en ressortit très vite et revint demander sa voiture au voiturier.

– Tu le suis, lança le lieutenant à son collègue, moi, je vais voir ce qu'il a fabriqué.

En trente secondes, après avoir exhibé sa carte de police au réceptionniste du *Monroe,* il sut que son « client » était venu téléphoner... Il releva le numéro de la cabine et appela le bureau du colonel Trabulsi. Cela serait enfantin de trouver le numéro appelé.

* *
*

Le téléphone bleu sonna sur le bureau de Meir Feldman. C'était la *Yahalamin*[1], qui gérait les drones déployés au-dessus de la Bekaa.

– Nous avons repéré un convoi de cinq véhicules qui vient du Hermel, annonça une voix. Des 4×4 et des Mercedes. Il roule assez vite et vient de traverser la localité de El-Toufiqiyé. À la vitesse où il va, il atteindra Baalbeck dans environ vingt-cinq minutes.

– Pas d'autres mouvements ?

– Non, il a passé le *check-point* de El-Laboué sans ralentir. Donc, il s'agissait d'un convoi du Hezbollah…

– Merci. Tenez-moi au courant toutes les cinq minutes, demanda le chef du Mossad.

Le commando planqué dans le Jabal Mnaitra était déjà averti. Meir Feldman n'avait plus qu'un rôle d'observateur. La partie militaire de l'opération « Happy Valley » était gérée par le QG du *Sayeret Matkal*, en liaison avec l'Air Force pour le soutien aérien.

À peine eut-il raccroché qu'il appela le bureau du Premier ministre Ehoud Olmert pour l'avertir que l'opération « Happy Valley » avait commencé.

Il ne répondait que devant lui, mais Ehoud Olmert n'était pas un militaire de carrière alors que ses prédécesseurs, Benjamin Netanyahu, Ehoud Barak et Ariel Sharon avaient commandé la *Sayeret*. Meir Feldman, soudain, se sentit très seul. S'il y avait un problème, ce serait à lui d'en supporter toute la responsabilité…

* *

Hussein conduisait comme un automate, hébété après son orgie de sexe, et Greta Mugniyeh était inquiète. Au lieu d'avoir créé une intimité entre eux, cette nuit semblait avoir éloigné le jeune homme. Il

1. Unité spécialiste de la communication au Mossad.

osait à peine la regarder et ne lui répondait que par monosyllabes, tandis qu'ils suivaient à une allure d'escargot la route côtière emboutillée par tous les véhicules détournés de l'autoroute hors d'usage. Greta Mugniyeh essaya de rompre la glace, en posant la main sur la cuisse du jeune homme.

— Tu as été formidable, cette nuit ! dit-elle. Je n'ai jamais eu autant de plaisir.

Elle sentit les muscles du jeune homme se contracter sous ses doigts et il marmonna quelque chose d'inintelligible, le nez collé au pare-brise.

L'Allemande se dit qu'il reviendrait probablement à de meilleurs sentiments quand son taux de testostérone remonterait.

Ni Dieter Muller ni son officier de sécurité n'étaient revenus de Baalbeck. Malko ressortit de l'hôtel *Alexandre*, un goût de cendres dans la bouche.

Il n'avait plus qu'à regagner le *Phoenicia* dans l'attente d'un hypothétique contact de Mahmoud. S'il s'était écouté, il aurait foncé jusqu'à Baalbeck.

Le militant du Hezbollah attendait dans le hall sombre et poussiéreux du *Palmyre*. Il aborda Dieter Muller avec le même sourire neutre.

— *Mister Walid is expecting you, now. May I have your cellular phone* [1].

L'Allemand le suivit jusqu'à une BMW noire où se trouvait déjà un autre homme du Hezbollah et ils démarrèrent en direction de la sortie sud de Baalbeck.

---

1. Monsieur Walid vous attend maintenant, puis-je avoir votre portable ?

Dieter Muller regardait distraitement le paysage, totalement noué.

N'osant pas demander où ils allaient.

*
* *

– Une voiture vient de quitter l'hôtel de Baalbeck,
annonça la voix posée d'un des contrôleurs des drones,
installé devant une rangée d'écrans où étaient affichées
les images transmises par les appareils volant au-dessus de la Bekaa.

Cette salle de contrôle était située dans une des bases
secrètes de l'Air Force, au nord de Haïfa. Les éléments
recueillis étaient transmis en temps réel à leurs trois
destinataires : le commando de la *Sayeret Maktal*, déjà
sur le terrain, le QG des Opérations spéciales où se
trouvait le général Yossi Kuperwasser, et Meir Feldman, chef du Mossad et initiateur de l'opération
« Happy Valley ».

– La voiture se dirige vers le sud de la ville, continua le contrôleur.

Meir Feldman sentit son pouls s'envoler. Dieter
Muller séjournait à l'hôtel *Palmyre*... Quelques
minutes plus tard, le contrôleur enchaîna :

– La voiture vient de s'arrêter devant une grande
mosquée, à environ trois kilomètres au sud de Baalbeck. Des gens sont descendus.

Une autre image apparut sur l'écran : un convoi de
cinq véhicules avançant rapidement en direction de
Baalbeck, venant du nord. Il avait traversé le bourg de
Magné, à sept ou huit minutes de Baalbeck. C'est ce
convoi qui, d'après les informations de Dieter Muller,
devait transporter Hassam Nasrallah. Donc, le chef du
Hezbollah et le patron du BND convergeaient vers le
même point pour un rendez-vous.

*
* *

Le général Yossi Kuperwasser, commandant le AMAN [1], suivait lui aussi la progression des événements. L'heure de la décision était arrivée. Il but un grand verre d'eau, adressa une prière muette au Seigneur et donna l'ordre au lieutenant-colonel Murano de se mettre en route. En principe, le commando atteindrait la mosquée dans vingt minutes.

Il appela une base aérienne du Golan pour demander le décollage des trois F-16 devant assurer l'éventuelle protection du commando. En attendant, ils tourneraient au-dessus du territoire israélien, prêts à fondre sur la Bekaa, à quelques minutes de vol seulement.

La Land Rover aux couleurs de l'armée libanaise arrivait à Deir El-Ahmar, première agglomération importante depuis le Jabal Mnaitra. Un vieux M 113 de l'armée libanaise était posté sur le bas-côté de la route, protégeant une chicane gardée par quelques soldats.

Le lieutenant-colonel Murano fit signe à son chauffeur de ralentir. Les deux Humvee qui suivaient en firent autant. L'officier israélien n'eut même pas à palabrer : le soldat lui faisait signe de passer.

Désormais, la progression du commando israélien était suivie par un des drones. Meir Feldman avait la gorge comme de l'étoupe. Le commando de la *Sayeret* serait à la mosquée dans quelques minutes. Grâce à l'effet de surprise, les choses pouvaient se passer

1. Service de renseignements de l'armée.

rapidement. Si Dieu était de leur côté, Hassan Nasrallah volerait vers Israël dans moins d'une heure.

* * *

L'adjudant Ali Nahel, qui commandait le *check-
point* de Deir El-Ahmar, regarda s'éloigner les trois
véhicules, pensif. Ils arboraient tous les couleurs libanaises, les soldats portaient l'uniforme libanais, mais
quelque chose clochait : l'armée libanaise ne possédait
pas de Humvee.

Il réfléchit quelques instants, puis saisit son portable.
Chiite, il n'appartenait pas au Hezbollah, mais ses
sympathies allaient vers le mouvement. Aussi, au lieu
d'appeler sa hiérarchie, il composa le numéro du responsable du Hezbollah de Deir El-Ahmar. Lui saurait
exploiter ce renseignement, si besoin était. Après tout,
avec l'argent qui s'était abattu sur le Liban après les
bombes, l'armée s'était peut-être acheté des Humvee.

* * *

Walid Jalloul dissimulait sa nervosité. Grâce aux
informations recueillies à Beyrouth, il avait tendu un
piège aux Israéliens en leur faisant miroiter, par l'intermédiaire de Dieter Muller, la possibilité d'éliminer
Hassan Nasrallah.

Maintenant, il était inquiet.

Le convoi vide qui descendait du Hermel, bien
visible, aurait dû être attaqué depuis longtemps. Les
drones qui bourdonnaient au-dessus de la Bekaa ne
pouvaient pas ne pas l'avoir repéré. Qu'attendaient les
Israéliens ?

Sachant que Dieter Muller se trouvait à la mosquée,
c'était le dernier endroit où ils attaqueraient. Ou alors,
lui s'était fait enfumer et rien n'était prévu. Il aperçut
la BMW amenant l'Allemand du *Palmyre* qui s'ap-

prochait. Au même moment, un de ses hommes courut vers lui et lui tendit un portable. L'appel venait de Deir El-Ahmar.

Lorsqu'il rendit le portable, Walid Jalloul était euphorique. Avant l'arrivée de Dieter Muller, il eut le temps de dire quelques mots à un de ses adjoints avant de s'avancer vers le chef du BND.

Lorsqu'il avait monté cette manip, il avait deux buts : d'abord ridiculiser les Israéliens et, ensuite, convaincre Dieter Muller de double jeu, ce qui pouvait être utile par la suite.

Désormais, c'était encore mieux : les Israéliens allaient se jeter, tête baissée, dans le piège qu'il leur avait tendu...

— Il y a eu un contretemps, annonça-t-il d'un ton désolé. Le *sayyed* a été obligé de repartir pour Beyrouth. Nous allons l'y rejoindre dans ma voiture. Que votre officier de sécurité regagne la capitale avec la vôtre.

— Parfait, acquiesça le chef du BND d'une voix blanche.

Les deux hommes montèrent dans la Mercedes de Walid Jalloul, qui démarra aussitôt. Dieter Muller, horriblement mal à l'aise, se retourna machinalement et son cœur fit un bond dans sa poitrine. Un convoi de cinq véhicules – deux Mercedes et trois 4×4 – venait de s'arrêter devant la mosquée. La voix douce de Walid Jalloul le fit sursauter.

— C'est une très belle mosquée, n'est-ce pas ? Avant, il n'y avait qu'un tout petit mausolée à cet endroit. Nos amis iraniens nous ont aidés à la financer.

CHAPITRE XIII

Le petit convoi de la *Sayeret* traversa sans ralentir le hameau de Iaat, dernier village avant Baalbeck. Sa carte sur les genoux, le lieutenant-colonel Murano, en dépit de la facilité avec laquelle il avait franchi le barrage de l'armée libanaise, éprouvait une sensation de malaise. Justement, à cause de cette facilité…

Sur son épaule gauche, la radio cryptée reliée au QG de la *Sayeret Maktal* crachotait doucement. Il pouvait ainsi faire part de sa progression en temps réel. Des enfants, sur le bord de la route, leur adressèrent des signes joyeux. Les colonnes des ruines de Baalbeck apparurent sur leur gauche : ils étaient presque arrivés. Ils contournaient le site des ruines par un chemin poussiéreux en contrebas de la route principale. Soudain, après un virage, les minarets de la mosquée apparurent. Tous les membres du commando savaient ce qu'ils avaient à faire, leurs armes étaient approvisionnées, leur « carapace » soigneusement ajustée. Équipés de mitrailleuses Negev, de shotguns Mosberg, de fusils d'assaut Galil et d'Uzi, ils avaient une très forte puissance de feu. Brutalement, ils débouchèrent sur l'espace découvert en face de l'entrée de la mosquée. Le cœur du lieutenant-colonel Murano battit plus vite.

Cinq véhicules – deux Mercedes et trois 4×4 – étaient garés en face de l'édifice.

Les trois véhicules israéliens stoppèrent parallèlement à eux et le chef du commando lança :

– *Akharai*[1] !

Ce fut le dernier mot qu'il prononça. Plusieurs détonations claquèrent et le lieutenant-colonel Murano s'écroula en travers de sa portière, la tête éclatée. Il ne vit pas ses hommes sauter des véhicules et se déployer face à la mosquée. Le capitaine Netani avait, automatiquement, repris le commandement. Objectif : investir la mosquée et s'emparer de Hassan Nasrallah.

Seulement, c'était l'objectif théorique, quand ils étaient supposés prendre leurs adversaires par surprise. Ce qui n'était plus le cas.

Un feu nourri jaillissait de toutes les ouvertures de la mosquée. Et aussi d'en face, de l'autre côté de la route, où se trouvaient quelques maisons.

Il y eut une explosion sourde et le 4×4 de tête explosa sous le choc d'une roquette, projetant le corps du lieutenant-colonel Murano à plusieurs mètres. Le capitaine Netani lança dans sa radio :

– Le colonel est mort. Feu violent, nous tentons de pénétrer dans la mosquée.

Laissant une partie de ses hommes à l'abri des deux Humvee blindées, le capitaine arriva jusqu'à la porte en bois massif de la mosquée avec un artificier et deux hommes en protection. Il était en train de disposer une charge explosive contre le battant quand la voix tendue venant du QG, en Israël, ordonna :

– Repliez-vous. Retour à votre base. Nous vous envoyons le soutien aérien.

On ne discute pas un ordre.

En quelques minutes, les soldats du commando eurent récupéré le corps de leur officier et celui d'un

1. Suivez-moi !

autre soldat et se furent entassés dans les deux Humvee, sous un feu nourri. Les véhicules démarrèrent en
direction de la route, face à la seconde position des
miliciens du Hezbollah.

La voix du QG annonça :

— F-16 sur zone dans une minute.

Grâce aux drones, les pilotes des chasseurs bombar-
diers voyaient exactement ce qui se passait.

La première Humvee était à cinquante mètres de la
position de feu hezbollah quand un grondement
d'abord doux, puis strident, et enfin assourdissant, cou-
vrit le bruit du combat. Les soldats israéliens virent à
peine le F-16 volant à quelques dizaines de mètres du
sol. Quelques secondes plus tard, un mur de feu s'éleva
de la position adverse. Le F-16 avait tiré la moitié de
ses missiles en un seul passage.

Les deux Humvee passèrent en trombe. Du coin de
l'œil, le capitaine Netani aperçut un F-16 volant parallèlement à la route. Il passa au-dessus d'eux dans un
grondement d'enfer et vira. Un troisième surgit de l'est
et lâcha plusieurs projectiles tout autour de la mosquée.
Aussitôt, un énorme nuage de fumée noire la dissimula
aux yeux des Israéliens : des fumigènes pour aveugler
les miliciens retranchés à l'intérieur.

Soudain, le capitaine Netani aperçut devant lui,
groupé autour d'une maison isolée, un petit détache-
ment de combattants du Hezbollah. L'un d'eux les
visait avec un lance-roquettes. Or, la Humvee, bien que
blindée, n'était pas à l'épreuve d'un RPG 7. Tous ses
muscles tétanisés, l'officier de la *Sayeret* n'eut pas le
temps d'avoir peur davantage.

L'ombre d'un F-16 les survola, si bas qu'il aurait pu
compter les roquettes sous les ailes. Les combattants
hezbollah se transformèrent en une gerbe de flammes,
qui brûlaient encore lorsque les deux Humvee passèrent
devant.

Une traînée lumineuse jaillit soudain d'un champ, à

droite de la route, s'inscrivant dans le sillage du F-16.
Un Sam 16 ou 18. Le chasseur vira brutalement,
lâchant des leurres argentés. Le Sam continua tout
droit, après avoir raté sa cible.

Maintenant, il n'y avait plus d'agglomération importante avant Deir El-Ahmar. Le capitaine, entre deux
cahots, réussit à trouver sur sa carte un itinéraire bis,
plus long, mais sans le moindre village. Il leva les yeux
vers le ciel : un F-16 amorçait un virage pour revenir
vers eux. Les trois chasseurs allaient leur assurer une
couverture jusqu'à la vallée, où les attendaient les hélicos. Le capitaine se retourna et son regard tomba sur
la toile verte enveloppant la dépouille du lieutenant-
colonel Murano. Normalement, ce dernier n'aurait pas
dû commander cette mission, mais il voulait être celui
qui s'emparerait de Hassan Nasrallah.

La BMW de Walid Jalloul entrait dans Chtaura, à
une trentaine de kilomètres à l'est de Baalbeck, quand
son portable sonna.

Il échangea quelques mots avec son correspondant
et se tourna vers Dieter Muller.

— Nous avons bien fait de déplacer ce rendez-vous,
annonça-t-il d'une voix égale. Un commando de l'armée israélienne vient d'attaquer la mosquée où nous
étions. Il voulaient sûrement tuer le *sayyed*.

Dieter Muller réussit à avoir l'air étonné.

— Des Israéliens ? Mais comment sont-ils venus
jusqu'ici ?

— Des hélicoptères les ont déposés, répondit Walid
Jalloul. Ce n'est pas la première fois. Ils se posent dans
des zones désertes de la montagne et sont protégés par
leurs avions de chasse. Malheureusement, nous n'en
possédons pas.

Dieter Muller avala sa salive. Très mal à l'aise.

– Ils sont repartis ? demanda-t-il

– Nos *chebabs* essaient de les bloquer mais ils sont impuissants contre les F-16.

L'Allemand ne put s'empêcher de demander, d'une voix un peu tendue :

– Vous étiez prévenus de cette attaque ?

Walid Jalloul eut un sourire énigmatique.

– Allah le Tout-Puissant et le Miséricordieux veille sur le *sayyed*.

Inutile de poser d'autres questions. Ils traversaient Chtaura où tout était parfaitement normal. Walid Jalloul se tourna vers le chef du BND et ajouta :

– Vous allez pouvoir féliciter le *sayyed* d'avoir échappé à cet attentat. S'il avait été tué, l'échange de prisonniers serait devenu très difficile.

C'était une litote. Le Hezbollah avait toujours rendu coup pour coup... Pour punir les Israéliens de l'assassinat du prédécesseur de Hassan Nasrallah, Abbas Moussaoui, en 1992, le Hezbollah avait organisé un attentat à Buenos Aires, contre l'ambassade et le centre culturel israéliens, qui avait fait 115 morts. Dieter Muller avait envie de passer sous son siège. Ils abordèrent la montée du col dans un silence pesant. Le chef du BND ne pouvait s'empêcher de penser aux morts israéliens. Il en était un peu responsable.

*
* *

Meir Feldman était prostré à son bureau de la villa de Glilot. Il avait suivi, seconde par seconde, le drame du commando israélien. Les rescapés venaient enfin de décoller de la montagne libanaise avec leurs morts et leurs blessés. Trois F-16 supplémentaires avaient été appelés en renfort pour sécuriser leur vol au cas hautement improbable où les Syriens se seraient mêlés de l'affaire.

Désormais, les trois hélicos avaient atteint l'espace aérien israélien et ne risquaient plus rien.

L'adjoint de Meir Feldman vint déposer sur son bureau une feuille de papier.

L'état des pertes. Trois morts, sept blessés dont un dans un état désespéré. Une balle dans la colonne vertébrale. Personne en Israël ne connaissait encore l'existence de cette opération, mais il allait falloir l'assumer.

Meir Feldman se mit à réciter le *kaddish*, la prière des morts, pour ceux qui venaient de tomber. Chaque militaire israélien était un bien précieux.

Ensuite, il prit une feuille de papier et se mit à rédiger sa lettre de démission à l'intention du Premier ministre Ehoud Olmert. Il était beaucoup trop tôt pour connaître les causes de cet échec, mais c'était lui l'initiateur de « Happy Valley ».

* *
*

Toutes les télés du Liban passaient en boucle les images de l'attaque israélienne de la mosquée touchée par un missile, des combattants blessés du Hezbollah faisant le V de la victoire. En direct, un reporter de Al-Manar – la chaîne du Hezbollah – commentait les images d'un ton lyrique. Malheureusement, c'était en arabe. Malko saisit à plusieurs reprises le mot « *shahid* »[1]. Donc, il y avait des pertes côté Hezbollah. Les caméras filmaient inlassablement le 4×4 aux couleurs de l'armée libanaise abandonné par les Israéliens.

L'émission fut interrompue par un flash officiel. Le président de la République, Émile Lahoud, fustigea l'expédition israélienne dans une longue déclaration. Quelques minutes plus tard, ce fut au tour de Fouad Siniora, le Premier ministre sunnite, tout aussi vindicatif.

1. Martyr.

Malko balaya les autres chaînes. CNN et BBC World n'avaient que peu d'images, contrairement à Al-Jazira. Sur CNN, le présentateur lut un communiqué des autorités israéliennes confirmant le raid et reconnaissant des pertes en vies humaines sans les chiffrer.

Il ferma la télé, assommé. C'était pire que tout ce qu'il avait pu imaginer. Et il se sentait totalement responsable de cet échec ! Visiblement, les Israéliens n'avaient pas été avertis. La filière « Mahmoud » n'avait pas fonctionné. À la suite du coup de fil de Malko, personne n'avait cherché à le contacter. Sa ligne fixe sonna. C'était Mouna Harb, lui proposant de déjeuner au *Bristol*. Les Saoudiens venaient aux nouvelles.

C'était difficile de ne pas leur en donner, mais il y avait plus important. Faire le point avec la CIA, afin d'envisager la suite des événements. Le Hezbollah désormais alerté, le plus sage était de « démonter » toute l'opération visant Hassan Nasrallah.

D'autant que celle-ci avait été visiblement pénétrée, puisque le Hezbollah attendait les Israéliens dans la Bekaa... Malko n'eut pas le temps d'appeler Christopher Stafford : son Blackberry couinait... C'était justement le chef de station de la CIA.

— Nous sommes en pleine évaluation des dégâts, annonça-t-il d'emblée. Il va nous falloir au moins vingt-quatre heures.

— J'ai des éléments à vous communiquer, compléta Malko. Nous avons été pénétrés.

L'Américain le coupa.

— C'est très probable. Je vous rappelle demain. D'ici là, ne bougez pas.

Malko descendit prendre un café. Pas optimiste. L'avenir était sombre. Dieter Muller, le chef du BND, même s'il en avait le pouvoir, ne se prêterait sûrement pas à une seconde manip. Il restait la filière Greta

Mugniyeh, avec, là aussi, des résultats hautement improbables.

Quant au lien fragile entre Rima, l'allumeuse chiite, et Hassan Nasrallah, Malko ne voyait pas comment l'utiliser à ce stade. Pendant qu'il attendait son café, il réalisa soudain que le Herstal offert par les Saoudiens était toujours dans le coffre de sa chambre. Or, le Hezbollah n'avait jamais laissé passer une « offense » sans réagir. En le maintenant à Beyrouth, Christopher Stafford le transformait en *sitting duck*[1] pour les tueurs du Hezbollah.

* * *

Le colonel Mourad Trabulsi buvait du petit-lait. Une heure plus tôt, Walid Jalloul, le chef de la Sécurité du Hezbollah, lui avait passé un coup de fil de remerciements. Le colonel des FSI avait appris, par ses sources, que les Israéliens étaient tombés dans un piège, dans la Bekaa. Il n'avait pas communiqué d'éléments opérationnels à Walid Jalloul, c'était donc ce dernier qui s'était débrouillé seul.

Ayant appris la présence de Dieter Muller à Baalbeck, et connaissant ses liens avec l'agent de la CIA Malko Linge, la conclusion s'imposait.

Ce Malko Linge était bien la cheville ouvrière de l'opération. Mourad Trabulsi se demanda si le Hezbollah connaissait son rôle. Si c'était le cas, son espérance de vie était limitée…

Il appela sa secrétaire et demanda :

– Il y a du nouveau sur *charass*[2] ?

– Oui, colonel, je vous apporte le dossier. Je viens de le recevoir.

Cinq minutes plus tard, elle posait sur son bureau le

1. Pigeon d'argile.
1. La personne.

rapport d'enquête sur le coup de fil passé par l'agent de la CIA de la cabine publique de l'hôtel *Monroe*. Le destinataire était un druze, Wadi Jamil, propriétaire d'une petite boutique d'accessoires auto, rue de Verdun, à Hamra. Totalement inconnu des Services et des FSI.

Sa ligne venait d'être mise sur écoutes.

Le colonel Trabulsi, ravi, se versa une larme de Chivas. Cet agent de la CIA, pour communiquer avec les Américains, n'avait pas besoin d'intermédiaire. Wadi Jamil devait donc appartenir à un réseau israélien.

Il reprit sa réflexion sur Malko Linge. Ses hommes ne le lâchaient plus d'une semelle et une équipe de techniciens avait piégé le téléphone fixe de la chambre 2020. En plus, grâce à la coopération de l'opérateur libanais de téléphone, le colonel Trabulsi saurait désormais quels numéros il appelait de son portable, et ceux qui l'appelaient. Sans pouvoir, hélas, écouter ses conversations, faute de matériel adéquat.

De toute façon, selon lui, il n'allait pas tarder à quitter Beyrouth.

*
* *

Trônant dans son fauteuil rouge, Hassan Nasrallah était installé dans son décor habituel, un de ses bureaux reconstitués, situé au troisième sous-sol d'un immeuble anonyme perdu dans le labyrinthe de la banlieue sud.

Walid Jalloul y avait conduit Dieter Muller directement et celui-ci ignorait même le nom de la rue. Une demi-douzaine de gardes veillaient autour du bâtiment. Il existait plusieurs lieux similaires répartis dans les vingt-deux kilomètres carrés de la banlieue sud. Lorsque le chef du Hezbollah apparaissait à la télé, il était impossible de savoir où il se trouvait.

Toujours coiffé de son turban noir, le regard pétillant derrière ses lunettes à fine monture, les mains croisées sur son petit embonpoint, il avait accueilli le chef du BND avec sa chaleur habituelle. S'exprimant mal en anglais, Hassan Nasrallah utilisait Walid Jalloul comme interprète. Jusque-là, la conversation avait porté sur des banalités, sans allusion à l'attaque israélienne du matin

Avec un sourire un peu crispé, Dieter Muller ouvrit le dossier contenant la liste des Libanais détenus par les Israéliens.

– J'ai préparé une première liste, commença-t-il.

Chaque fois, ces listes circulaient pendant plusieurs semaines et la sélection des personnes désignées pour l'échange se faisait selon un processus complexe.

Le chef du Hezbollah prit le dossier et le posa sur ses genoux sans l'ouvrir, s'adressant à Walid Jalloul qui traduisit.

– Le *sayyed* a réuni la *Choura* concernant ce problème, et ils ont décidé de surseoir à toute négociation jusqu'à nouvel ordre.

C'était un coup dur et Dieter Muller réagit aussitôt.

– Vous m'avez pourtant demandé d'annuler mon départ…

Walid Jalloul traduisit la réponse de Hassan Nasrallah.

– C'est exact, mais depuis, plusieurs événements négatifs se sont produits. D'abord, les Israéliens continuent à violer quotidiennement l'espace aérien libanais et survolent régulièrement nos positions dans le Sud. Tant que cela continuera, nous n'engagerons aucune négociation. Ensuite, l'incident de ce matin, à Baalbeck, prouve que les Sionistes n'ont pas renoncé à m'assassiner. Avant de reparler d'échange, je tiens à obtenir de leur part l'assurance officielle que cela ne se reproduira plus…

Dieter Muller accusa le coup. Le Hezbollah était dirigé par une *Choura* de sept membres, mais Nasrallah y avait une voix prépondérante. Donc il remettait

l'échange des deux soldats israéliens aux calendes
grecques… Mal à l'aide, le chef du BND se raccrocha
à un dernier espoir.

– Je vais transmettre vos remarques à qui de droit,
promit-il. Je dois me rendre à Jérusalem en partant
d'ici. Cependant, ajouta-t-il, pour ne pas revenir les
mains vides, pouvez-vous me confier une « preuve de
vie » de ces deux soldats…

Hassan Nasrallah eut un sourire amusé.

– Vous pouvez leur donner une preuve de vie *me*
concernant… Et leur assurer que ces hommes sont bien
traités. Nous ne sommes pas des sauvages. Vous avez
ma parole.

– Je vous crois, évidemment, approuva Dieter Muller. Mais une preuve concrète serait plus appropriée.
Vous savez comment ils sont.

Le leader du Hezbollah eut un geste évasif.

– À votre prochaine visite, je ferai le nécessaire.
Maintenant, ce serait trop compliqué.

Il but une gorgée de thé et se leva : l'entretien était
terminé.

Une autre BMW attendait dehors et Walid Jalloul
prit aimablement congé de Dieter Muller.

– J'espère vous revoir bientôt à Beyrouth. Votre
portable a été remis à votre hôtel, à votre garde de
sécurité.

Ils ne prenaient aucun risque ; si ce portable était
localisé, il ne révélerait pas le lieu du rendez-vous.

– Je suis désolé pour l'attaque de ce matin, dit
l'Allemand, avec le plus de sincérité possible.

Walid Jalloul eut un sourire énigmatique.

– Vous n'y êtes pour rien, mais croyez que nous
allons riposter et frapper ceux qui nous ont frappés,
avec la même violence.

Tandis que la BMW se frayait un chemin dans les
rues encombrées de la banlieue sud, le chef du BND
repensa à cette dernière phrase et se dit qu'il était

urgent de prévenir Malko. En dépit des protestations d'amitié de Hassan Nasrallah, il était persuadé que celui-ci le savait impliqué dans l'attaque israélienne.

Connaissait-il le rôle exact de Malko ?

Si c'était le cas, celui-ci était en danger de mort. Le Hezbollah avait toujours rendu coup pour coup. Quelques centaines de morts étaient là pour en témoigner.

* *
*

Imad Mugniyeh, avec son visage rond, ses cheveux clairsemés, sa silhouette enveloppée, avait l'air d'un commerçant prospère et non d'un des terroristes les plus recherchés du monde. Sa barbe de trois jours le faisait ressembler à un islamiste modéré et son costume porté sans cravate, mal coupé, ne le faisait pas remarquer. Muni d'un passeport diplomatique au nom d'un véritable diplomate iranien, protégé par l'ambassade d'Iran à Beyrouth, il voyageait sans garde du corps, afin de passer inaperçu. Il y avait plusieurs mois qu'il n'était pas venu à Beyrouth et il observait machinalement les maisons étagées le long des collines de Baabda, tandis que son chauffeur descendait vers la ville.

Bien qu'il soit l'homme le plus recherché du monde avec Oussama Bin Laden, il se sentait étrangement calme

Les Iraniens n'aimaient pas qu'il vienne dans la capitale libanaise : il connaissait trop de secrets. S'il se retrouvait à Guantanamo, les conséquences seraient incalculables. Mais, cette fois, Imad Mugniyeh avait une raison imparable. Il prenait ce risque pour venir tuer l'homme qui avait cru le tuer, treize ans plus tôt, et venger son frère.

Il ne repartirait de Beyrouth que sa tâche accomplie.

CHAPITRE XIV

Fouad El-Rorbal, responsable des Services saoudiens à Beyrouth, ne dissimulait pas son désarroi. Malko l'avait retrouvé dans la suite du *Bristol* utilisée par l'ambassade d'Arabie Saoudite.

— Qu'allez-vous faire maintenant ? demanda-t-il à Malko.

— J'en saurai plus lorsque j'aurai rencontré Christopher Stafford, répondit celui-ci. Si cela ne tenait qu'à moi, je laisserais tomber, pour un moment du moins.

— Sa Majesté va être très déçue, soupira le Saoudien. Elle avait mis beaucoup d'espoir en vous. Pour nous, il s'agit d'une affaire de sang. Nous devons absolument venger le prince Ryad Bin Aziz Al-Whaleed.

Malko lui répondit avec un geste évasif.

— Je vous comprends, mais le Hezbollah est plus coriace que vous ne l'imaginez. Enfin, nous verrons.

Il prit congé sous le regard langoureux de Mouna Harb, qui aurait bien fait le don de son corps à son pays pour le rendre plus optimiste. Mais, après ce choc, Malko avait envie de se laver le cerveau. L'échec de sa mission consommé, il lui restait un minuscule challenge pour mettre un peu de baume sur ses blessures : la conquête de Rima l'allumeuse. Comme tout ce qui vous échappe, la Tanagra chiite commençait à obséder

Malko. Or, jusqu'au lendemain, il n'avait rien à faire. Du coup, il appela Tamara Terzian. La jeune femme était au journal.

— Je t'invite à déjeuner *Chez Paul*, proposa Malko. Tamara rit.

— O.K. Mais on va seulement *Chez Paul*, j'ai un papier à faire.

Peut-être lui donnerait-elle la clef pour apprivoiser complètement Rima.

Il avait sorti du coffre le Herstal qui pesait désormais d'un poids rassurant à sa ceinture, et n'avait pas envie de mourir d'ennui dans sa chambre du *Phoenicia*.

Walid Jalloul étreignit longuement Imad Mugniyeh. Le responsable des Opérations spéciales du Hezbollah venait de le retrouver dans un local de contact secret de Darieh, dans la banlieue sud, plus sûr que ses bureaux que trop de gens connaissaient. Les Américains auraient donné n'importe quoi pour s'emparer d'Imad Mugniyeh, aussi venait-il très peu à Beyrouth.

À part Walid Jalloul, personne ne savait qu'il était là. Même si le Hezbollah était étanche, il ne fallait prendre aucun risque…

Les deux hommes s'assirent autour d'une tasse de café, échangeant quelques nouvelles locales, puis Imad Mugniyeh passa aux choses sérieuses.

Brusquement rembruni, Walid Jalloul lui jeta un regard chargé de reproche.

— Pourquoi veux-tu le faire toi-même ? Ici, j'ai dix *chebabs* qui sont prêts à devenir *shahid* pour te venger. Tu n'as pas le droit de prendre ce genre de risque. Le parti a besoin de toi. Dès que j'ai appris ta venue, j'ai demandé audience au *sayyed* pour avoir son avis. Il souhaite que tu renonces à ce projet qui t'honore.

— J'ai un immense respect pour le *sayyed*, répliqua

Imad Mugniyeh, mais il s'agit d'une dette de sang personnelle que je ne peux laisser à personne la charge de
régler. Un devoir sacré vis-à-vis de mon frère que ce
chien infidèle a abattu en le prenant pour moi. Sans
parler de mon fils, Ahmad, qui a été égorgé par ses
complices. Allah le Tout-Puissant et le Miséricordieux
a voulu que nos routes se croisent à nouveau. C'est Sa
volonté et je ne peux pas m'y dérober.

Même pour Walid Jalloul, c'était un argument difficile à contrer : l'obéissance à Dieu était l'épine dorsale
du Hezbollah. Imad Mugniyeh renchérit :

— Je veux pouvoir aller prier sur la tombe de mon
frère sans avoir honte. Dès que ce sera fait, je repars,
wahiet Allah[1].

— *Inch' Allah*, soupira Walid Jalloul. Je n'ai pas le
droit de m'opposer à ta volonté.

Il alla ouvrir le coffre dissimulé derrière un placard
et en sortit un long pistolet automatique de calibre 222,
équipé d'un silencieux. Une arme israélienne « récupérée » au cours d'une opération. Intraçable. Les détonations étaient presque imperceptibles, à cause de la
faible charge de poudre des cartouches, mais les balles
blindées perçaient le cerveau comme du beurre.

Imad Mugniyeh entrouvrit la culasse pour vérifier
qu'une cartouche était engagée dans la chambre, puis
glissa l'arme dans son dos, invisible sous son large
blouson de cuir. Ensuite, il étreignit à nouveau Walid
Jalloul.

— Merci, mon frère, de m'avoir signalé la présence
de cet homme. Je serais venu à pied du bout du monde
pour le tuer, si Dieu le veut…

— Deux *chebabs* vont t'accompagner, précisa le chef
de la Sécurité du Hezbollah. Ils n'interviendront pas,
sauf si tu es en danger, je te le jure…

— J'aurais préféré être seul.

---

1. Je le jure sur Allah.

– Le *sayyed* a exigé cette mesure de sécurité, insista Walid Jalloul. Et aussi que tu quittes la ville, ta mission accomplie. Si les Américains apprennent ta présence ici, ils sont capables de lancer une bombe atomique…

Imad Mugniyeh eut un faible sourire, embrassa trois fois son interlocuteur et se glissa hors du bureau. Il gagna sa Mercedes qu'il conduisait lui-même et fit semblant de ne pas voir les deux « frères » qui prenaient place dans une vieille Corolla Toyota, partant derrière lui.

Vingt minutes plus tard, il se garait le long du *Holiday Inn*, dans Fakhreddine Street. De là, il avait plusieurs itinéraires de repli possibles. La Toyota Corolla se gara en double file devant l'hôtel *Monroe*.

Imad Mugniyeh savait que l'entrée principale du *Phoenicia* était contrôlée par un portail magnétique. Impossible de le franchir avec une arme. Aussi s'engagea-t-il dans Omar-el-Darik Street, la rue étroite séparant la façade arrière du *Phoenicia* du *Holiday Inn*. Un peu plus loin, il y avait une petite porte sans aucune inscription : l'entrée du personnel. Il l'ouvrit et se retrouva à l'intérieur, à l'entrée d'un long couloir. Cinq minutes plus tard, il émergeait dans le *lobby* inférieur du *Phoenicia*. Il n'avait plus qu'à prendre l'escalator.

Avant de quitter sa voiture, il avait consulté les photos prises par les hommes de Walid Jalloul, assez nettes pour éviter toute erreur. Il savait également que l'homme qu'il devait tuer séjournait dans la chambre 2020.

C'était suffisant.

Il passa tranquillement devant la réception, se dirigeant vers les ascenseurs, et monta dans une des cabines. Son plan était très simple : sonner, et quand on lui ouvrirait, abattre Malko Linge après lui avoir dit qui il était. Il abandonnerait ensuite son arme et repartirait par la grande porte. Dans la cabine de l'ascenseur, il fit le vide dans sa tête. Tuer de sang-froid ne lui posait aucun problème, mais il se sentait la proie d'une sorte d'exaltation. Jamais il n'aurait pensé se retrouver face à l'homme qui avait abattu son frère. Tant de choses s'étaient passées depuis ! Replié la plupart du temps en Iran, il avait pris ses distances avec Beyrouth.

L'ascenseur s'arrêta et la voix sucrée, enregistrée, annonça :

– *Twentieth floor* [1].

Imad Mugniyeh inspecta le couloir d'un coup d'œil. Vide. La chambre 2020 se trouvait à quelques mètres, sur sa gauche. Il s'arrêta devant la porte, arracha son pistolet de sa ceinture et le laissa pendre au bout de son bras droit, invisible de l'œilleton incrusté dans le battant.

Avant de sonner, il s'efforça de donner à son visage une expression neutre, presque timide.

Enfin, il appuya sur la sonnette, tandis qu'un torrent d'adrénaline le submergeait. Il était à quelques secondes de sa vengeance.

Rien ne bougea.

Il récidiva, sans plus de succès. Une femme de ménage, sortant de l'entrée de service voisine, une Philippine, le salua d'un « *good afternoon, sir* [2] ». Dépité, il s'écarta de la porte et regagna les ascenseurs. Il n'avait plus qu'à attendre. L'homme qu'il avait décidé d'abattre reviendrait forcément

Revenu au *main lobby* [3], il s'installa à une table du salon de thé qui en occupait toute la partie surélevée, autour de la fontaine. Peu de tables étaient occupées. Pas mal d'hommes seuls, certains en dichdacha. Des visiteurs du Golfe. Imad Mugniyeh s'installa à une table d'où il pouvait surveiller les allées et venues à proximité des ascenseurs.

---

1. Vingtième étage.
2. Bon après-midi, monsieur.
3. Hall principal.

Ensuite, il commanda un Pepsi et adressa une prière silencieuse à Allah. Que tout se passe bien. Ici, il n'était pas dans son environnement habituel et se sentait un peu mal à l'aise.

*
* *

Malko laissa sa voiture au voiturier et franchit le portail magnétique du *Phoenicia*. Le Herstal était resté dans la boîte à gants de la Mercedes

Au *Phoenicia*, il se sentait en sécurité. Son déjeuner l'avait renforcé dans sa volonté de venir à bout des dernières défenses de Rima.

En effet, Tamara Terzian lui avait conseillé de l'attacher sur le lit et de découper ses vêtements… Elle détestait les allumeuses. Elle avait à peine fait allusion à ce qui s'était passé à Baalbeck et Malko lui en avait su gré. La journaliste le soupçonnait sûrement d'y être mêlé, mais ne voulait pas l'embarrasser.

Il alla chercher le *Herald Tribune* et gagna les ascenseurs.

*
* *

De son poste d'observation, Imad Mugniyeh vit passer un homme blond, en costume, mais son cerveau ne réagit pas instantanément. Bien sûr, il avait les photos de Malko Linge, mais ne l'avait jamais vu en chair et en os. Le temps de réaliser qu'il s'agissait à 99 % de l'homme qu'il cherchait, l'inconnu avait disparu du côté des ascenseurs.

Il se leva vivement et fonça pour le rattraper. Lorsqu'il arriva dans le renfoncement des ascenseurs, une des trois cabines venait de monter. Il y en avait presque toujours une, portes ouvertes, prête à partir.

Imad Mugniyeh leva les yeux vers le voyant indiquant l'étage où elle s'arrêtait. Quand s'afficha « 20 », il sentit son pouls s'envoler. Une autre cabine arrivait. Il s'y précipita et appuya sur le bouton du « 20 », revenant à son plan initial.

L'adjudant des FSI Ali El-Rami était arrivé sur les talons de Malko, laissant le lieutenant Farid Karam garer leur Corolla. Voyant que son client montait dans sa chambre, il bifurqua vers le salon de thé, avec la ferme intention de manger quelque chose. C'est à ce moment qu'un homme le croisa, vêtu d'un blouson de cuir, le visage rond, costaud.

Depuis des lustres, la police libanaise ne recherchait plus Imad Mugniyeh, même si elle l'avait fait mollement à une certaine époque. D'ailleurs l'adjudant Ali El-Rami ne savait même pas à quoi il ressemblait.

Seulement, le regard de l'inconnu croisa le sien, pendant une fraction de seconde. Un regard de tueur, glacial. Ali El-Rami avait croisé beaucoup de tueurs et il les « sentait ». Instantanément, la présence de cet inconnu l'inquiéta. À son tour, il fila vers les ascenseurs.

Personne : l'inconnu au blouson de cuir était déjà monté. Il suivit des yeux le cadran indiquant les étages et son cœur fit un bond dans sa poitrine lorsqu'il afficha « 20 ».

Fiévreusement, il appela le lieutenant Karam, encore à l'extérieur, lui relata ce qui se passait et lança :
– Je vais voir.

Une cabine arriva et il s'y rua. Heureusement, l'ascenseur monta d'un trait au vingtième étage. La première chose que vit Ali El-Rami en en sortant fut l'inconnu au blouson de cuir planté devant la porte de la chambre 2020. Celui-ci, entendant le timbre de l'ascenseur, se retourna et, de nouveau, leurs regards se croisèrent.

Imad Mugniyeh avait lui aussi de l'instinct. Immédiatement, il sut à qui il avait affaire.

À tout hasard, il esquissa un sourire. Il pouvait se tromper. Seulement, il était obligé d'attendre que ce gêneur disparaisse pour appuyer sur la sonnette du 2020. Il n'en eut pas le loisir. L'homme arrivé derrière lui venait de le rejoindre et brandissait une carte sous son nez.

– *Tamari*[1] *!* lança-t-il. Puis-je voir vos papiers ?

– *Aiwa,* grommela Imad Mugniyeh

D'un geste naturel, il envoya sa main derrière son dos, comme pour prendre un portefeuille dans sa poche revolver. Ali El-Rami ne se méfia pas et vit trop tard le pistolet prolongé par le long silencieux. Le cerveau en ébullition, il eut le temps de se dire que son intuition ne l'avait pas trompé : il avait en face de lui un tueur professionnel. Il esquissa un geste.

Imad Mugniyeh, impassible, tendit vivement le bras, l'extrémité du canon de son arme touchant presque le visage du policier.

Il y eut un *plouf* très faible et la balle blindée entra dans le front d'Al El-Rami. Le policier n'eut même pas le temps de saisir son arme. Il recula et s'effondra au milieu du couloir, foudroyé.

Imad Mugniyeh remit son arme dans sa ceinture, le pouls à peine accéléré. Le couloir était toujours vide, mais à chaque seconde, un employé ou un client pouvait surgir. Le plus sage était de reprendre un ascenseur et de filer. En plus, les policiers vont par deux, généralement… Seulement, s'il partait après un tel incident, le *sayyed* Hassan Nasrallah ne l'autoriserait jamais à recommencer…

D'un bond, il gagna la porte par où était sortie

1. Police !

l'employée philippine et la poussa. Elle donnait sur un couloir desservant une réserve de linge. Le Libanais revint dans le couloir, prit le cadavre d'Ali El-Rami sous les aisselles et le tira jusqu'à la réserve.

Lorsqu'il en ressortit, essoufflé, le couloir était toujours vide.

Sans hésiter, il appuya sur la sonnette de la chambre 2020.

* *
*

Malko était en grande conversation avec Rima qui, pour une fois, avait répondu à son portable, lorsqu'il entendit la sonnette. Il ne s'interrompit pas. Toute la journée, des employés de l'hôtel venaient vérifier le minibar, changer les serviettes ou apporter du linge. Lorsqu'on ne leur répondait pas, ils entraient.

— On peut dîner avec Tamara et son copain ? proposa-t-il à la chiite, prêt à tout pour une nouvelle offensive de séduction.

— Non, conclut finalement Rima, je préfère dîner seule avec vous.

Tous les espoirs étaient permis.

— Je vous retrouve devant l'ambassade du Koweït ?

— D'accord, fit-elle. À sept heures. Aujourd'hui, il n'y a pas trop de clients.

Malko raccrocha au moment où on sonnait pour la seconde fois. Il se dirigea vers la porte. Certains employés étaient plus timides que d'autres.

* *
*

Le lieutenant Farid Karam, son portable collé à l'oreille, regardait les étages défiler sur le cadran lumineux. De plus en plus inquiet : son subordonné ne répondait pas…

Enfin, la cabine s'arrêta au vingtième étage et il jaillit

dans le couloir, «photographiant» immédiatement l'homme arrêté devant la porte de la chambre 2020.

Où était Ali El-Rami ?

Il avait déjà la main sur la crosse de son arme de service, un Beretta 92. Lorsque l'inconnu se retourna, un long pistolet noir à la main, il était en train de faire monter une balle dans le canon.

Imad Mugniyeh tira une fraction de seconde avant le lieutenant Karam. Son projectile lui déchira la carotide gauche, faisant ensuite éclater deux vertèbres cervicales. Une blessure mortelle. Pourtant, le policier libanais eut le temps d'appuyer sur la détente de son Beretta. Déjà, sa vue se brouillait, le sang jaillissait de sa carotide jusqu'au mur d'en face.

Son bras retomba et il perdit connaissance.

*
* *

Le coup de feu claqua au moment où Malko retirait la chaîne de sécurité. Il se figea, tétanisé, le pouls à 200 ! Instinctivement, il colla son œil au «mouchard», distinguant une vague silhouette devant sa porte et un corps étendu dans le couloir.

Et le Herstal des Saoudiens qui était resté dans la Mercedes !

Il vit l'homme immobilisé devant sa porte se retourner et diriger le canon d'une arme contre le battant.

Malko n'eut que le temps de plonger dans la salle de bains. Il y eut deux chocs sourds contre le bois. S'il était resté devant la porte, il prenait deux balles dans la poitrine. Il se rua sur le téléphone de la salle de bains et fit le «0».

— *Yes mister* Linge, fit la voix sucrée de l'opératrice ; que puis-je faire pour vous ?

— Il y a un homme armé dans le couloir ! lança Malko, appelez la sécurité. Vite.

*
* *

D'abord, Imad Mugniyeh n'éprouva qu'une sorte d'engourdissement dans l'épaule gauche. Bien sûr, il avait ressenti un choc violent, après le coup de feu, mais sans réaliser qu'il était touché. Puis, la douleur se diffusa brutalement et il sentit un liquide chaud couler le long de sa manche.

Il était blessé.

La tête lui tournait légèrement. Fou de rage, il braqua son pistolet sur le battant de la porte et appuya deux fois sur la détente. Puis, son instinct de survie reprit le dessus. Le coup de feu, au minimum, avait alerté sa cible. S'il ne l'avait pas atteint à travers la porte, c'était fichu. Il n'ouvrirait plus.

En plus, il était sûrement armé.

Il plongea dans l'entrée de service et dévala l'escalier. Pas question de prendre l'ascenseur. Tout en descendant, il mit un chargeur neuf dans son arme. Il risquait d'en avoir besoin. La frustration l'étouffait, mêlée à la fureur. Pourquoi Walid Jalloul ne l'avait-il pas averti que cet agent de la CIA était sous la protection de la police libanaise ?

*
* *

Par l'œilleton de la porte, Malko vit surgir des ascenseurs des gardes de sécurité, puis deux policiers en uniforme. Très vite, il furent une demi-douzaine dans le couloir, se répandant partout. Il ouvrit alors sa porte et un des hommes l'interpella.

— C'est vous, *sir*, qui avez donné l'alarme ?

— Oui, dit Malko, j'ai entendu un coup de feu, puis deux balles ont été tirées dans ma porte. Je ne comprends pas…

Un membre de la sécurité surgit d'une pièce de service et cria :

— Il y a un type mort, ici.

Un autre avait ouvert le portefeuille de la victime, découvrant sa carte de police.

— *Khara* [1] ! Ce sont des flics !

Malko s'éloigna de la porte, atterré. Il devinait ce qui s'était passé.

En plus du Hezbollah, il était surveillé par un Service libanais ! C'étaient les hommes chargés de le surveiller qui lui avaient involontairement sauvé la vie...

Imad Mugniyeh émergea dans la rue Omar-el-Darik par la porte de service du *Phoenicia* et s'éloigna rapidement à pied. Il avait glissé un mouchoir dans la manche de son blouson pour arrêter le sang dégoulinant jusqu'à son poignet. Une brûlure horrible lui déchirait l'épaule gauche, s'ajoutant à sa frustration.

Au moment où il sortait de la petite rue, deux voitures de police surgirent dans un concert de sirènes et, après un demi-tour fulgurant, stoppèrent devant le *Phoenicia*, déversant des policiers.

Les deux *chebabs* du Hezbollah étaient déjà, eux aussi, en train de faire demi-tour. Ils cueillirent Imad Mugniyeh le long du *Holiday Inn*. Le Libanais se laissa tomber à l'arrière de leur Toyota et grommela :

— J'en ai pris une !

— Où ? demanda un des deux garçons.

— L'épaule. Tu connais un médecin ?

— *Aiwa.* Courage, mon frère, on va bien te soigner.

Tandis qu'ils montaient vers la tour Murr, Imad Mugniyeh ferma les yeux, essayant de ne pas perdre

1. Merde !

connaissance devant ces jeunes militants. Il bouillait de
rage. Non seulement il avait failli se faire tuer, mais
son ennemi était toujours vivant. Il jura silencieuse-
ment devant Allah que cet agent de la CIA ne quitte-
rait pas le Liban vivant.

CHAPITRE XV

Le colonel Mourad Trabulsi, le visage sombre, contemplait le corps de ses deux hommes allongés sur des civières. Sur son ordre, l'interrogatoire de l'occupant de la chambre 2020 avait été succinct, ne concernant que le signalement de celui qui était vraisemblablement le meurtrier des deux policiers. On savait comment il avait pu quitter l'hôtel, car on avait retrouvé quelques taches de sang dans l'escalier de service.

L'officier des FSI avait parfaitement reconstitué ce qui s'était passé. C'était la suite de l'affaire de Baalbeck. Le Hezbollah avait voulu punir un des complices des Israéliens On ne retrouverait jamais le tueur, un *chebab* anonyme venu de la banlieue sud.

Lorsqu'il remonta dans sa voiture de service, il fut tenté d'aller voir Walid Jalloul, puis se ravisa. À quoi bon ? L'homme du Hezbollah prétendrait n'être au courant de rien. D'ailleurs, lui-même était persuadé que le tueur dépêché pour tuer l'agent de la CIA ignorait la présence des policiers ; c'était un accident. En tout cas, les Américains lui devaient une fière chandelle. Sans sa surveillance, l'agent de la CIA aurait été abattu. Il n'avait plus qu'à rédiger un rapport où il ne mentionnerait même pas le Hezbollah.

Il ne voulait pas se mêler du duel Hezbollah-Israël.

Cela ne ressusciterait pas le lieutenant Karam ni l'adjudant-chef El-Rami.

*
* *

Visiblement, Rima n'avait pas écouté la radio ou regardé la télévision. Elle semblait même d'excellente humeur en montant dans la voiture de Malko.

– Vous avez parlé à Tamara ? dit-elle.

– Oui, reconnut Malko, elle m'a conseillé de vous violer...

– Ce n'est pas vrai ! protesta la chiite. D'abord, personne ne pourra me violer. Si vous ne voulez plus me voir, c'est facile.

Elle le défiait ouvertement.

Malko l'enveloppa d'un regard gourmand. Ce qui s'était passé dans l'après-midi avait réveillé sa libido. Chaque fois qu'il frôlait la mort, il éprouvait une irrésistible pulsion sexuelle. Hélas, il ne pouvait pas révéler la vérité à Rima. Décidé à prendre ses marques tout de suite, il se pencha, caressant sa poitrine à travers son haut toujours aussi ajusté.

– Je veux vous voir, dit-il, et vous violer.

Elle ne retira pas sa main mais demanda :

– Où va-t-on dîner ? Il paraît que le *White*, c'est sympa. Sur le toit de l'immeuble d'Al-Nahar.

– Va pour le *White*, accepta Malko.

Ils filèrent vers le centre. Le *White* se trouvait en bas de la place des Martyrs.

– Qu'est-ce que vous avez fait aujourd'hui ? demanda Rima.

– J'ai pensé à vous, prétendit Malko.

Il avait encore dans les oreilles les remarques horrifiées de Christopher Stafford, lorsqu'il l'avait mis au courant de la tentative de meurtre contre lui. Mais cela se déroulait dans un univers parallèle.

Très éloigné de celui de Rima.

*
* *

Mourad Trabulsi n'avait pas dîné. Le niveau de la bouteille de Chivas baissait à vue d'œil. C'était sa façon à lui de prendre le deuil de ses deux hommes. En plus, il allait devoir expliquer pourquoi il avait mis l'agent de la CIA sous surveillance sans l'autorisation de sa hiérarchie.

Tout cela était contrariant.

Il termina ce qui restait dans son verre et quitta son bureau, décidé à aller s'encanailler chez les putes russes. Il avait besoin de se vider le cerveau.

Il se dit, en montant dans sa voiture, que cette fois l'agent des Américains allait décamper de Beyrouth.

*
* *

Sur la terrasse en plein air du *White*, on dansait entre les tables, face à la mer.

Miracle, Rima s'était coulée contre Malko et, enlacé dans un coin, loin du bar bruyant occupé par la jeunesse dorée beyrouthine, il commençait à rêver. La chiite semblait plus abordable, ce soir. Ils retournèrent à la table, il vida ce qui restait de la bouteille de Taittinger Comtes de Champagne dans leurs flûtes et appela le garçon. Rima ne réagit pas. Le champagne semblait l'avoir anesthésiée. Ils repartirent.

Elle ne remarqua pas les deux trous dans la porte de la chambre du *Phoenicia*. Malko l'enlaçait déjà. Elle leva le visage vers lui.

– Je ne veux pas faire l'amour, répéta-t-elle fermement.

Comme pour adoucir cette profession de foi, elle se pendit aussitôt au cou de Malko, et l'embrassa avec passion. Très vite, elle flamba comme un feu de Bengale, ses ongles plantés dans sa nuque, son ventre

collé au sien. Lui n'en pouvait plus. Il la souleva
et la jeta sur le lit où elle reprit aussitôt son baiser furieux. Elle l'embrassait, le mordait, en pleine
hystérie sexuelle.

Mais sans laisser Malko lui ôter sa carapace.

Soudain, il n'en put plus.

Sans cesser de l'embrasser, il défit son Zip et se
libéra, se recollant aussitôt à Rima. Celle-ci fit un bond
en arrière :

— Non ! souffla-t-elle, vous allez tacher ma jupe.

Une femme d'expérience !

— Ôtez-la !

— Non, je ne veux pas faire l'amour ! Pas encore.

— Je crois que je vais vraiment vous violer, lâcha
Malko.

Elle mesura la tension de sa voix et soudain, il sentit ses doigts se nouer autour de lui. Comme l'autre
soir. Mais, cette fois, il n'hésita pas. Prenant Rima par
la nuque, il la courba vers lui.

Elle résista un peu.

Quand il sentit sa bouche l'effleurer, il faillit exploser sur-le-champ. Inconsciemment, il pesa encore plus
sur la nuque de la jeune chiite et éprouva soudain une
sensation exquise en sentant son membre glisser doucement dans la bouche de Rima. Par prudence, il continua à lui tenir la nuque, tellement excité qu'il faisait
des bonds de cabri sur le lit, baisant cette bouche
comme il l'aurait fait d'un sexe.

Quand sa semence jaillit, il cria, de toute la force
de ses poumons. Rima ne chercha même pas à lui
échapper, l'avalant docilement.

Il avait l'impression de revivre.

Lorsqu'elle arracha enfin sa bouche de lui, elle
souffla d'un ton de reproche :

— Tamara avait raison. Vous m'avez violée.

*
* *

L'Orient-Le Jour faisait sa une sur le double meurtre de l'hôtel *Phoenicia*, avec les photos des deux policiers assassinés et une ribambelle de déclarations stigmatisant cet attentat.

Prudemment, aucun commentateur n'émettait d'hypothèse. Comme toujours au Liban, les choses étaient compliquées. Aucune mention de Malko non plus. Comme s'il n'avait pas existé. Ce dernier abaissa son journal : ils arrivaient à l'ambassade américaine. Très tôt, Christopher Stafford l'avait prévenu qu'une réunion d'urgence était organisée à Chypre. Lui-même viendrait le retrouver à l'ambassade.

Effectivement, il accueillit Malko à sa descente de voiture, le visage sombre.

– Ça tape de tous les côtés, annonça-t-il. Les Allemands sont furieux, les Schlomos[1] également, et Langley demande des explications.

– Et moi, rétorqua Malko, je devrais être mort ! C'était une mission mal engagée. Vouée à l'échec. Les Israéliens ont essayé de nous faire faire le travail qu'ils n'ont pas mené à bien en dix ans...

– Qui a pu les prévenir ? demanda le chef de station.

– Peut-être Greta Mugniyeh, dit Malko. J'ai été imprudent de lui faire cette proposition. Elle a pu avertir le neveu de son mari, Imad Mugniyeh.

L'Américain fronça les sourcils.

– Pourquoi la mêlez-vous à cela ?

– Je ne vous l'ai pas dit hier, mais je suis à peu près certain que c'est lui qui est venu au *Phoenicia* pour me tuer.

L'Américain eut un haut-le-corps.

– Imad Mugniyeh est à Beyrouth !

– Il y était hier, corrigea Malko.

– Nous avons promis aux Libanais une prime de

1. Israéliens.

cinq millions de dollars s'ils nous aidaient à le capturer, remarqua amèrement le chef de station. Ils ne nous
ont rien dit.

– Ou ils ignoraient sa présence, ou ils sont prudents.
L'Américain s'ébroua.

– *Let's roll*[1], l'hélico nous attend.

À peine étaient-ils dans le Blackhawk qu'il s'arracha de l'héliport et fonça vers la mer. Malko regarda
Beyrouth allongée paresseusement sous le soleil. Une
sorte de Miami, avec pas mal de choses en plus. La vie
aurait pu y être si agréable…

Imad Mugniyeh regarda le pansement enveloppant
toute son épaule gauche. Il ne souffrait plus grâce à la
morphine. Le projectile avait tracé un sillon dans ses
muscles et il ne pourrait plus se servir de son bras pendant quinze jours. Le médecin du Hezbollah venu le
voir lui tendit un sac contenant des médicaments.

– Reposez-vous, recommanda-t-il. Normalement, il
n'y aura aucune séquelle.

Walid Jalloul, qui ne quittait plus Imad Mugniyeh
depuis la veille, renchérit, dès que le médecin fut parti :

– Abu Imad, je comprends la haine que tu éprouves
pour cet homme, mais le *sayyed* est très contrarié. Tu
as tué deux policiers des FSI. Le général Rifi va vouloir
se venger.

– Il faudra payer le prix du sang, grommela Imad
Mugniyeh.

– Je vais être obligé d'aller leur présenter mes
excuses, insista Walid Jalloul. Maintenant, il faut que
tu quittes Beyrouth.

– Non, jappa Imad Mugniyeh. Je veux que cet
homme meure.

1. On y va.

Walid Jalloul réussit à sourire.

— Abu Imad, tu penses bien qu'il est déjà parti !
Les FSI risquent de te rechercher. Cela va être difficile. Pars te reposer, dans le Hermel, ou plus loin. Tu
reviendras plus tard. Je te tiendrai au courant.

Imad Mugniyeh ne répondit pas, sachant que Walid
Jalloul avait raison. Rester à Beyrouth ne servait à rien.
De mauvaise grâce, il laissa tomber :

— Je suis désolé de cet incident, j'ai été obligé de me
défendre. Je vais aller dans le Hermel.

— *Allah maak*[1] *!* approuva le chef de la Sécurité du
Hezbollah.

Personne n'avait touché aux petits gâteaux, au thé,
au café ou aux boissons sans alcool disposés sur la
table basse. La réunion se tenait dans une salle en
sous-sol de l'ambassade américaine de Chypre, mal
climatisée, éclairée par des néons blafards, où flottait
une vague odeur de mazout.

Un vrai trou à rats.

Malko examina les participants. Meir Feldman avait
le teint crayeux, le regard vide, les mâchoires crispées ;
le prince Mohammed Al-Faysal semblait mal réveillé.
Seul Christopher Stafford faisait bonne figure. Depuis
le début de la réunion, ils avaient d'abord écouté le
récit du chef du Mossad, détaillant le guet-apens où
étaient tombés les hommes de la *Sayeret Matkal*. Le
Premier ministre avait refusé sa démission, mais les
militaires étaient furieux, l'accusant de légèreté.

— Je me suis reposé sur vous, conclut-il en regardant
Christopher Stafford et en pensant à Malko.

Le prince Mohammed Al-Faysal prit la parole à son

1. Qu'Allah t'accompagne !

tour. Il était moins concerné, n'ayant perdu personne dans l'opération, mais sa déception était visible.

— J'avais prévenu que c'était une folie de vouloir enlever Hassan Nasrallah, martela-t-il. Si vous aviez choisi ma solution, il y aurait eu une opération aérienne, sans pertes humaines.

Christopher Stafford se tourna vers Malko.

— Mon cher Malko, pouvez-vous nous expliquer pourquoi cette opération a échoué ?

Malko sentit la moutarde lui monter au nez.

— Parce qu'elle relevait de l'impossible, répliqua-t-il sèchement. Nos amis israéliens n'ont jamais réussi contre Nasrallah. Ils sont pourtant bien placés. L'agent saoudien qui pensait avoir recruté une « source » au sein du Hezbollah a été abusé. Sa fin tragique aurait dû sonner le glas de cette opération. Le Hezbollah avait donc détecté une menace et a activé ses défenses.

Il se tut et but un peu d'eau. Devant sa virulence, Christopher Stafford adopta un ton conciliant pour enchaîner :

— Concrètement, qu'est-ce qui a foiré ?

— Je pense que le Hezbollah m'a repéré à Byblos, expliqua Malko. Ensuite, ils ont dû me surveiller et découvrir que j'étais en contact avec Dieter Muller. Et ils ont monté leur contre-offensive. À moins que M. Feldman en sache plus.

Le chef du Mossad hocha la tête. Son regard de tueur était éteint.

— De notre côté, les liaisons ont parfaitement fonctionné, affirma-t-il. Les agents locaux que nous avons utilisés n'ont été ni repérés, ni inquiétés.

— Pourtant, releva Malko, mon SOS à un certain Mahmoud n'a pas été relayé. Je n'ai jamais eu de retour.

— Je l'ignorais, avoua le chef du Mossad. Je vais éclaircir ce point.

De nouveau, Malko fut submergé par la fureur.

– Vos interceptions techniques n'ont rien décelé d'inquiétant ?

– Non, assura Meir Feldman, mais le Hezbollah est très étanche.

– Je vous rappelle, conclut Malko, qu'un commando du Hezbollah est venu tenter de m'abattre hier au *Phoenicia*. Un homme que vous connaissez tous et que j'ai traqué, il y a quelques années : Imad Mugniyeh.

Meir Feldman se réveilla.

– Il était à Beyrouth ! Nous le pensions en Iran.

– Hier, il était même au *Phoenicia*, ironisa Malko. À ce sujet, je vous signale que notre opération a été aussi éventée par la police libanaise. Sans leur surveillance, j'aurais été abattu.

– Il s'agissait d'hommes des FSI, précisa Christopher Stafford. Je pense qu'ils ont été surpris aussi. Maintenant, nous sommes ici pour savoir quelle suite donner à cette opération.

– Je crois qu'il faut démonter, proposa Malko. D'autant que je suis désormais « ciblé » par le Hezbollah.

– En ce qui me concerne, répéta le prince Mohammed Al-Faysal, je crois que c'était une erreur de vouloir enlever Nasrallah. Il fallait le tuer. Et il faut toujours le tuer.

Au moins, il avait de la suite dans les idées. Les yeux baissés, il évitait de regarder Malko. Meir Feldman prit la parole à son tour.

– Mon gouvernement souhaite plus que jamais l'élimination de Hassan Nasrallah, confirma-t-il. Surtout après le raid manqué de Baalbeck. Le Premier ministre, Ehoud Olmert, me l'a confirmé hier soir. Je suis donc d'avis de continuer l'opération, avec des moyens accrus. Mais je suis d'accord avec notre ami le prince Al-Faysal, Nasrallah mort nous satisfera amplement…

– Vous auriez dit cela plus tôt, trancha Malko, vous n'auriez pas eu de pertes…

Meir Feldman ne répliqua pas. Malko venait de se
faire un ami...

Il n'y avait plus que Christopher Stafford à devoir
parler. Il feuilleta un dossier et leva la tête, évitant de
regarder Malko pour annoncer :

– J'ai reçu, moi aussi, des instructions de la Maison
Blanche. Le président George W. Bush insiste pour
que l'élimination physique de Hassan Nasrallah soit
effective le plus vite possible. Il a signé un *finding* dans
ce sens.

Malko avait envie de lui sauter à la gorge. Le chef
de station s'était bien gardé de l'avertir durant le trajet depuis Beyrouth. Comme s'il avait pressenti la
réaction de Malko. L'Américain se tourna vers lui.

– Mon cher Malko, j'ai aussi reçu un message qui
vous est destiné, de la part du *Special Advisor for Secu-
rity* de la Maison Blanche, Frank Capistrano. Il insiste
pour que vous persévériez dans cette mission d'une
importance capitale pour l'équilibre du Moyen-Orient.

Malko crut entendre le claquement des mâchoires du
piège qui se refermait sur lui... Le représentant de
l'Arabie Saoudite ne perdit pas de temps.

– Cette fois, il faut le tuer, lança-t-il.

Meir Feldman resta muet, mais Malko pouvait voir la
lueur de triomphe dans ses yeux froids. Une fois de plus,
Israël avait manipulé les Américains. Ehoud Olmert
avait beaucoup plus besoin d'éliminer Hassan Nasrallah
que George W. Bush. Le public américain ne connaissait même pas le nom du chef du Hezbollah...

Christopher Stafford prit le temps de boire une
gorgée de thé avant de se tourner vers Malko, avec un
sourire suave.

– Nous sommes tous d'accord sur la finalité de l'action. Je pense que nos amis de Jérusalem sont prêts à
nous apporter la même aide logistique, si besoin est.

– Sans problème, confirma le chef du Mossad.

– Et sur le plan opérationnel, jappa Malko, qu'est-ce que vous allez apporter ?

Meir Feldman ne se troubla pas.

– Comme vous le savez, nos ressources en « intelligence humaine » sont faibles au Liban, mais notre réseau logistique fonctionne bien. Et lui n'a pas été pénétré.

– Et de votre côté ? demanda Malko au prince Al-Faysal.

Le Saoudien exhiba ses dents éblouissantes dans un sourire plein d'optimisme.

– Nos camions du Croissant-Rouge continuent à sillonner le sud du Liban. Nous recueillons beaucoup d'informations. Elles seront, bien entendu, à votre disposition.

Malko eut un sourire froid.

– Ce que vous apportez n'a aucun intérêt. J'ai besoin de savoir, à un moment prévisible, la localisation exacte de Hassan Nasrallah. Dans un site accessible aux moyens dont nous disposons.

– Notre aviation peut frapper partout, affirma aussitôt Meir Feldman.

– Il doit vous manquer quelque chose, ironisa Malko, puisque Nasrallah est toujours vivant.

– Il est obligé de se cacher, rétorqua l'Israélien, vexé. Il se terre comme un rat.

– Un rat bien vivant...

Cela s'envenimait. Christoffer Stafford joua aussitôt les pompiers.

– Malko, dit-il, disposez-vous d'une piste ?

Il eut envie de lui dire « non », mais sa conscience professionnelle l'emporta.

– Peut-être, reconnut-il. Comme vous le savez, grâce à Dieter Muller, j'ai un contact avec un membre de la famille Mugniyeh...

Devant la stupéfaction de l'Israélien et du Saoudien, il s'expliqua.

– C'est formidable ! conclut le chef de station de Beyrouth. Par cette personne, nous allons sûrement arriver à Nasrallah !

Meir Feldman regarda sa montre.

– Je dois m'en aller. Je vous souhaite bonne chance.

La réunion était terminée. Quand ils ressortirent à l'air libre, Malko était vert de rage.

– Vous m'avez bien piégé, lança-t-il à Christopher Stafford.

L'Américain le prit par le bras.

– Non. Moi, je voulais arrêter les frais. C'est la Maison Blanche qui a insisté. Frank Capistrano. Il pense que vous êtes capable de mener cette mission à bien.

– En quelques années, peut-être, pas en quelques semaines, corrigea Malko. Le Hezbollah est comme un œuf d'acier, sans ouverture, et les Israéliens le savent bien.

– O.K., reconnut l'Américain, c'est dur mais vous êtes un dur. En quoi puis-je vous aider ?

Ils prirent place dans la voiture qui les ramenait à l'héliport.

– D'abord, dit Malko, il faut remercier ceux qui m'ont sauvé la vie. Puisqu'ils m'ont identifié, autant les avoir de notre côté. Essayez aussi d'avoir des informations sur Imad Mugniyeh. Par les écoutes, les drones, ce que vous voulez.

– C'est promis ! jura l'Américain. Mais je ne garantis rien. Cela fait vingt ans que nous le traquons en vain…

En fait, Malko ne pouvait compter que sur lui-même. Tandis qu'ils volaient en direction de Beyrouth, il se dit que c'était la première fois de sa vie qu'il n'avait pas envie de revenir au Liban. Persuadé qu'un homme comme Imad Mugniyeh n'avait pas renoncé à sa vengeance.

CHAPITRE XVI

Le rotor du Blackhawk tournait encore quand Christopher Stafford et Malko atteignirent le parking voisin de l'hélipad de l'ambassade américaine de Beyrouth. Le chef de station de la CIA se retourna vers Malko.

– Je vous ai fait préparer une chambre dans l'aile réservée aux hauts fonctionnaires de passage, annonça-t-il. Je pense que vous y serez très bien.

Malko s'arrêta net.

– Vous voulez que je réside à l'ambassade ?

Christopher Stafford hocha la tête affirmativement.

– Je pense que c'est la meilleure solution. Ici, vous avez 100 % de sécurité, vous pouvez puiser dans notre parc automobile pour vous déplacer et le Hezbollah pensera que vous avez quitté Beyrouth.

Malko le regarda bien en face.

– *No way*[1]. Je n'ai pas envie de vivre en cage. D'autre part, un des deux fils que j'ai à tirer, c'est Rima, la dentiste de Hassan Nasrallah. Pour ne pas l'alerter, je dois mener une vie normale. Je me vois mal l'amener ici...

– Le Hezbollah a sûrement identifié ce contact, observa le chef de station. Vous ne la reverrez pas...

---

1. Pas question.

Peu à peu, le ronflement du rotor s'atténuait. Ils pouvaient enfin se parler sans crier.

— Je ne pense pas, rétorqua Malko. Le Hezbollah m'a repéré à cause de mes contacts avec Dieter Muller. Comment ? Je ne sais pas encore. Il est possible que ce soit à travers Greta Mugniyeh, mais ce n'est pas certain. C'est la première chose que je vais tenter d'élucider.

— Comment ?

— C'est très simple : en lui tendant un piège. On le saura très vite. Si vous craignez pour moi, donnez-moi des « baby-sitters ».

— J'ai l'interdiction d'utiliser des gens de l'Agence, objecta l'Américain.

— Vous avez encore quelques « locaux »… Et puis, les gens des FSI ne nous semblent pas hostiles. Vous devriez pouvoir négocier quelque chose. O.K. Vous me donnez une voiture pour retourner en ville ?

Christopher Stafford secoua la tête, dépité.

— *You're fucking crazy*[1]…

Malko sourit.

— À mon âge, on ne se refait pas… Ce n'est pas en se « bunkerisant » qu'on obtient des résultats. Voyez l'Irak. Mais je ne suis pas suicidaire. Envoyez-moi des « baby-sitters ». Vous devez bien avoir quelques membres des Forces libanaises qui ont faim.

Vaincu, Christopher Stafford laissa tomber :

— Vous me signerez un papier disant que vous refusez d'être logé à l'ambassade. Sinon, s'il vous arrive quelque chose, je suis viré et je perds ma retraite.

***

Greta Mugniyeh ouvrit fébrilement son portable, le cœur battant. Hussein, le jeune militant du Hezbollah,

---

1. Vous êtes complètement fou.

ne lui avait plus donné signe de vie depuis leur retour
de Tyr. Elle était déçue, à tous points de vue.

– Allô, dit-elle.

À tout hasard, d'une voix caressante.

– *Frau* Mugniyeh ?

Ce n'était pas la voix d'Hussein.

– *Jawohl.*

– *Herr* Lohman. Pouvez-vous passer à l'ambassade
à deux heures ? Nous avons un message à vous transmettre de la part du BND.

– Quel message ?

– Je vous le dirai de vive voix, *Frau* Mugniyeh. *Auf
wiedersehen.*

*
* *

– Il n'a pas quitté Beyrouth, *sidi*, annonça un des
hommes de Walid Jalloul à son chef. Il est revenu au
Phoenicia.

Plusieurs membres du personnel de l'hôtel rensei-
gnaient gratuitement le Hezbollah.

– Il est encore protégé par les FSI ? demanda le chef
de la Sécurité du Hezbollah.

– On ne le sait pas.

– Vérifiez.

Resté seul, Walid Jalloul appela Hassan Nasrallah
pour l'avertir que l'agent de la CIA à l'origine de la
tentative d'enlèvement était toujours à Beyrouth. Ce
qui impliquait une nouvelle opération en cours. Il était
sûr qu'il s'agissait d'un kidnapping, sinon les Israéliens se seraient contentés d'aplatir la mosquée où
ils croyaient Hassan Nasrallah présent. Le leader du
Hezbollah ne se troubla pas.

– Si c'est la volonté de Dieu, je serai frappé, Walid.
Je compte sur toi pour me protéger.

– Devons-nous éliminer cet homme, *sayyed* ?

– Pas tant qu'il n'est pas dangereux. Nous ne

devons pas faire de provocations. Où se trouve le frère
Imad ?

– Il est reparti au Hermel, *sayyed*.

– Ne lui mentionnez pas ce retour, recommanda le
chef du Hezbollah. Sa vengeance est légitime et c'est un
de nos meilleurs combattants, mais nous sommes enga-
gés dans un combat politique vital. Nous devons, à tout
prix, veiller à notre image. As-tu découvert comment cet
homme a transmis ses informations aux Sionistes ?

– Non, probablement par l'ambassade américaine.

– Essaie de vérifier, Walid.

Après avoir raccroché, Walid Jalloul fit mentalement le point. La protection du chef du Hezbollah était
sans faille. Aucun militant ne se laisserait circonvenir.
Lui-même, en ce moment, ignorait où se trouvait son
chef. La ligne qu'il venait d'utiliser était cryptée. Les
hommes assurant la sécurité rapprochée du *sayyed*
étaient hors d'atteinte. Même leurs familles ne savaient
pas ce qu'ils faisaient. Les Services libanais ignoraient
leur identité. En plus, Hassan Nasrallah ne se déplaçait
pas beaucoup. Les équipes d'Al-Manar venaient l'in-
terviewer dans des lieux inconnus. Il n'avait ni vie
mondaine ni activité politique. Depuis le début de la
guerre, il ne s'était pas montré une seule fois en public.
Il s'était même excusé auprès la plus haute autorité reli-
gieuse des chiites, le cheikh Fadlallah, de ne pas lui
avoir rendu sa visite mensuelle. Fadlallah s'était réfugié en Syrie et c'eût été imprudent de se rendre là-bas.

Même leurs amis iraniens ignoraient où il se
trouvait, et n'en prenaient pas ombrage.

Hassan Nasrallah était invulnérable, conclut Walid
Jalloul. Cet agent de la CIA allait se casser les ongles
sur la coque d'acier déployée autour de lui. Le *sayyed*
avait raison : inutile de l'éliminer, il était inoffensif.

*
* *

Greta Mugniyeh, en pull et en pantalon, pas maquillée, ressemblait à toutes les ménagères de moins de cinquante ans. Elle sursauta en voyant Malko pénétrer dans le petit salon de l'ambassade d'Allemagne où elle poireautait depuis vingt minutes.

— *Wie geht's, Frau* Mugniyeh [1] *?* demanda-t-il aimablement.

— Vous avez des nouvelles de mon mari ?

Il secoua la tête.

— *Nein.* Nous ne voulions pas parler au téléphone. Où en êtes-vous ?

L'Allemande arbora une expression dépitée.

— Nulle part. Le voyage à Tyr s'est très bien passé, mais, depuis, je n'ai pas revu Hussein. Il ne m'a même pas téléphoné.

— C'est fâcheux, dit Malko. Parce que vous avez une occasion de sortir de votre situation.

— Comment ?

Malko baissa la voix.

— Les Israéliens ont infiltré un commando au Liban. Ils ont intercepté des communications téléphoniques selon lesquelles Hassan Nasrallah va rencontrer d'ici quarante-huit heures le trésorier du Hezbollah, Mohammed Yazbeck, dans le village de Boudai, dans la Bekaa. Ils souhaiteraient une confirmation. Pouvez-vous nous aider ?

Greta Mugniyeh resta muette plusieurs secondes. Visiblement désemparée.

— Mais, comment ? demanda-t-elle.

— Par votre ami Hussein…

L'Allemande secoua la tête.

— D'abord, je vous ai dit ne pas l'avoir revu. Je peux lui téléphoner, bien sûr, mais c'est impossible de lui poser des questions aussi directes.

Malko se leva.

1. Comment ça va, madame Mugniyeh ?

– Faites ce que vous pouvez. C'est dans votre intérêt. Dès que vous aurez quelque chose, appelez *Herr*
Lohman.

Il lui baisa la main et la raccompagna. En la voyant
descendre les marches du perron, il se dit que soit
c'était une formidable comédienne, soit elle ne jouait
pas double jeu… Par contre, le relâchement de sa
relation avec le jeune Hussein était fâcheux.

En tout cas, si elle trahissait, le Hezbollah allait
réagir. Il ne pourrait pas résister à l'idée de capturer un
commando israélien. Il n'y avait plus qu'à prévenir
Jérusalem *via* Christopher Stafford, de façon que les
Israéliens surveillent la zone avec leurs drones pour y
déceler une activité inhabituelle.

Christopher Stafford avait invité le général Trabulsi
à déjeuner à l'ambassade américaine et le traitait roya-
lement. Prétexte officiel : le remercier de l'intervention
de ses hommes qui avaient sauvé le chef de mission de
la CIA, Malko Linge. Ce dernier étant « grillé », inutile
de finasser entre professionnels.

– Nous n'oublierons pas le sacrifice de vos
hommes, conclut l'Américain. J'ai reçu l'autorisation
de Langley de leur verser une compensation financière.
Pensez-vous que 50 000 dollars à chaque famille soit
une somme correcte ?

Mourad Trabulsi approuva vigoureusement.

– C'est une somme importante. Je vous remercie en
leur nom.

Le garçon – un *junior officer* de la CIA – apporta les
cafés.

– Avez-vous une idée de l'identité de l'assassin ?
demanda le chef de station.

– Non, avoua le général Trabulsi. L'arme qui les
a tués a été livrée officiellement au gouvernement

israélien il y a six ans, probablement échangée contre du haschich, dans le Sud, pendant l'occupation israélienne.

Version qui avait l'intérêt de « dédouaner » le Hezbollah. On n'est jamais assez prudent.

– Vous pensez retrouver le ou les meurtriers ? insista Christopher Stafford.

Mourad Trabulsi ferma l'œil droit dans un de ses tics favoris.

– Je suis certain de ne *pas* le retrouver. Mon chef, le général Ashraf Rifi, m'a demandé de ne pas poursuivre l'enquête. Nos hommes sont morts à cause d'un accident regrettable. Ils n'étaient pas visés. Nous ne voulons pas nous mêler des affaires qui ne nous concernent pas directement.

Christopher Stafford encaissa sans rien dire. C'était le Liban. Tous les jours, des gens étaient assassinés sans que jamais aucune arrestation ne s'ensuive. Il restait la question-clef :

– Allez-vous continuer à surveiller Malko Linge ?

– Non, bien sûr.

Christopher Stafford soupira.

– C'est dommage. Vos hommes sont très efficaces. Néanmoins, si vous êtes averti d'une menace, essayez de me prévenir.

– Je n'y manquerai pas, promit le général Trabulsi. Vous savez les sentiments que j'éprouve pour votre pays...

Mieux valait ne pas les préciser... Ce bal des faux-culs terminé, les deux hommes s'étreignirent comme des amis d'enfance, réunis après une longue absence.

*
* *

Mourad Trabulsi s'assit à son bureau, la tête un peu lourde. Il n'était pas habitué à l'excellent bordeaux servi à l'ambassade américaine. Il était heureux que les familles de ses hommes reçoivent de l'argent. Cela calmerait la colère du général Ashraf Rifi. Évidemment, il n'avait pas tout dit au chef de station de la CIA. C'est vrai, il n'avait pas l'intention de continuer la surveillance de Malko Linge, mais par contre, avec les éléments déjà recueillis au cours des filatures, il voulait découvrir le réseau de communication clandestin israélien, révélé par le voyage de l'agent de la CIA au château de Beaufort. Et, bien sûr, il sonderait discrètement les activités de cet agent qui avait sûrement une bonne raison de rester à Beyrouth. Il appuya sur le bouton de son interphone et lança à sa secrétaire :

– Faites entrer Rachid et Osman.

Deux enquêteurs aguerris en qui il avait confiance. Rachid, un chiite laïque, maigre et effanqué comme un chat de gouttière, avait le visage mangé par son énorme moustache et Osman ne pensait qu'à se bourrer de pistaches dont il avait toujours des provisions dans les poches.

Deux bons flics, malins, retors et quasiment honnêtes.

Mourad Trabulsi leur remit le dossier de filature de leurs collègues assassinés, leur expliqua le but de leur enquête et conclut :

– Vous avez une semaine pour ramener quelque chose de tangible.

À partir de peu d'éléments : l'identité de l'homme à qui Malko Linge avait téléphoné de l'hôtel *Monroe* et surtout son étrange balade au château de Beaufort.

– Ce type n'est pas allé faire du tourisme là-bas, conclut le général des FSI. Il a sûrement rencontré un agent israélien, qui doit habiter du côté de Marjaaloun, ou plus bas dans la Bekaa.

– Mais on n'a rien sur ce type, *sidi*, protesta Rachid. Même pas un signalement. Et il n'existe peut-être pas.

Le général Trabulsi ne se démonta pas.

– Essayez de voir où on peut aller, à partir du

château de Beaufort. Demandez aux gens du Hezbollah, ils savent beaucoup de choses. Ils coopéreront. Ne revenez pas les mains vides. *Yallah*, au travail.

Il sentait ses yeux se fermer. Le bordeaux. Il s'assoupit, tout en remuant une petite idée bien agréable. Dans cette affaire très délicate, il était arrivé à obtenir les remerciements du Hezbollah et les félicitations des Américains.

Sans même s'en rendre compte, il se mit à ronfler, euphorique.

*
* *

Ils se tenaient très droits, l'air timide, dans les fauteuils à hauts dossiers du bar de *L'Albergo*. Silhouettes presque jumelles : musculeux, les cheveux gris en brosse, le regard froid et assuré, les gestes plutôt lents.

Deux vieux premiers communiants.

Le plus grand s'appelait Nabil Tannouri. Celui à qui il manquait l'annulaire de la main droite, Samy Haddad. Des anciens de l'équipe Hobeika, arraché prématurément à l'affection des siens trois ans plus tôt par la grâce de cent kilos de Semtex. Ils avaient de bonnes références : Sabra et Chatila, massacre de la famille Chamoun, plus quelques atrocités plus banales. À eux deux, ils avaient assez de sang sur les mains pour remplir une très grande baignoire.

— Monsieur Christopher nous a dit que vous aviez besoin de nous, avança timidement Nabil Tannouri. Nous sommes libres en ce moment…

Au chômage technique. Le camp chrétien n'assassinait plus qu'épisodiquement, même depuis la sortie de prison de Geagea, ancien partenaire d'Hobeika. Par contre, ces soldats perdus constituaient un excellent réservoir de main-d'œuvre pour la CIA.

— C'est exact, répondit Malko.

Il leur expliqua ce qu'il attendait d'eux : une protection rapprochée discrète et efficace.

— Pas de problème, assura Nabil Tannouri. On commence tout de suite. La voiture est en bas. Voilà nos numéros de portable.

Le temps pour Malko de les noter, ils étaient déjà dans l'ascenseur.

Christopher Stafford avait tenu sa promesse. Nabil et Samy étaient des « baby-sitters » inoxydables, féroces, dociles, et ne savaient même pas comment s'écrivait le mot « scrupule ». Le Liban avait encore du matériel humain de très bonne qualité, après quinze ans d'entraînement dans la férocité.

Rima, les yeux allongés au khôl, l'oval du hijab impeccable, arborait une tenue rouge, chemisier moulant avec des milliers de boutons. On ne voyait que ses grands yeux noirs, sa bouche très rouge et un bout de cheville. Elle se glissa, essoufflée, dans la Mercedes stationnée en face de l'ambassade du Koweït.

Malko ne put s'empêcher de fixer la grosse bouche dans laquelle il s'était répandu la veille.

— Pourquoi me regardez-vous comme ça ? demanda-t-elle.

Il ne pouvait vraiment pas le lui dire… Espérant bien faire encore quelques progrès.

— Je vous trouve ravissante, dit-il avec diplomatie.

On n'aurait jamais dit que vingt-quatre heures plus tôt, elle lui avait administré une fellation qui valait bien une médaille d'argent.

Il démarra, un œil sur le rétroviseur. Depuis le *Phoenicia*, une petite voiture sombre ne le quittait pas. Nabil et Samy, les Jumeaux du Crime.

— Où va-t-on ? demanda la jeune chiite.

— *Le Cocteau*.

Elle fit la moue

– C'est trop calme. J'ai envie de voir des gens. Toute la journée, je suis dans mon trou, au fond de la banlieue. Si on retournait au *White* ?

– Pourquoi pas.

Elle était déjà en train de retirer son hijab.

Lorsqu'ils débarquèrent sur l'immense terrasse, personne n'aurait pu soupçonner que cette jeune femme aux longs cheveux noirs, au maquillage provocant et à la tenue hypermoulante était une chiite de la banlieue sud.

Malko commanda, avec le dîner, une bouteille de Taittinger Comtes de Champagne Blanc de Blancs que Rima étrenna immédiatement.

Une brise tiède balayait la longue terrasse, la musique n'était pas trop forte. En regardant du côté du bar, Malko aperçut Nabil et Samy.

Soudain, un couple passa près d'eux et la femme adressa un petit signe amical à Rima.

– C'est une cliente, fit celle-ci. Son mari dirige une banque.

– Vous soignez beaucoup de célébrités ? demanda Malko.

– Beaucoup de riches chiites, mais ils sont souvent odieux. La femme du *sayyed*, elle, est très gentille. Pas de garde du corps, juste une secrétaire qui conduit sa voiture. Elle est douce, ne proteste jamais quand elle doit attendre et paie toujours comptant.

– Et lui, Hassan Nasrallah ?

– Le *sayyed* est venu seulement deux fois, dit Rima, avec ses gardes du corps. Je n'étais pas prévenue et j'ai eu très peur. Il y avait des hommes armés partout. Mais ils sont très polis.

– Qu'est-ce qu'il avait ?

– Je ne peux pas le dire, fit vivement Rima. Les Israéliens pourraient l'apprendre. C'est un secret médical…

Malko n'insista pas et reversa du Taittinger à la

jeune chiite. Leurs regards se croisèrent et elle détourna les yeux comme si elle avait lu dans ses pensées.

– Ce soir, avertit-elle, je rentre après le restaurant. Je commence très tôt demain matin.

Espérant la faire changer d'avis, il l'entraîna danser. Comme la veille, elle se coula contre lui et, très vite, Malko s'enflamma. Il avait vraiment très envie de cette ravissante allumeuse, qui maintenait son visage éloigné du sien alors que leurs bassins étaient soudés...

– Demain, nous pourrions dîner au *Phoenicia*, suggéra-t-il.

Rima se colla un peu plus à lui, comme pour s'excuser, et lui souffla à l'oreille :

– Demain, on ne peut pas se voir. La femme du *sayyed* a dit qu'elle viendrait tard, vers huit heures et demie.

Malko oublia instantanément le corps tiède pressé contre le sien. Après tout, il n'était peut-être pas demeuré à Beyrouth pour rien.

CHAPITRE XVII

Mouna Harb écoutait attentivement les explications de Malko, enfoncée dans un fauteuil, au bar du *Bristol*. Pas vraiment enthousiasmée par sa proposition.

– C'est très dangereux d'aller dans la banlieue sud, objecta-t-elle, il y a des miliciens hezbollah partout pour repérer les étrangers.

Malko trempa les lèvres dans sa vodka, dissimulant son agacement.

– D'après mes sources, rétorqua-t-il, la femme de Hassan Nasrallah n'a pas de garde du corps. Juste une secrétaire qui conduit la voiture. Mon idée est très simple : je connais l'heure de son rendez-vous, présentez-vous un peu avant, sous un faux nom. Vous attendez dans la salle d'attente, ce qui vous permet de la repérer. Ensuite, vous vous éclipsez et attendez en bas.

– Mais comment vais-je la suivre ? demanda la Saoudienne.

– Il y a deux solutions, suggéra Malko. Savez-vous conduire un scooter ?

– Oui.

– Le mieux est de venir en scooter. Sinon, vous demandez à un des agents de Fouad El-Rorbal de vous déposer et d'attendre. Après son rendez-vous dentaire, Mme Nasrallah retournera là où elle vit avec Hassan

Nasrallah, un endroit que personne n'a localisé. Il s'agit donc de recueillir une information vitale.

Mouna Harb alluma une cigarette, visiblement très nerveuse

— Je vais en parler à Fouad, reprit-elle. C'est pour ce soir ?

— Oui. Voilà l'adresse du dentiste. C'est un chrétien, très connu. Vous pourrez dire que vous avez entendu parler de lui par une amie.

Mouna Harb se leva. L'âme recroquevillée, d'après son regard affolé.

— Bon, conclut-elle, si Fouad me donne son feu vert, je vais là-bas. J'espère que tout se passera bien, mais j'ai peur. Je n'ai jamais fait une chose pareille…

Malko sourit.

— Si vous voulez persévérer dans le Renseignement, il faudra vous y accoutumer

Évidemment, c'était plus facile de satisfaire sexuellement les alliés du royaume saoudien, mais Malko n'avait guère le choix. Impossible d'envoyer un étranger. Là-bas, Mouna Harb, avec un hijab, n'attirerait pas l'attention. Si elle parvenait à suivre Mme Nasrallah jusqu'à son domicile, il aurait fait un pas de géant.

Imad Mugniyeh venait de dispenser un cours d'explosifs à de jeunes militants du Hezbollah venus des quatre coins du Liban. Ils l'avaient écouté comme le Messie : pour tous, il était une légende vivante, *The Unknown Warrior*, pour ceux qui parlaient anglais. Ses exploits passés lui valaient une aura incroyable. Cahoté dans une Jeep récupérée à l'armée syrienne, il étouffa un grognement de douleur : son épaule n'était pas encore cicatrisée.

Le médecin lui avait conseillé de rester allongé, mais il ne s'en sentait pas capable.

Plus que la douleur dans ses muscles, la frustration le rongeait. Alors que son ennemi mortel, celui à qui il n'avait jamais cessé de penser durant toutes ces années, se trouvait à portée de main, il était impuissant. Hassan Nasrallah lui avait fait savoir qu'il ne devait pas retourner à Beyrouth en ce moment où il y avait trop d'activités hostiles à l'égard du Hezbollah. Il fallait retarder sa vengeance

Les FSI lui en voulaient pour le meurtre des deux policiers, même si c'était un «accident». Le Hezbollah avait promis un geste financier. Quand l'argent aurait été versé aux familles, les choses s'apaiseraient. En attendant, Hassan Nasrallah avait d'autres chats à fouetter. Il fallait capitaliser sur sa victoire contre les Israéliens et prévoir la suite. Un grand projet était en discution à la *Choura*. Une manifestation de masse pour sceller cette victoire où Nasrallah lui-même, qui n'était plus apparu en public depuis plus de trois mois, réapparaîtrait enfin. Tous ses conseillers étaient contre ce projet : le risque de sécurité était trop grand.

Le tout était de trouver une parade, rendant une attaque israélienne politiquement impossible.

Imad Mugniyeh alluma une cigarette. Il était bien loin de tout cela. Il ne pourrait probablement plus jamais se montrer en public au Liban. Mais il s'en moquait. C'était un homme de l'ombre. En trente ans d'activités terroristes, seules deux photos de lui avaient été prises. On ne savait rien de sa famille, qui vivait désormais en Iran, avec lui. Seuls, quelques cousins se trouvaient encore dans son village de Torr Debba, près de Tyr.

Son oncle, Hassan Mugniyeh, gérait les affaires financières de la famille, voyageant beaucoup. Sa femme allemande lui était très utile.

Personne ne songerait à assimiler cette grande blonde plantureuse à une terroriste arabe.

Par la fenêtre, Imad Mugniyeh regarda les crêtes

pelées de l'Anti-Liban. Puisque lui ne pouvait se rendre à Beyrouth, comment attirer son ennemi sur son territoire ?

*
* *

Rachid Ghazir et Osman Eddé, les deux policiers des FSI, avaient choisi la facilité, car la mission que leur avait confiée le colonel Trabulsi était pratiquement impossible à réaliser. Faire du porte-à-porte pour poser des questions dans un village du Sud revenait à risquer une rafale de kalach ou, au mieux, à se faire virer par les militants locaux du Hezbollah. Alors, comme Rachid Ghazir, chiite, avait un cousin, militant du Hezbollah, à Nabatiyé, il l'avait convié à prendre un café pour lui expliquer leur problème.

Le cousin, Moussa, était un jeune homme joufflu, sérieux, qui le jour vendait des légumes et, dès six heures du soir, redevenait un militant du Parti de Dieu.

Les trois hommes discutaient de choses et d'autres, à côté du marché, dans le tumulte des klaxons, des voitures avançant au pas. Nabatiyé était un bourg prospère, où le Hezbollah faisait régner une discipline de fer. Moussa regarda sa montre.

– Je suis obligé de retourner au magasin... C'est gentil, Eba al-Ram[1], d'être passé me voir. Merci pour les dattes

Rachid Ghazir lui avait apporté un kilo de dattes énormes, de la meilleure qualité, pour le premier *ifkar*, rupture du jeûne, au premier jour du ramadan. C'était une tradition. Chaque année, une variété de dattes était offerte au public sous un nom célèbre. Cette année, bien entendu, la variété à 4 dollars le kilo – une fortune pour le Liban – s'appelait la datte « Nasrallah ». La qualité suivante, à 3 dollars, la datte « Ahmadinejad ».

1. Cousins.

Et, pour 2 dollars, on avait des dattes « Hugo Chavez »...

— Attends, protesta Rachid, je voulais te demander ton aide. Je sais que vous avez des fiches sur beaucoup de gens, au Hezbollah.

— C'est vrai, reconnut le militant. Pourquoi ?

— Notre chef cherche un espion israélien qui habiterait dans le coin.

Moussa se rassit, intéressé.

— Tu as son nom ?

— On n'a ni son nom, ni son village, ni même son signalement, avoua le policier. C'est juste une déduction.

Rachid Ghazir raconta alors à son cousin l'étrange expédition d'un agent de la CIA venu jusqu'au château de Beaufort, sans raison apparente, et conclut :

— Nos collègues surveillaient ce versant et n'ont rien vu. Le type qu'il a rencontré au château de Beaufort venait forcément de la région de Marjaaloun ou de la Bekaa. On a vérifié. Si on laisse sa voiture au bord de la route Marjaaloun-Nabatiyé, il suffit de monter à pied jusqu'à Beaufort et de repartir de la même façon, pour une rencontre discrète.

Moussa hocha la tête.

— Moi, je ne sais rien. Laisse-moi ton portable, je vais en parler au chef de la région militaire. S'il a une idée, je te rappellerai. *Yallah*, je dois aller bosser.

Ils s'embrassèrent tous comme du bon pain, trois fois, et les deux policiers regardèrent le jeune homme rejoindre son étal.

— Qu'est-ce qu'on va dire au colonel ? demanda Osman Eddé.

— Qu'on n'a rien trouvé mais qu'on continue. Je connais une fille à Sour qui vaut le déplacement.

*
* *

Meir Feldman ressortit de mauvaise humeur d'une réunion restreinte des responsables d'AMAN et du Mossad. Les nouvelles en provenance du Liban étaient mauvaises. Selon certaines rumeurs recueillies par le L.A.P., le département de guerre psychologique du Mossad, le Hezbollah se préparait à organiser une gigantesque manifestation pour fêter sa « victoire » Plusieurs centaines de milliers de sympathisants, avec la présence physique de Hassan Nasrallah.

Une claque de plus pour Israël.

Ehoud Olmert, le Premier ministre, exigeait qu'on empêche cet événement. Évidemment, Dan Halutz, le chef d'état-major de Tsahal, avait aussitôt proposé une opération aérienne ponctuelle visant le rassemblement avec pour objectif d'éliminer Hassan Nasrallah. Idée repoussée immédiatement. Le cessez-le-feu avait à peine une semaine et Israël était déjà au ban de l'humanité pour ses bombardements massifs au Liban. Politiquement, l'opération n'était pas jouable. Pourtant, l'idée de voir le chef du Hezbollah parader publiquement était insupportable à Meir Feldman, chargé de l'éliminer depuis des lustres. C'était la première fois que ses *Kidonirs* [1], soixante tueurs professionnels, dont huit femmes, regroupés au sein du Kidon, département ultrasecret du Mossad, échouaient dans leur mission. Il fallait réagir, accélérer l'opération confiée aux Américains...

Or, Meir Feldman n'avait pas confiance dans les Américains. Il descendit un étage pour aller trouver le responsable des *Katsas*, les agents clandestins à l'extérieur d'Israël.

– Il faut activer « Rome », demanda-t-il.

Les agents *katsas* étaient désignés par la ville où on les traitait.

1. Tueurs.

«Rome» c'était Kassem Zeglé, le Druze chargé de la liaison dans l'opération «Happy Valley». Cette fois, le chef du Mossad avait l'intention de lui faire reprendre du service actif, c'est-à-dire de le lancer sur la piste de Hassan Nasrallah, sans rien dire à ses alliés américains et saoudiens.

*
* *

Wafik Charar, responsable hezbollah de la région militaire de Nabatiyé avait écouté attentivement le rapport de Moussa, qui l'avait rejoint à la permanence clandestine du quartier. Au Hezbollah, on ne laissait rien passer…

Le responsable hezbollah salivait. Un espion israélien, c'était bon à se mettre sous la dent. Hélas, il n'avait pas beaucoup d'éléments pour l'identifier. Il sortit donc d'un coffre une disquette contenant les noms de tous les «suspects» de sa région militaire. Les militants de chaque village rapportaient régulièrement tous les agissements suspects des habitants de leur village. Wafik Charar sélectionna donc les villages à l'est du château de Beaufort, dans un rayon de dix kilomètres. Si le supposé espion avait donné rendez-vous à cet endroit, c'était sûrement pour des questions de proximité.

Il commença à faire défiler les noms sur l'écran de son ordinateur. Pauvre liste… Quelques anciens de l'ALS[1] qui n'avaient plus d'activité. Un nom attira enfin son attention : Kassem Zeglé, habitant Hasbaiya, un village druze de la Bekaa, non loin de Marjaaloun. Adjudant-chef de l'armée libanaise à la retraite, longtemps chauffeur du général Jamil Saddegh, dirigeant de la Sûreté générale. Un militant hezbollah du village avait signalé que Kassem Zeglé se rendait régulièrement

1. Armée du Sud-Liban.

en Italie où il avait, paraît-il, un cousin. En plus de ces voyages, il avait une Toyota neuve et semblait disposer de pas mal d'argent...

– On va s'en occuper, promit Wafik Charar, en renvoyant Moussa.

D'abord, il rendit compte à la Centrale de Beyrouth, utilisant le réseau souterrain filaire crypté, inaccessible aux Israéliens. La réponse de Walid Jalloul arriva une heure plus tard.

– Prenez-le en compte immédiatement.

Deux militants hezbollah partirent aussitôt pour Hasbaiya. Un Druze du village avait rallié le Hezbollah et c'est chez lui qu'ils débarquèrent. Sans lui dire pourquoi ils s'intéressaient à Kassem Zeglé.

– Il vient juste de partir pour Beyrouth, annonça le Druze rallié au Parti de Dieu. Il va voir son cousin à Rome.

– Tu as une photo de lui ? demanda aussitôt un des militants.

– Non.

L'enquêteur du Hezbollah sortit de la maison et appela Wafik Charar pour demander des instructions. Lorsqu'il réapparut, il lança au Druze :

– Tu vas venir avec nous. On te ramènera ensuite ici

– Où veux-tu aller ?

– À l'aéroport de Beyrouth. Il y en a pour deux heures. Il faut que tu nous désignes ce type.

Le Druze n'osa pas discuter. Le Hezbollah était impitoyable si on s'opposait à lui...

Deux heures plus tard, les trois hommes arrivaient à l'aéroport international de Beyrouth. Dans le hall des départs, ils retrouvèrent deux militants venus de la banlieue sud. L'un d'eux possédait un visa Schengen et un billet sur le vol Alitalia qui partait deux heures plus tard.

Le Druze rallié au Hezbollah n'en menait pas large. Si Kassem Zeglé le reconnaissait, il comprendrait aussitôt.

Les autres l'encadrèrent pour qu'on ne le voie pas trop et ils se placèrent très en retrait des guichets d'enregistrement encore vides.

Puis, les passagers commencèrent à arriver. Une demi-heure plus tard, le Druze souffla à son voisin :

– C'est lui.

Kassem Zeglé, long et sec, les cheveux gris très courts, ressemblait à ce qu'il était : un ancien militaire. Il s'enregistra et se dirigea vers la salle de départ.

– C'est bien, conclut un des militants. On va te ramener, maintenant. Bien entendu, tu ne dis rien à personne, mais nous n'oublierons pas le service que tu nous as rendu.

Le Druze le savait : le Hezbollah n'oubliait jamais.

*
* *

Mouna Harb dissimulait le tremblement de ses mains. Habillée de vêtements amples, les cheveux dissimulés sous un hijab, elle s'était fait déposer devant le cabinet dentaire où travaillait Rima par un agent des Services saoudiens, qui l'attendait au volant de sa Hyundai. Comme un frère veillant sur sa sœur.

Une bonne lui avait ouvert et elle s'était installée dans la salle d'attente, avec trois autres personnes. Rima et son patron se trouvaient dans le cabinet dentaire. D'après l'horaire, en train de soigner la femme de Hassan Nasrallah. Mouna sursauta lorsque la porte du cabinet s'ouvrit sur un homme aux cheveux gris et abondants, ondulés, qui raccompagnait une patiente vêtue de noir, le visage plutôt sévère. Aussitôt, une femme qui attendait dans la salle d'attente se leva et la rejoignit. Elle échangea quelques mots à voix basse avec celle qui venait de se faire soigner, puis tira de son sac une liasse de billets qu'elle tendit au dentiste. Ce dernier s'inclina profondément et les deux femmes sortirent. Une jeune femme au visage très maquillée apparut alors. Prenant son courage à deux mains, Mouna Harb s'approcha d'elle et demanda un rendez-vous. L'assistante du dentiste ouvrit son registre et lui en proposa un pour la semaine suivante. Après avoir donné un nom fantaisiste, Mouna Harb s'éclipsa.

Lorsqu'elle arriva dehors, son « cousin » donna un coup de phares et elle courut vers sa voiture.

— Il y a deux femmes qui viennent de partir par là, dit-il, dans une voiture verte.

— Essaie de les rattraper, demanda Mouna Harb.

De nuit, c'était assez facile de suivre une voiture sans se faire remarquer. Trois minutes plus tard, ils se retrouvaient derrière la voiture verte. Ils traversèrent tout Haret Hreik, puis bifurquèrent vers l'est, en direction de Hamiyé. Loin de la zone hezbollah. Enfin, la voiture verte prit la direction du sud. Ils entraient dans le quartier de Hadath, plutôt chrétien. Le véhicule s'arrêta en face d'une petite maison entourée d'un jardin clôturé d'un mur. La conductrice avait dû prévenir car la grille noire s'ouvrit immédiatement et la voiture disparut à l'intérieur.

— Continue ! souffla Mouna Harb. Ne ralentis pas.

Elle avait eu le temps de noter de quoi retrouver les lieux. D'abord, le nom de la voie : Jammous Street. Ensuite, la maison se trouvait en face d'une station d'essence Hachem et à côté de la pharmacie Neuman.

Dès qu'ils furent dans Borj El-Brajnieh, Mouna sentit son angoisse disparaître, remplacée par une joie inouïe.

Elle venait de découvrir le nouveau domicile de Hassan Nasrallah, un des secrets les mieux gardés du Hezbollah.

*
**

Le bouchon de la bouteille de Taittinger Comtes de Champagne sauta avec un bruit joyeux et Fouad

El-Rorbal, le représentant des Services saoudiens, s'empressa de remplir d'abord la flûte de Malko, puis celle de Mouna Harb.

Le Saoudien leva sa flûte pleine de bulles avec un sourire de triomphe.

– À notre victoire !

Mouna Harb, enveloppée dans plusieurs épaisseurs de mousseline bleue qui n'arrivaient pas à cacher ses formes, rayonnait. Elle coula un regard énamouré à Malko.

– C'était trop facile !

Elle l'avait appelé, très tôt, pour le convier au *Bristol*.

Malko savoura son Taittinger quelques instants avant de doucher leur enthousiasme ;

– C'est en effet très important d'avoir localisé cette maison, reconnut-il. Maintenant, il faut vérifier si Hassan Nasrallah habite lui aussi là. Et surtout, quand il s'y trouve.

Fouad El-Rorbal se reversa un peu de Taittinger, euphorique.

– Il faut prévenir nos amis du Sud, dit-il. Eux ne sont jamais parvenus à découvrir Nasrallah.

– Attendez un peu, tempéra Malko. Il nous faut des informations plus précises. Une fausse manœuvre ferait tout rater.

Il connaissait les Israéliens. Dans leur hâte de liquider Hassan Nasrallah, ils risquaient d'aplatir le quartier sous un tapis de bombes.

Fouad El-Rorbal acheva d'assécher la bouteille de Taittinger et s'esquiva.

– Je vais envoyer un télégramme à Riyad, annonça-t-il. Ils vont être très satisfaits.

Il avait à peine refermé la porte que Mouna Harb s'approcha de Malko.

– Vous ne me félicitez pas ?

C'était une périphrase. Dix secondes plus tard, elle

était enroulée autour de Malko et ses mousselines volaient de tous côtés.

Sans trop savoir comment, il se retrouva planté dans son ventre jusqu'à la garde, tandis qu'elle remuait sous lui comme si elle était installée sur des fourmis rouges. Avant même qu'il atteigne le plaisir, Mouna se retourna à plat ventre, attrapa un gros coussin, le glissa sous son ventre et adressa à Malko un regard éloquent.

La croupe surélevée, bras et jambes écartés, elle s'offrait, sans une once de pudeur. Comme si le message n'avait pas été assez clair, elle posa les mains sur les globes de ses fesses et les écarta, montrant la voie à Malko. Ce dernier n'avait pas envie de résister à ses mauvais instincts. Mouna devait être une habituée de la sodomie, car il s'enfonça au fond de ses reins d'un seul trait.

Si facilement qu'il en eut le souffle coupé. Emmanchée jusqu'à la garde et visiblement heureuse, la Saoudienne se retourna :

– Je vais retourner là-bas, dit-elle, c'est presque aussi excitant que de faire l'amour.

*
* *

Kassem Zeglé débarqua du vol de Rome plutôt détendu. On lui avait demandé de réactiver tous ses contacts à Beyrouth pour tenter de localiser Hassan Nasrallah, grâce à ses anciens amis de la Sûreté générale, très proches du Hezbollah.

Une prime de cent mille dollars le récompenserait s'il réussissait… En attendant, il était passé à sa banque et avait constaté que le magot amassé grâce aux Israéliens grossissait gentiment… Bientôt, il pourrait quitter son village de la Bekaa pour s'installer chez des cousins en Israël, où il ouvrirait un commerce de fruits et légumes. Grâce aux services rendus, il obtiendrait facilement la nationalité israélienne. Son « traitant », un

agent du Mossad qu'il ne connaissait que par son prénom, Mosche, l'avait invité à déjeuner dans un excellent restaurant du quartier Parioli, *La Celestina*. Il avait
tout juste passé vingt-quatre heures à Rome.

Il se sentait un homme puissant.

Après avoir repris sa voiture, laissée au parking de
l'aéroport, il reprit la route du Sud, d'abord l'autoroute
jusqu'à Saïda, puis des voies secondaires. C'est à la
sortie de Nabatiyé que l'incident se produisit. Brutalement, une voiture qui roulait devant lui se mit en travers de la route. Kassem Zeglé dut freiner brutalement.
Déjà, un second véhicule stoppait derrière lui. Il en sortit trois hommes en civil. L'un s'avança vers lui et
frappa à la glace qu'il descendit.

– Tu t'appelles bien Kassem Zeglé ? demanda-t-il.

– Oui.

– Quelqu'un voudrait te voir. Tu n'en auras pas
pour longtemps.

– Qui ? demanda Kassem Zeglé, méfiant.

– Tu ne le connais pas, mais lui te connaît, trancha
l'inconnu.

L'homme parlait doucement, sans élever la voix,
souriait, mais le pistolet glissé dans sa ceinture était
parfaitement visible. C'était le Hezbollah... Kassem
Zeglé sentit ses jambes se dérober sous lui, mais essaya
de faire bonne figure.

– Bien, dit-il, je vous suis...

– Non, laisse ta voiture là, on te ramènera.

Il dut monter dans une vieille Mercedes aux sièges
défoncés qui repartit vers Nabatiyé. Elle stoppa devant
un petit garage qu'ils traversèrent pour gagner l'arrière-boutique. Derrière un bureau, siégeait un grand
barbu à la mine revêche et à l'allure inquisitrice, qui le
salua pourtant avec politesse et le fit asseoir en face de
lui.

– Kassem, dit-il, nous te connaissons, tu as servi

dans l'armée libanaise et tu étais le chauffeur du général Jamil Saddegh.

— C'est exact, confirma le Druze.

Un peu rassuré. Cela ressemblait à une séance de recrutement. Jamil Saddegh, prosyrien, était une bonne référence pour le Hezbollah.

— Tu reviens de Rome, continua le barbu. Que faisais-tu là-bas ?

— J'ai rendu visite à mon cousin, Ahmed. Il est taxi là-bas.

Le barbu hocha la tête, compréhensif.

— C'est bien de maintenir les liens familiaux... Tu l'as vu beaucoup ?

— Non, il n'avait pas beaucoup de temps. J'ai déjeuné avec lui.

— Où ?

— Dans une trattoria, *La Celestina*, à Parioli.

Soudain, un des hommes qui l'avaient amené posa sur la table plusieurs photos. Kassem Zeglé les regarda et faillit vomir. C'était lui, en train de déjeuner avec « Mosche », à *La Celestina*. Dans un brouillard, il entendit la voix du barbu, toujours aussi calme :

— Ton cousin est un agent du Mossad ?

Il demeura muet, la gorge nouée, une grosse perle de sueur dégoulinant le long de son dos. Comme Israël semblait loin ! Il réussit à dire :

— Je ne sais pas, je ne comprends pas ce que vous dites.

Ils l'entouraient comme des vautours. Le grand barbu se pencha en avant. Maintenant, ses prunelles noires brillaient de haine.

— Comme tous les Druzes, tu es un traître, lança-t-il d'une voix contenue. Nous te soupçonnions depuis longtemps... L'homme avec qui tu déjeunais travaille à l'ambassade d'Israël à Rome. Nous l'avons suivi...

— Je ne le savais pas, je vous jure, prétendit Kassem Zeglé, aux abois.

Le barbu ne lui répondit même pas. D'un air pensif, il s'adressa de nouveau à lui.

— Kassem, tu as deux possibilités, dit-il. Si tu fais ce que nous te demandons – pour la plus grande gloire d'Allah –, nous te ramènerons à ta voiture et tout se passera bien pour toi. Par contre, si tu adoptes une attitude incorrecte, tu vas mourir, ton fils sera étranglé, ta femme égorgée et ta maison brûlera.

Il n'avait pas élevé la voix, mais chaque mot crucifiait Kassem Zeglé. Les militants du Hezbollah ne menaçaient jamais à la légère…

Soudain, il eut un sursaut d'orgueil et se redressa.

— Je n'ai rien fait de mal, prétendit-il J'ignorais que cet homme était un Juif.

Le barbu lui lança un long regard méprisant et dit de la même voix calme :

— *Zaaran ! Ain teddayayk alayé*[1] !

Il adressa à ses hommes un regard bref

Aussitôt, deux d'entre eux saisirent Kassem Zeglé et le jetèrent sur le sol. L'un s'assit à califourchon sur son dos tandis que l'autre faisait glisser le pantalon et le slip du Druze le long de ses hanches, découvrant ses fesses maigres. Un troisième réapparut, traînant un long tuyau de caoutchouc terminé par un embout de métal, relié à une bouteille d'air comprimé.

Un gonfleur.

L'homme enfonça violemment la canule dans l'anus de Kassem Zeglé qui poussa un hurlement. Puis, de la main gauche, il tourna la valve de la bouteille d'air comprimé, en envoyant une giclée dans les intestins du Druze.

Celui-ci poussa un hurlement déchirant : il avait l'impression abominable que son ventre allait exploser sous la pression. Sur un signe du barbu, l'homme qui tenait la canule coupa l'air comprimé.

1. Voyou, tu te moques de moi !

– Tes intestins vont éclater, annonça le barbu d'un ton sentencieux. Il te faudra beaucoup de courage pour mourir très lentement. *Allah Maak !*

De nouveau, l'homme tourna la valve. Kassem Zeglé poussa un cri inhumain, à glacer le sang dans les veines.

– *La ! la !* Je ferai ce que vous voulez.

Sur un signe du barbu, on lui retira la canule, on le rhabilla et il se retrouva sur la chaise.

– Dis-nous d'abord ce que tes maîtres t'ont demandé à Rome, intima le barbu.

Il prit soigneusement des notes puis releva la tête.

– C'est bien. Nous reparlerons de tout cela. Maintenant, j'ai quelque chose de spécifique à te demander.

Kassem Zeglé, brisé, écouta soigneusement le barbu et bredouilla :

– Je ferai ce que vous voulez.

Le barbu se leva. C'était la fin de l'«entretien». On le ramena dans la voiture qui l'avait amené, puis à la sienne. Il avait des douleurs abominables dans le ventre et, seul au volant, se tordit de douleur. Enfin, il se lança dans la route de Marjaaloun. Si perturbé qu'il faillit rater le premier virage et filer dans le ravin.

Ce qui aurait été, peut-être, plus simple. À partir du moment où il collaborait avec le Hezbollah, il devenait un traître aux yeux des Israéliens. Or, ceux-ci réservaient le même sort aux traîtres que le Hezbollah.

Ce qui laissait à Kassem Zeglé une espérance de vie limitée.

CHAPITRE XVIII

Greta Mugniyeh guettait la sonnerie. Tétanisée par sa conversation avec Malko Linge et la perspective d'être clouée indéfiniment au Liban, elle s'était décidée à relancer Hussein, le jeune militant du Hezbollah qui la fuyait depuis leur voyage à Tyr.

Elle l'avait convoqué sous le prétexte de réparer une tringle à rideaux bloquée et il avait promis de passer.

Au pire, cela lui changerait les idées. À part les coups de fil avec l'Allemagne, les courses et une virée au *City Café*, elle se morfondait au Liban.

Le coup de sonnette la fit sursauter. Elle alla ouvrir. Hussein portait sa tenue habituelle : veste de toile, T-shirt, jean, baskets. Greta Mugniyeh sentit instantanément son ventre s'embraser en redécouvrant le torse musculeux, moulé par le coton blanc. Elle arborait un chemisier jaune, sans soutien-gorge, et une courte jupe noire.

D'abord, Hussein garda les yeux baissés, puis il bredouilla.

– Où sont les rideaux ?
– Là-bas, dans la chambre, fit Greta.

Leurs regards se croisèrent enfin. Pendant plusieurs secondes, ils restèrent accrochés l'un à l'autre, puis Greta, sentant le jeune homme paralysé, vint se coller à lui et glissa une main sous son T-shirt, effleurant sa poitrine. Hussein eut un mouvement de recul, heurta le mur. En cet instant, l'Allemande ne pensait plus à lui arracher des informations, mais seulement à retrouver la satisfaction sexuelle qu'il lui avait procurée à Tyr.

Sa langue partit à l'assaut, sans un mot. En même temps, elle descendit le Zip du jean, plongea la main dedans, empoigna le sexe en train de grossir, tomba à genoux et se l'enfonça gloutonnement dans la bouche.

Le jeune homme se mit à donner des coups de reins pour violer encore plus la bouche qui l'accueillait. Greta sentit qu'il allait jouir rapidement. Ce n'était pas ce qu'elle voulait et elle entraîna Hussein jusqu'au canapé jaune du living, s'agenouillant dessus, la croupe haute.

Il la suivit, sans un mot. Le temps d'écarter le string, il se mit à la labourer de coups si puissants que Greta hurla sans discontinuer. Elle avait l'impression d'être ouverte en deux. Hussein ne mit pas longtemps à jouir et elle le sentit se déverser dans son ventre.

C'était divin.

À peine eut-il joui que l'Allemande se releva et l'emmena dans la chambre. Elle voulait en profiter jusqu'au bout. En un clin d'œil, elle se débarrassa de son chemisier, de sa jupe et de son string, et s'allongea sur le dos.

Hussein rebandait déjà. Greta regarda, fascinée, l'énorme sexe disparaître dans son ventre. S'attendant à une nouvelle cavalcade. Mais le jeune homme avait pris de l'assurance : il se retira, retourna Greta et s'enfonça dans ses reins avec une violence toute juvénile qui lui arracha un hurlement.

Pendant près d'une heure, sans un mot, ils baisèrent comme des bêtes.

Enfin, apaisé, Hussein prononça ses premières paroles.

— Je n'aurais jamais dû venir...

— Pourquoi ? sursauta Greta Mugniyeh, tu n'aimes pas me baiser ?

– Si, reconnut-il, mais c'est *haram*. Tu es la femme d'un homme que nous respectons et tu te conduis comme une chienne.

– Mon mari est en prison, argumenta Greta Mugniyeh, j'ai besoin de sexe. Il ne saura jamais rien.

Hussein se tourna vers elle et avoua dans un souffle :

– J'y ai pensé tout le temps. Je suis venu plusieurs fois en bas, sans oser sonner. Je voudrais te voir tous les jours.

Elle sourit.

– Mais c'est facile ! Tu n'as qu'à venir !

– Non, corrigea Hussein, j'ai reçu une nouvelle affectation. À la protection rapprochée du *sayyed*. Il faudra que je sois avec lui en permanence. Pendant ce temps-là, je n'ai pas le droit d'avoir un portable.

Greta Mugniyeh se dit qu'un bonheur n'arrivait jamais seul. Elle allait pouvoir satisfaire son « traitant » et ses ovaires. Penchée sur le torse du jeune homme, elle l'embrassa.

– Tu viendras quand tu pourras !

– Un autre frère va s'occuper de toi, précisa Hussein. Il s'appelle Ali et prendra contact. Je lui ai donné ton portable.

– Tu vas quand même rester à Beyrouth ? interrogea-t-elle.

– Oui, pour le moment.

Donc, Hassan Nasrallah se trouvait en ville.

– C'est Ali qui va t'inviter à un événement important, continua Hussein. Le *sayyed* a décidé de célébrer notre victoire divine sur les Juifs par un grand rassemblement de tous nos sympathisants, devant lesquels il prononcera un grand discours place des Martyrs, à Haret Hreik.

Le pouls de Greta Mugniyeh partit vers le ciel, mais, cette fois, ce n'était pas la voix de ses ovaires…

– Il va venir en chair et en os ? s'étonna-t-elle. Les Israéliens ont promis de le tuer. Il ne s'est pas montré depuis le début de la guerre.

– On ne sait pas encore s'il sera *physiquement* là, ou s'il prononcera son discours à partir d'un endroit sûr, pour le retransmettre sur des écrans géants.

– Mais toi, tu sauras s'il viendra vraiment ? ne put-elle s'empêcher de demander.

– Bien sûr !

– Ce sont de bonnes nouvelles ! conclut-elle.

Tout en lui parlant, elle caressait doucement son membre qui grossissait très vite. Hussein ne mit pas longtemps à réagir. À peine raidi, il bascula sur Greta qui n'eut qu'à ouvrir largement les cuisses pour planter le membre dans son ventre.

– Encore une fois et tu te sauves, murmura-t-elle.

Elle ferma les yeux, les reins cambrés. Aujourd'hui, elle gagnait sur tous les tableaux. Malko Linge, l'agent de la CIA, appréciait ses informations et elle allait peut-être pouvoir envisager son retour en Allemagne. Elle se dit qu'elle regretterait au moins une chose du Liban : la queue infatigable de son jeune amant du Hezbollah.

*   *
*

Malko sentit son pouls s'envoler en sortant du *Phoenicia*. Un homme s'activait à laver le pare-brise de sa voiture, garée en face. En s'approchant, il reconnut l'infirme qui lui avait déjà apporté un message des Israéliens. Lorsque Malko s'approcha, il tendit la main avec un sourire plein d'humilité. Malko lui donna un billet de 1 000 livres et il s'inclina profondément. Au moment de s'éloigner, il murmura quelques mots en mauvais anglais.

– *Same place... Beaufort. Tomorrow twelve*[1]...

Il s'éloigna de sa démarche pitoyable. À chaque enjambée, tout son corps pivotait violemment pour revenir ensuite dans l'axe. Une horreur.

1. Même endroit. Beaufort. Demain midi.

Malko était intrigué par ce contact. Quelle information les Israéliens voulaient-ils lui transmettre ? En principe, c'est lui qui devait activer cette filière, s'il avait quelque chose à dire.

Avec leur parano, ils se méfiaient de la liaison pourtant plus simple passant par la station de la CIA de Beyrouth. Il se dit que cela lui permettrait de vérifier si le Hezbollah avait activé un dispositif autour du village de Boudai. Ce qui serait la preuve de la trahison de Greta Mugniyeh.

Par prudence, il appela Christopher Stafford sur son Blackberry crypté pour lui faire part de la demande de contact des Israéliens.

— Je ne suis au courant de rien, avoua le chef de station. Ils ont peut-être une idée. Allez-y. De toute façon, vous avez vos « baby-sitters » désormais.

*
* *

Le colonel Trabulsi avait sa tête des mauvais jours. Il pointa un index vengeur sur Rachid Ghazir.

— Cher ami — c'était sa façon habituelle de s'exprimer pour exposer une idée —, je suis déçu. Vous n'avez rien trouvé du côté de Marjaaloun ?

— Rien, colonel ! avoua le policier. Pourtant, nous avons interrogé pas mal de gens.

— Et notre « client » ?

— On ne le suit plus systématiquement. Désormais, il traîne deux *zaaran* des Forces libanaises dans son sillage.

Le colonel Trabulsi sourit intérieurement. La CIA avait encore des amis chez les chrétiens.

— Il n'a toujours aucun contact sensible ?

— Non, il voit souvent une chiite qui travaille chez un dentiste. Elle n'est pas connue chez nous. Comme elle est bandante, c'est sûrement une histoire de cul.

Mourad Trabulsi ferma l'œil droit, avec une mimique gourmande.

– Le cul, cher ami, cela mène à beaucoup de choses !

***

– *Herr* Linge, annonça une voix en allemand, je souhaite vous voir à l'ambassade. Maintenant, si vous le pouvez...

– J'arrive, dit Malko.

Avant de prendre la route, il avait juste le temps de passer voir le représentant du BND. Celui-ci l'accueillit dans le hall de l'ambassade, désignant l'étage supérieur d'un signe de tête.

– Elle est là, *Herr* Linge. Elle est venue sans prévenir.

Malko gagna le salon où attendait Greta Mugniyeh. L'Allemande semblait épanouie. Elle salua Malko d'un sonore :

– *Grüss Gott* [1], *Herr* Linge !

– *Grüss Gott, Frau* Mugniyeh, répondit poliment Malko en s'asseyant à côté d'elle. Quel bon vent vous amène ? Vous avez localisé Hassan Nasrallah ?

– *Nein*. Mais j'ai revu mon jeune ami Hussein !

– Bien, approuva Malko. Quoi d'autre ?

– Il y a du nouveau ! D'abord, il est très bien disposé à mon égard. Ensuite, il a une nouvelle affectation : désormais, il fait partie de la garde rapprochée de Hassan Nasrallah.

C'était évidemment une bonne nouvelle, mais non exploitable immédiatement.

– Parfait, conclut Malko. J'espère que, par ce biais, vous obtiendrez enfin des informations qui nous manquent. Ce qui vous permettra de quitter le Liban.

– Attendez, enchaîna l'Allemande, il m'a dit que Hassan Nasrallah va apparaître prochainement en

1. Que Dieu vous bénisse !

public dans un grand meeting, place des Martyrs, à Haret Hreik.

– C'est intéressant, reconnut Malko, mais il faut savoir quand.

Il lui baisa la main et s'esquiva. Se disant que, des deux côtés, il se rapprochait de Nasrallah. Hélas, sans avoir encore une information précise et utilisable.

En sortant, il repéra ses deux « baby-sitters », garés un peu plus loin et alla les voir.

– Je dois aller dans le Sud, annonça-t-il. Après Nabatiyé. Vous m'attendrez au village de Arnoun.

Il ne tenait pas à ce qu'ils identifient l'agent israélien. On ne sait jamais.

*
* *

Une brusque averse avait détrempé la route du bord de mer et la circulation était encore plus chaotique que d'habitude. Malko devenait nerveux. Il était déjà onze heures et il n'avait pas encore atteint Saïda. Au moins, il aurait des informations à communiquer à Kassem, l'agent israélien.

La présence de Hassan Nasrallah dans un meeting public en était une, de première importance. Sans parler de la nouvelle affectation du jeune amant de Greta Mugniyeh…

Soudain, toutes les voitures s'arrêtèrent en même temps. Il se demandait pourquoi lorsqu'il vit leurs passagers sortir et se jeter dans les fossés. Quelques secondes plus tard, un F-16 filant vers le nord passa à quelques mètres au-dessus de la route dans un bruit assourdissant. Un chasseur israélien.

Peu à peu, les gens remontèrent dans leurs voitures et repartirent. Au *check-point* suivant de l'armée libanaise, le serveur d'une vieille mitrailleuse de 50 pointait vainement son affût vers le ciel, impuissant.

À l'entrée de Nabatiyé, une heure plus tard, des

militants du Hezbollah nerveux contrôlaient tous les véhicules. Un jeune homme très poli lui demanda où il allait. Malko donna sa destination, le château de Beaufort, et on le laissa passer sans difficulté.

Lorsqu'il sortit de Nabatiyé, sa Breitling indiquait midi moins dix.

Rachid Ghazir et Osman Eddé, les deux policiers des FSI, en salivaient de bonheur. Heureusement qu'ils n'avaient pas lâché leur client à Beyrouth ! Celui-ci les amenait droit au château de Beaufort.

– Cette fois, on va coincer notre client ! se réjouit Rachid Ghazir.

Quand ils le virent s'engager sur la route menant uniquement à Arnoun et au château de Beaufort, ils continuèrent sur la route de Marjaaloun, qui zigzaguait au milieu des collines pelées. Pour s'arrêter quelques kilomètres plus loin, en contrebas des vestiges du château des croisés, près d'une vieille maison en ruines.

Rachid Ghazir donna un coup de coude à Osman.

– *Chouf*[1] !

Une voiture grise était garée un peu plus bas, venant de Marjaaloun. Un homme en sortit et escalada la pente caillouteuse et nue qui menait au château de Beaufort.

– Cette fois, on le nique, lança Osman Eddé.

L'homme en train de grimper ne pouvait être que l'agent israélien venu rencontrer celui de la CIA. Le colonel Trabulsi allait être content. Osman Eddé sortit et leva son capot comme s'il était en panne.

1. Regarde !

Malko sortit de sa voiture à midi douze exactement, d'après sa Breitling. Un vent violent balayait les vieilles pierres et le silence était toujours aussi impressionnant.

Personne.

Il remonta dans la Mercedes, écoutant d'une oreille distraite une radio israélienne qui « cannibalisait » les émissions libanaises.

Dix minutes plus tard, il ressortit, inquiet, après avoir pris dans sa boîte à gants le Herstal « saoudien ». À tout hasard. Ne voyant toujours personne, il s'avança au bord des remparts et aperçut enfin une petite silhouette au beau milieu de la pente caillouteuse qui descendait jusqu'à la route en contrebas.

Un homme en train de grimper lentement vers lui. Lorsqu'il aperçut Malko, il agita le bras et s'arrêta, lui faisant de grands signes : visiblement, il lui demandait de le rejoindre. La flemme de grimper peut-être…

Malko se lança dans la pente. Les cailloux roulaient sous ses pieds, mais, pour descendre, c'était nettement plus facile ! Il était encore à une cinquantaine de mètres de l'homme lorsqu'il perçut un léger bourdonnement. Comme un gros insecte. Il regarda autour de lui, sans rien voir. Le bourdonnement se transforma en bruit de machine à coudre. C'est alors que Malko aperçut, venant du fond de la vallée de la Bekaa, un point noir dans le ciel.

Un drone.

Les Israéliens en utilisaient énormément. Dans cette zone sensible, proche de la frontière, sa présence n'avait rien d'étonnant. L'engin se rapprochait. Il passa au-dessus et à droite de Malko qui put l'observer à son aise. Le drone devait avoir trois ou quatre mètres d'envergure. Peint en orange, il avait, à l'avant, des ailerons « canard » et une hélice à l'arrière pour le propulser.

Après un virage qui l'amena tout près du château de Beaufort, il revint dans la direction de Malko.

* * *

Imad Mugniyeh était penché sur l'épaule du pilote du drone, spécialement formé en Iran. Grâce à un *joystick*, il téléguidait les évolutions de l'engin, un drone iranien Ababil lancé vingt minutes plus tôt, qui volait à près de 300 km/heure.

Le poste de commande était installé sous une tente, à l'entrée du village de Kfar Chouba, tout près de la frontière syrienne. Grâce à la caméra de télévision installée dans le nez de l'appareil, on avait l'impression d'être à cheval sur l'engin. Soudain, la caméra retransmit l'image d'une pente assez raide avec deux hommes, l'un immobile, l'autre qui se dirigeait vers lui.

Imad Mugniyeh était fasciné par l'image dansante : l'homme en mouvement était l'agent de la CIA qui avait abattu son frère treize ans plus tôt. L'autre, un Druze qui travaillait pour les Israéliens et qui allait mourir avec lui.

Brusquement, il lui fut impossible de supporter son inaction.

— Laisse-moi la place ! lança-t-il à l'opérateur.

Ce dernier se retourna, inquiet.

— *Sidi,* tu n'as pas l'habitude.

— C'est facile, rétorqua le Libanais.

Docilement, l'autre lui laissa sa place et Imad Mugniyeh s'empara du *joystick*, le tenant entre le pouce et l'index. Il fit doucement virer l'engin et les deux hommes apparurent de nouveau sur l'écran de contrôle. Ils étaient presque ensemble. L'index gauche d'Imad Mugniyeh se posa sur le bouton rouge qui déclenchait le missile accroché sous le drone. Dans quelques secondes, il allait pulvériser le meurtrier de son frère et le traître qui l'avait attiré jusque-là.

CHAPITRE XIX

Paralysé, Kassem Zeglé regardait le drone en train de virer pour revenir dans sa direction. Brusquement, il comprenait les ordres du Hezbollah. Non seulement il devait attirer l'agent de la CIA dans un piège, mais lui devait y laisser sa vie. Le Hezbollah ne pardonnait pas.

Il se mit soudain à courir, dévalant la pente comme un fou, la mort aux trousses. Il se retourna et aperçut l'homme avec qui il avait rendez-vous qui descendait à son tour la pente dans son sillage.

Le drone se rapprochait, avec son bruit de machine à coudre qui lui parut soudain terrifiant.

*
* *

Malko avait compris, lui aussi, pourquoi Kassem lui avait fait signe de le rejoindre. Sur cette pente nue, l'explosion d'un missile balayait un espace énorme.

Son Herstal était totalement inutile. Il se retourna : le drone, après un virage sur l'aile, se rapprochait comme un gros insecte venimeux. Alors, il se mit à courir lui aussi vers le bas de la pente, espérant échapper à la mort, sans trop y croire.

*
* *

Imad Mugniyeh écrasa le bouton de déclenchement
du missile Sagger et poussa un hurlement de joie, en
voyant la traînée blanche partir du drone.

Sa joie ne dura que quelques secondes : la traînée
blanche, au lieu de piquer vers le sol, montait légèrement, s'éloignant de la pente. Il comprit très vite pourquoi : au moment du départ du Sagger, il avait,
involontairement, tiré sur le *joystick*, modifiant la tra-
jectoire du drone dont le nez s'était relevé. Du coup, le
missile continuait tout droit au-dessus de la Bekaa
jusqu'à épuisement de son combustible.

Il se leva dans un concert d'imprécations, rendant
sa place à l'opérateur qui s'empressa de reprendre le
joystick pour ramener le drone à bon port. Le Hezbollah n'en possédait que douze et trois avaient déjà été
abattus par la chasse israélienne pendant la guerre.
Ceux qui restaient étaient précieux, car les Iraniens les
livraient au compte-gouttes.

Amèrement, Imad Mugniyeh se dit que s'il avait
laissé opérer le spécialiste, son ennemi aurait été déchi-
queté par l'explosion du missile. Mais il avait voulu le
tuer lui-même. Même à distance, c'eût été une
immense satisfaction.

*
* *

Malko aperçut la traînée blanche passer au-dessus
de sa tête mais ne ralentit pas. Quelques secondes plus
tard, le drone le survola à son tour et s'éloigna vers le
nord.

Il s'arrêta, en nage, de la sueur coulant dans les yeux,
le pouls en folie, de l'adrénaline plein les artères. Très
loin, il aperçut un panache de poussière et entendit une
faible explosion. Le Sagger avait explosé à plus de
deux kilomètres. Ébahi, il ne comprenait pas comment

il avait échappé à la mort. Devant lui, l'homme qui l'avait attiré dans ce piège continuait à courir. Il avait presque atteint la route.

Il n'avait vraiment pas envie de le poursuivre. À quoi bon ? Il se retourna et entreprit de remonter jusqu'au château de Beaufort. Quand il atteignit les ruines, son cœur cognait contre ses côtes et il se laissa tomber dans sa voiture, le souffle court. Démarrant aussitôt. Qui sait si un autre piège ne lui avait pas été tendu ?

Tandis qu'il roulait vers Arnoun, il se dit qu'il fallait prévenir coûte que coûte les Israéliens.

Il revit le drone orange foncer sur lui. C'était une méthode astucieuse pour le tuer, dans cet espace découvert et désert. À condition de « retourner » Kassem.

L'utilisation d'un drone ne laissait aucun doute sur les instigateurs de cette embuscade : le Hezbollah.

Kassem Zeglé vint se jeter littéralement dans les bras de Osman Eddé !

Il n'avait même pas prêté attention à cette voiture arrêtée, capot levé.

En un clin d'œil, il fut menotté et traîné jusqu'à leur voiture. Rachid Ghazir avait déjà ouvert le coffre. À deux, ils l'y jetèrent, refermèrent et démarrèrent aussitôt. Euphoriques. Ce n'étaient pas des informations qu'ils ramenaient, mais le coupable ! Le colonel Trabulsi allait être très satisfait.

Malko arriva, épuisé, dans Beyrouth, filant directement à l'ambassade américaine. Prévenu, Christopher Stafford avait envoyé un *junior officer* de la CIA au *check-point* des Marines pour lui éviter les désagréments du contrôle tatillon. Le chef de station n'avait eu qu'un récit très succinct de la part de Malko, grâce au Blackberry crypté. Il attendait dans son bureau et demanda aussitôt :

— Que s'est-il passé ?

— La filière israélienne a été pénétrée, annonça Malko. Il faut prévenir Meir Feldman.

Il lui fit le récit de son expédition au château de Beaufort, précisant :

— J'ai été prévenu à Beyrouth par la même personne que la dernière fois, qui n'est peut-être pas « infectée », elle. Seuls les Israéliens peuvent faire le tri dans leur réseau.

— On les appelle immédiatement, conclut l'Américain.

Ils gagnèrent la salle du chiffre et Christopher Stafford appela le QG du Mossad, à Tel-Aviv, sur une ligne protégée. Trente secondes plus tard, il avait Meir Feldman au bout du fil.

— C'est une très mauvaise nouvelle, reconnut le chef du Mossad. Je vais avertir le reste du réseau, s'il est encore temps. Kassem est une grosse perte, il travaillait pour nous depuis dix ans… Vous n'avez pas une bonne nouvelle pour compenser ?

— Si, dit Malko. Nasrallah a décidé de tenir un meeting publique où il apparaîtra. C'est une source intérieure du Hezbollah qui l'a confirmé. À Haret Hreik, place des Martyrs.

— J'en avais entendu parler, confirma Meir Feldman. Je suis heureux d'avoir une autre source.

— J'ai peut-être aussi localisé le domicile de Nasrallah dans la banlieue sud, ajouta Malko, mais j'attends une confirmation

Cette fois, le chef du Mossad réagit.

— C'est formidable, reconnut-il. Quand aurez-vous des informations permettant de monter une opération ?

— J'y travaille, dit Malko. Autre chose, avez-vous

repéré une activité inhabituelle autour du village de Boudai, comme Christopher vous l'avait demandé ?

— Rien du tout, répondit l'Israélien.

Donc, Greta Mugniyeh ne trahissait pas. Enfin une bonne nouvelle !

Quand Malko raccrocha, il avait l'impression d'avoir disputé quinze rounds de boxe. La réaction au guet-apens.

— Je vous invite à dîner, proposa Christopher Stafford.

— Ici ?

— Non, allons en ville. Il y a un endroit sympa et calme, le *Central*.

Malko aurait préféré continuer son match avec Rima, mais il n'était pas sûr de la joindre. Il pensa aussi à Mouna Harb, mais il lui était difficile de refuser l'invitation du chef de station.

* *
*

Deux jours de pause. Malko, qui pourtant adorait Beyrouth, commençait à fatiguer. Tamara Terzian, prise en mains par son moustachu, n'arrivait même pas à déjeuner avec lui. Il avait dîné à nouveau avec Rima et cela s'était terminé de la même façon. Un flirt très poussé, excluant, hélas, la fellation, et puis rien... Il commençait à se lasser de ce jeu appelé « frustration ». D'autant que, sur le plan opérationnel, il n'avait plus besoin de la chiite.

Meir Feldman inondait Christopher Stafford de messages réclamant du nouveau, mais, du nouveau, il n'y en avait pas. Greta Mugniyeh ne s'était pas manifestée et les Saoudiens continuaient à cibler prudemment la demeure supposée de Nasrallah afin d'obtenir la certitude que le chef du Hezbollah y habitait bien. Fouad El-Rorbal avait promis à Malko que tous ses agents travaillaient au problème.

Sans résultat probant jusque-là.

Il faisait beau, les nuages avaient disparu et Malko se dit qu'un contact avec Mouna Harb serait utile et agréable à la fois ; il n'avait pas oublié la façon gracieuse dont elle lui avait offert ses reins, lors de leur dernière rencontre. Il l'appela et laissa un message. Son portable sonna dix minutes plus tard.

Ce n'était pas Mouna Harb mais Fouad El-Rorbal, qui ne laissa pas à Malko le temps de parler.

— Mouna a disparu, annonça-t-il d'une voix blanche.

*
* *

Fouad El-Rorbal était visiblement bouleversé. D'habitude jovial, il avait du mal à parler.

— Mouna est partie hier soir au volant de sa voiture, pour une reconnaissance de la maison de Jammous Street, annonça-t-il. Nous ne l'avons pas revue, sa voiture a disparu et son portable ne répond plus.

— Vous croyez qu'elle a été enlevée ?

Le Saoudien n'hésita pas.

— Oui. Ou tuée.

— Vous avez signalé sa disparition à la police ?

Fouad El-Rorbal esquissa un sourire désabusé.

— La police libanaise n'opère pas dans la zone hezbollah, ils se contentent de la survoler en hélicoptère.

Un ange passa. Le Liban était toujours coupé en morceaux, sans véritable autorité centrale.

Malko se sentait horriblement coupable. C'est lui qui avait proposé à Mouna Harb de suivre la femme de Hassan Nasrallah. Et dire qu'elle en était si fière, lorsqu'ils s'étaient vus pour la dernière fois. Dans ce métier, le drame était toujours en embuscade.

— Donnez-moi le numéro de sa voiture, je vais aller faire un tour là-bas.

Sans illusion. Si Mouna Harb avait disparu, c'est

qu'elle avait été prise en otage, au mieux, par le Hezbollah. La *dahyé*[1] était un univers à part, hermétique.

* * *
*

Il avait beau sentir contre son dos le poids rassurant
du Herstal, une balle dans le canon, Malko avait l'estomac noué. Les rues étroites et encombrées de Haret
Hreik étaient pleines d'une foule animée, les trottoirs
envahis par les marchands ambulants. De temps
en temps, il y avait un trou noir : un immeuble écrasé
par les bombes israéliennes, souvent signalé par une
banderole vengeresse. Ici, le Hezbollah régnait en
maître. Ses militants pouvaient surgir à chaque
seconde, intercepter sa voiture, et il disparaîtrait...

Il respira mieux en entrant dans Borj El-Brajnieh,
moins quadrillé par le Hezbollah. Encore deux kilomètres et il atteignit Hadath. Il approchait de la maison
où Hassan Nasrallah était censé vivre. Il passa devant,
sans rien remarquer de particulier. Et soudain, juste
avant une station-service Hachem, son regard accrocha
une voiture garée sur le côté gauche de la route.

Une Toyota Yaris blanche. Il eut à peine besoin de
vérifier le numéro pour être certain que c'était celle de
la jeune Saoudienne.

Bien entendu, il ne ralentit pas : cette voiture était là
comme pour un signal, très probablement surveillée
ou piégée, ou les deux. Un goût amer dans la bouche, il
continua pour gagner l'autoroute menant au centre-ville.

C'était clair : Mouna Harb avait été enlevée et cela
ne pouvait être que par le Hezbollah. Tout en conduisant, Malko essaya de se souvenir de ce qu'elle savait
de l'opération Nasrallah. Parce qu'il ne devait pas se
faire d'illusions : tout ce qu'elle savait, le Hezbollah
l'apprendrait très vite, si ce n'était pas déjà fait...

1. Banlieue sud.

Ses deux « baby-sitters » qui ne l'avaient pas lâché
d'une semelle pendant sa tournée risquaient de se
révéler utiles.

*
* *

Mouna Harb tremblait de tous ses membres. Le froid,
la douleur et la peur. La veille au soir, alors qu'elle
s'éloignait dans Jammous Street, après être passée
devant la maison de Mme Nasrallah, une voiture l'avait
doublée et s'était rabattue, la forçant à s'arrêter. Trois
hommes jeunes en étaient sortis et l'un d'eux lui avait
demandé poliment qui elle était. Comme elle ne répondait pas, un autre s'était emparé de son sac et avait
regardé ses papiers.
  — Tu es saoudienne ?
  — Oui.
  — Tu travailles à l'ambassade ?
  — Oui.
  — Qu'est-ce que tu fais ici ?
Incapable de répondre, Mouna Harb était demeuré
muette, clouée à son siège par la panique. Un des
hommes l'avait fait sortir et poussée dans leur voiture,
un autre prenant sa place au volant.
  — Qui êtes-vous ? Où m'emmenez-vous ? avait-elle
protesté.
  — Nous assurons la sécurité du quartier, avait
répondu un des jeunes gens. Nous voulons nous assu-
rer que tu n'es pas une espionne. Les Juifs ont des
espions partout.
  — Mais je suis une Arabe, comme toi, avait protesté
Mouna Harb. *Wahiet Allah*, je suis une bonne musulmane.
  — Dans ce cas, tu n'as rien à craindre...
Ils l'avaient amenée dans une épicerie, puis, après
avoir traversé l'arrière-boutique, dans un sous-sol
éclairé par des néons blafards, où deux hommes s'étaient

relayés pour l'interroger… Mouna avait tenu bon, prétendant qu'elle s'était perdue, qu'elle allait voir une copine, qu'elle n'était qu'une simple secrétaire à l'ambassade. Ses interrogateurs notaient tout.

Ensuite, on l'avait menée dans une cellule minuscule, meublée uniquement d'un lit de camp et d'un seau hygiénique.

— Nous devons vérifier certaines choses, avait annoncé le chef. Tu dormiras ici.

— Mais ma famille va être inquiète ! avait protesté Mouna Harb. Je dois les prévenir.

Le responsable du Hezbollah n'avait pas discuté.

— Bien, donne-moi le numéro, on va les appeler.

Elle avait donné la ligne directe de Fouad El-Rorbal, qui habitait non loin de l'ambassade.

Transie, mourant de faim, elle avait passé une nuit effroyable, sursautant au moindre bruit. Les deux types de la veille étaient venus la chercher à l'aube pour l'amener dans une pièce où ceux qui l'avaient interrogée étaient déjà là. Ils l'avaient saluée poliment et avaient tout de suite attaqué :

— Tu nous as menti. Tu es une *moukhabarat*[1].

— C'est faux ! avait protesté Mouna, je ne suis qu'une secrétaire.

Son interrogateur ne s'était pas troublé.

— Nos sources sont excellentes. Maintenant, si tu veux sauver ta vie, tu dois nous dire toute la vérité. Ensuite, tu seras jugée par un tribunal religieux pour tes actes.

Le mot « tribunal » l'avait un peu rassurée : cela évoquait l'ordre, la civilisation.

— Mais je n'ai rien fait de mal, avait-elle juré.

Son interrogateur l'avait fixée avec sévérité.

— Nous savons ce que tu faisais ici ! Ta voiture a déjà été signalée. Tu surveilles la demeure du *sayyed*

1. Espionne.

Hassan Nasrallah, notre leader. Alors, tu vas nous dire comment tu as appris où il habitait. Qui t'a renseignée. C'est un secret très bien gardé…

Comme elle restait muette, la barbu avait soupiré.

— Tu as tort. Tu vas nous dire tout ce que tu sais, de toute façon, mais je ne suis pas sûr que Dieu te pardonne.

Il avait fait un signe à ses deux acolytes qui avaient entraîné Mouna deux étages plus bas, dans un sous-sol infect qui sentait la moisissure et la saleté. Au milieu, se trouvait une sorte d'établi, comme une table scellée dans le sol, avec des sangles.

— Enlève tes vêtements, avait ordonné un des bourreaux.

Comme Mouna Harb ne réagissait pas, ils l'avaient déshabillée de force, arrachant ses vêtements un par un, y compris son soutien-gorge et sa culotte. Pourtant, il n'y avait rien de sexuel dans leurs gestes : elle comprit qu'il s'agissait seulement de la briser, de l'humilier. Pudiquement, ils ne regardaient ni son sexe ni ses seins.

Elle sanglotait convulsivement, glacée, terrifiée, et avait à peine résisté quand ils l'avaient étendue sur la « table », lui liant les poignets et les chevilles avec des sangles de cuir épaisses. Le plafond au-dessus d'elle partait en morceaux. Le plus grand l'avait apostrophée :

— Sœur Mouna, nous allons chasser *Shatan* de ton corps. C'est Lui qui t'empêche de nous avouer la vérité.

Il n'avait pas terminé sa phrase que l'autre Hezbollah abattait de toute sa force un bâton sur le tibia gauche de Mouna, le brisant net.

La Saoudienne s'était évanouie en hurlant, le corps traversé d'abominables élancements. Elle hurlait encore lorsque le bâton s'était abattu sur ses seins, les faisant littéralement exploser dans une gerbe de sang.

— Donc, sa voiture est là-bas, fit Fouad El-Rorbal d'une voix blanche. Vous n'avez rien vu d'autre ?

— Non, répondit Malko, mais je ne me suis pas arrêté. Trop risqué. Elle a sûrement été kidnappée et peut se trouver n'importe où dans la banlieue sud.

— Qu'est-ce qu'on peut faire pour elle ? demanda le Saoudien d'une voix étranglée.

Malko avait réfléchi à la question.

— Vous avez des contacts avec vos homologues libanais ?

— Bien sûr, avec les FSI.

— Il faut aller les voir, le temps presse, qu'ils proposent un échange. Un rachat au Hezbollah, par leur intermédiaire. Qu'ils les menacent d'un incident diplomatique. Vous représentez un pays puissant.

— Je vais voir le général Ashraf Rifi, dit aussitôt le Saoudien. C'est un sunnite comme nous, il va m'écouter.

— Tenez-moi au courant, demanda Malko. Mouna Harb sait beaucoup de choses sur moi. Et sur cette opération. Il faut la récupérer coûte que coûte...

Un vœu pieux.

Quand il ressortit de l'ambassade, il regarda autour de lui. Il y avait beaucoup de chances pour qu'à cette heure, Mouna ait parlé. Le Hezbollah ne l'avait pas kidnappée pour prendre le thé.

**
* *

Le médecin fit sa piqûre de tonicardiaque et se redressa, lançant aux deux hommes qui l'observaient :

— Elle est très faible. Le prochain ralentissement cardiaque l'emportera.

Il remit la seringue dans sa trousse. Dissimulant

quand même son trouble. Certes, c'était un militant de
la première heure du Parti de Dieu, qui avait soigné les
chebabs pendant la guerre civile et même certains
otages étrangers, mais il n'avait encore jamais vu un
tel massacre.

Mouna Harb, toujours attachée sur son bâti, respirait
très faiblement. Son corps tout entier n'était plus
qu'une plaie, à l'exception de son visage. Ses bourreaux n'avaient pas cherché à la tuer, mais à lui briser
systématiquement les os du corps. Elle devait avoir une
vingtaine de fractures ouvertes, aux jambes, aux bras,
au bassin, aux côtes. Ses seins magnifiques n'étaient
plus qu'une pâte sanglante semée des fils d'argent des
nerfs.

Aucune de ses blessures n'était mortelle, mais leur
accumulation constituait un traumatisme atroce et, à
terme, mortel. Après chaque coup, ses bourreaux
l'avaient interrogée, notant soigneusement ses réponses,
rebondissant sur d'autres questions. Ils ne s'arrêtaient
que pour faire appel au médecin « de garde », chargé de
la maintenir en vie.

Depuis quelques heures, ils avaient eu beau lui briser tous les os des pieds, Mouna Harb n'avait plus rien
dit de nouveau, et ils en avaient conclu qu'elle ne leur
cachait plus rien... Leurs notes couraient sur plusieurs
pages. Mais, comme c'étaient des militants conscien-
cieux, ils avaient continué, au cas où la Saoudienne
leur aurait dissimulé une infime parcelle de ce qu'ils
cherchaient.

Ils posèrent encore quelques questions, ne recueillant
que de rares mots indistincts, et décidèrent de rendre
compte à leur chef, le responsable de la sécurité du
quartier. Ce dernier écouta avec attention leur récit.

— Vous avez bien travaillé, les félicita-t-il. Il faut
faire votre rapport écrit.

— Et elle ?

— Il ne faut pas qu'on la retrouve.

Ils repartirent dans la salle d'interogatoire. Mouna Harb respirait très faiblement, les yeux fermés. Un des deux jeunes gens s'approcha d'elle avec un coussin qu'il pressa sur son visage. Elle se débattit à peine et cessa de vivre au bout de quelques secondes, tant elle était affaiblie. Ses bourreaux la détachèrent alors et l'enroulèrent dans une toile cirée.

Personne ne les remarqua lorsqu'ils émergèrent de l'épicerie avec un sac qui aurait pu contenir des pommes de terre. Ils le mirent dans le coffre de leur voiture et gagnèrent Haret Hreik, le quadrilatère hezbollah écrabouillé par les Israéliens.

Comme tous les soirs, les grues, les excavatrices et les bétonneuses s'affairaient dans un chantier éclairé par des projecteurs. Le militant s'approcha du conducteur d'une bétonneuse en train de reculer vers une fosse et demanda :

— Tu coules ton béton maintenant, mon frère ?

— Oui, mon frère.

— Attends une minute

Il s'approcha du chef de chantier, un militant hezbollah comme lui, et se fit connaître.

— J'ai l'ordre de mettre quelque chose au fond de la fosse avant de couler le ciment, expliqua-t-il.

— *Mafi machkal.*

Il tourna la tête de l'autre côté tandis que les deux militants prenaient le sac dans le coffre et le jetaient sur la dalle où on allait couler le béton.

Trois minutes plus tard, la bétonneuse commença à déverser ses dix tonnes de ciment liquide. En quelques secondes, le sac eut disparu à tout jamais.

Le Hezbollah avait toujours aimé la discrétion.

Walid Jalloul venait de terminer le rapport sur Mouna Harb. Qui prouvait que leur vigilance avait été prise en défaut. Heureusement que les Saoudiens avaient été imprudents.

Grâce à ce document, il se dit qu'Imad Mugniyeh tenait enfin sa vengeance.

CHAPITRE XX

Comme Malko le craignait, la démarche des Services saoudiens auprès des FSI n'avait rien donné. Le général Rifi prétendait avoir posé la question au Hezbollah qui avait juré n'être pour rien dans la disparition de Mouna Harb.

Impossible de prouver le contraire.

Quarante-huit heures s'étant écoulées, il n'y avait plus aucune chance de revoir la jeune Saoudienne. Malko avait couché par écrit tout ce que Mouna Harb avait pu révéler à ses ravisseurs, afin de cerner l'étendue des dégâts. Déjà, il pouvait considérer comme certain le déménagement de Mme Nasrallah, sans parler de son mari. La filière Rima n'aurait servi à rien.

Malko se faisait beaucoup de souci pour la jeune assistante dentaire. Mouna avait forcément mentionné son nom. Bien sûr, la chiite n'avait pas coopéré consciemment avec la CIA, mais son imprudence aurait pu avoir de graves conséquences pour Hassan Nasrallah.

Il hésitait sur la conduite à tenir. Lassé de sa résistance sexuelle, il ne l'avait pas rappelée et, désormais, hésitait à le faire. Pour ne pas la compromettre encore plus.

Tout ce qui surnageait du désastre, c'était la filière

Greta Mugniyeh, avec une chance de succès minuscule. Là aussi, impossible d'interroger directement
Hussein, le jeune militant du Hezbollah, amant de
Greta Mugniyeh. Dieu merci, Mouna Harb n'était pas
au courant de ça.

Quant à sa sécurité personnelle, Malko laissait libre
cours à son fatalisme naturel. Outre la protection des
deux « baby-sitters » des Forces libanaises, il était armé
et le Hezbollah mettrait un peu de temps avant de monter un nouvel attentat contre lui. D'ici là, au train où
allaient les choses, il aurait quitté le Liban.

Le téléphone l'arracha à sa méditation morose.
C'était le représentant du BND à l'ambassade d'Allemagne.

– *Herr* Lohman souhaiterait vous voir aujourd'hui,
à trois heures, annonça-t-il.

Autrement dit, Greta Mugniyeh se manifestait. Il n'y
avait plus qu'à croiser les doigts.

Kassem Zeglé, menotté, assis sur un tabouret en face
du colonel Trabulsi, le visage tuméfié, semblait pourtant ravi de se retrouver dans les locaux des FSI. L'officier l'interpella, mort de rire :

– Alors, ce voyou de Jamil Saddegh ne s'est jamais
douté que tu travaillais pour les Juifs ?

Tout son visage était secoué de tics de joie.

Jamil Saddegh, actuellement en prison pour une
implication possible dans le meurtre de Rafic Hariri,
avait été longtemps à la tête de la Sûreté générale.
L'homme des Syriens à Beyrouth. Une « pointure »,
comme on disait. Si les Syriens apprenaient que son
chauffeur travaillait pour les Israéliens, il avait intérêt
à rester en prison.

– *La. Ya, sidi !* répondit humblement le Druze.

– Tu savais que nos amis du Hezbollah se prépa-
raient à liquider celui avec qui tu avais rendez-vous ?

– *La. Ya, sidi, la, wahiet Allah*, jura Kassem Zeglé.

Mourad Trabulsi eut une grimace amusée, se demandant ce qu'il allait faire de ce cadeau du ciel. Pour l'instant il fallait garder toutes les cartes, en attendant de
voir comment les choses allaient évoluer.

Il lança à Rachid Ghazir :

– Fais-lui raconter sa vie. Qu'il reste ici, au sous-
sol. Personne ne doit savoir son nom.

Le Druze avait été enregistré aux FSI sous une
fausse identité. Mourad Trabulsi ne le présenterait à un
juge qu'une fois toutes les portes verrouillées.

– Qu'est-ce qu'on fait avec l'Américain ? demanda
Osman Eddé.

C'est ainsi qu'ils avaient surnommé Malko Linge.

– Vous regardez, ordonna le colonel Trabulsi. Nous
n'allons pas arbitrer les combats des autres. Et puis, il
a ses deux *zaaran* des Forces libanaises. Ne faites rien
sans m'en parler.

Dès que les trois hommes furent sortis, il se versa
une modeste rasade de Chivas pour aider sa réflexion.
Christopher Stafford, le chef de station de la CIA,
l'avait invité au Cercle des officiers

Sûrement pour le cuisiner sur le Hezbollah. Il allait
devoir redoubler de prudence pour ne se brouiller avec
personne.

*
* *

Greta Mugniyeh était ébouissante dans un tailleur
rose porté avec des bas noirs. Les yeux bleus soulignés
de noir se fixèrent sur Malko avec une expression
triomphante.

– J'ai du nouveau, *Herr* Linge !

Elle était si émue que sa poitrine soulevait la veste

de son tailleur d'une façon provocante. Il restait quelque chose de Miss Berlin…

— Quoi ? demanda Malko, en s'asseyant à côté d'elle.

Greta croisa les jambes d'un geste volontairement sensuel et souffla à Malko, dans une haleine parfumée :

— Le grand meeting de Hassan Nasrallah est fixé au 22 septembre. Il y sera et j'y assisterai aussi !

Malko parvint à ne pas sauter de joie.

— Ce n'est pas public ?

— Non, pas encore. C'est Hussein qui me l'a dit, sous le sceau du secret.

— Il vous a précisé où ?

— Oui, sur une grande place, dans Haret Hreik. Il me donnera le nom. Vous êtes content ?

— Oui, reconnut Malko, c'est une bonne information, mais pas directement utilisable.

Même les Israéliens hésiteraient à bombarder un rassemblement pacifique de quelques centaines de milliers de personnes.

— Il faut, par votre ami, arriver à savoir où loge Nasrallah, insista-t-il. Sinon cela ne sert à rien.

Brusquement, il vit des larmes apparaître dans les magnifiques yeux bleus de l'Allemande. Penchée vers lui, elle lança d'une voix cassée :

— Mais, *Herr* Linge, je fais tout ce que je peux. Ce garçon vient me voir tous les jours. S'il apprend que je vous parle, il me tuera !

— Calmez-vous, *Frau* Mugniyeh, dit Malko, personne ne connaîtra nos contacts.

Machinalement, il posa la main sur un genou gainé de noir et aussitôt, Greta Mugniyeh ouvrit les cuisses autant que le permettait la jupe étroite de son tailleur. Leurs regards se croisèrent et il sentit que s'il la culbutait sur le canapé jaune, elle ne résisterait pas. Mais ce n'était pas sérieux. Apparemment, l'appétit sexuel

venait en mangeant. Greta ne devait pas être en
manque. Il retira sa main.

— Continuez, conseilla-t-il. Trouvez où habite Nasrallah. C'est la condition de votre retour en Allemagne.

Elle se leva, visiblement déçue qu'il n'ait pas profité de son offre muette.

— À très bientôt, *Frau* Mugniyeh, dit Malko.

On était le 15 septembre. Il ne restait pas longtemps.

* *
*

La salle à manger du Club des officiers donnait
directement sur la mer et était pratiquement vide, au
déjeuner. Christopher Stafford reversa au colonel Trabulsi un peu de château La Lagune 1990. Le Libanais
rayonnait. Il adorait le bon vin et, jusqu'ici, son interlocuteur s'était tenu à des sujets généraux. Le déjeuner
tirait à sa fin… L'Américain se pencha à travers la
table, enjôleur, et dit à mi-voix :

— Nous vous apprécions beaucoup à l'ambassade, le
Pentagone m'a demandé de sélectionner un officier
supérieur libanais pour suivre un cours de six mois à
Washington, réservé aux militaires étrangers, pour une
sensibilisation à la sécurité. Bien entendu, tous les frais
sont pris en charge par nous. Et, pendant votre séjour,
nous pourrions vous organiser un certain nombre de
conférences payantes sur le Moyen-Orient. Un sujet
que vous connaissez bien. Qu'en dites-vous ?

Mourad Trabulsi en resta muet de bonheur : six mois
à ne rien faire, tous frais payés, plus de l'argent de
poche, c'était Byzance !

— C'est une offre très généreuse, reconnut-il.

Christopher Stafford lui adressa un sourire encourageant.

— Je pensais bien que cela vous plairait. Je vais donc
vous inscrire. Vous recevrez bientôt les papiers. Normalement, j'aurais dû adresser cette invitation à votre

chef, le général Ashraf Rifi, mais je crois qu'il est très pris en ce moment. Et puis, il est un peu trop marqué politiquement.

Évidemment, ce n'était pas le cas du colonel Trabulsi, au mieux avec les Syriens, le Hezbollah, les Druzes et même les chrétiens. Sans parler des sunnites. Au prix de quelques acrobaties…

Mourad Trabulsi, euphorique, venait de reposer son verre vide, lorsque l'Américain ajouta d'un ton neutre :

— Pourrais-je vous demander, à mon tour, un tout petit service ?

— Bien sûr.

L'Américain baissa encore le ton, bien qu'ils n'aient aucun voisin.

— C'est au sujet de notre chef de mission, Malko Linge, qui séjourne en ce moment au *Phoenicia*. Il a encore été victime d'une tentative d'élimination dans la Bekaa et je suis inquiet à son sujet.

Le colonel Trabulsi s'était figé. Les *zaarans* des Forces libanaises, apparemment, ne suffisaient plus à la protection de cet agent de la CIA. Christopher Stafford enchaîna de la même voix placide :

— Je sais que vous avez de nombreux « capteurs » dans tous les milieux. Bien sûr, nous offrons à notre agent une protection rapprochée, mais son efficacité est limitée. J'apprécierais donc beaucoup que vous lui assuriez, disons, une sorte de filet de sécurité, à titre officieux, bien entendu.

Mourad Trabulsi souriait toujours, mais le château La Lagune avait pris un goût amer sur son palais. La CIA voulait tout simplement placer son agent sous sa protection ! Et s'il lui arrivait quelque chose, c'est lui, Mourad Trabulsi, qui en serait tenu responsable… L'officier libanais réussit quand même à afficher un sourire ravi.

— Vous pouvez compter sur moi ! promit-il, mais je ne pense pas qu'il risque quelque chose à Beyrouth.

*
* *

Malko rongeait son frein. Après tant d'efforts et de morts, le succès de sa mission ne reposait plus que sur Greta Mugniyeh. Or, il n'avait aucun rôle actif à jouer. Il ne pouvait s'empêcher de penser à Mouna Harb, se demandant si elle était encore vivante. Les Saoudiens ne donnaient plus de nouvelles, traumatisés par sa disparition. Leur consul avait signalé celle-ci à la police, sans aucun résultat, bien entendu. Jusqu'ici, c'étaient eux qui avaient payé le plus lourd tribut à l'opération «Happy Valley», en dehors des Israéliens. Le plus pénible pour Malko était cette attente où il ne pouvait que compter les jours. Lorsque s'afficha sur son portable le numéro de Tamara Terzian, cela lui remonta un peu le moral.

— Je n'ai plus de nouvelles de toi, lança la journaliste. Ce soir, je fais un dîner. Tu veux venir ?

— Tu es avec ton jules, objecta Malko qui n'aimait pas tenir la chandelle.

Tamara éclata de rire.

— C'est vrai, mais il y aura quelqu'un qui veut de voir, ou plutôt te revoir…

— Rima ?

— Oui.

— Pourquoi ne m'appelle-t-elle pas ?

— Elle n'ose pas. Il paraît que tu as voulu la violer à plusieurs reprises. Ce n'est pas bien.

— Je n'ai jamais rencontré une allumeuse de cette espèce ! protesta Malko. Elle n'est pas vierge pourtant…

— Tu ne connais pas tout du Liban, corrigea en riant Tamara. Je crois que tu lui plais, mais c'est une torturée. Alors, tu veux la revoir ?

— Faute de mieux, soupira Malko, qui n'aimait pas trop non plus le supplice de Tantale.

– Si tu lui fais la cour gentiment, souligna Tamara, je suis certaine qu'elle sautera dans ton lit. Ça fait des mois qu'elle n'a pas baisé. Elle me l'a avoué.

Hussein s'était glissé chez Greta Mugniyeh à la tombée de la nuit, comme tous les soirs. Sa timidité semblait s'être envolée : à peine dans l'appartement, il ôtait son T-shirt, et c'est torse nu qu'il entraînait Greta Mugniyeh dans une cavalcade sexuelle qui commençait parfois dans le salon. Cette fois-là, à peine entré, il l'avait plaquée contre le canapé et embrochée debout.

Greta Mugniyeh subissait cette tornade sexuelle avec plaisir. De toute façon, tant que le jeune chiite n'avait pas vidé sa semence dans un de ses orifices, il ne parlait pas. Elle était plus lucide, en dépit de ses orgasmes successifs, et avait bon espoir de faire parler le jeune homme. Celui-ci s'épanouissait à vue d'œil. Plus rien à voir avec le jeune homme mort de timidité qui l'avait prise à Tyr.

Elle attendit qu'il soit allongé sur le dos, apaisé, pour demander, après une seconde étreinte sur le lit :

– Que fais-tu, ces jours-ci ?

– Nous veillons sur le *sayyed* par roulement, expliqua-t-il. Il se déplace pas mal.

– J'aimerais le connaître, fit l'Allemande.

– Tu vas le voir au meeting. Il a beaucoup de courage parce que les Sionistes ont juré de le tuer… Mais il est très prudent. En ce moment, il ne dort jamais deux jours de suite au même endroit. Il change de voiture tous les jours et quelquefois, il se déplace en scooter !

– Il vit avec sa famille ?

– Non. Il la voit seulement de temps en temps, sans jamais l'avertir à l'avance. Les Israéliens ont des espions partout. Il paraît qu'on en a arrêté un il n'y a pas longtemps, qui rôdait autour de la maison de sa famille. Chez nous, il n'y a pas de traître, heureusement.

– Heureusement, approuva Greta Mugniyeh d'une voix croassante.

Elle n'avançait pas. Impossible d'obtenir une information précise, exploitable. Pendant que Hussein se rhabillait, elle demanda à tout hasard :

– Le jour du meeting, tu viendras me retrouver ?

– Non, répondit le jeune homme en remettant son T-shirt. Je n'aurai pas le temps.

– Pourquoi ? Cela doit se terminer tard ?

– Non, vers six heures. Ensuite, le *sayyed* présidera une réunion de plusieurs centaines de cadres du parti, dans un endroit secret, cela durera longtemps. Je fais partie de ceux qui le protégeront.

– Où ça ?

– Je ne sais pas.

Le cerveau de Greta Mugniyeh tournait à toute vitesse

– Je pourrais te retrouver ensuite, si tu me dis où cela se trouve, suggéra-t-elle.

– On verra, fit évasivement le jeune homme.

Rima baissa les yeux devant le regard ironique de Malko. Assise au bord d'un canapé, un verre de jus d'orange à la main, elle arborait toujours la même tenue : hijab mauve soigneusement noué, encadrant un visage très maquillée, tunique assortie ras du cou, extrêmement moulante, et la longue jupe entravée, quasiment cousue sur elle.

Malko vint s'asseoir à côté d'elle, laissant les autres invités à leurs bavardages.

– Je vous ai laissé plusieurs messages, dit-il.

Rima esquissa un sourire embarrassé.

– C'est vrai, mais je ne voulais plus vous voir...
Vous savez pourquoi.

– Vous êtes très attirante, plaisanta Malko. Et vous
ne m'avez pas vraiment repoussé.

La jeune chiite détourna les yeux. Malko la sentait
mal à l'aise. D'un côté, il était heureux de voir que la
disparition de Mouna Harb ne s'était pas traduite par
des problèmes pour Rima. Celle-ci bredouilla :

– C'est vrai, j'ai été un peu effrayée. Les Libanais
sont plus respectueux.

Malko en doutait mais n'argumenta pas. Déjà, Rima
regardait sa montre.

– Je dois rentrer, dit-elle. Demain je travaille tôt.

– Je vous raccompagne, proposa-t-il aussitôt.

Après tout, Tamara avait peut-être raison : la jeune
chiite était prête à succomber à ses avances. Dès qu'ils
furent dans l'ascenseur, comme pour lui donner raison,
elle s'approcha, le visage levé.

– Vous ne m'en voulez pas ?

Malko ne put lui répondre : elle l'embrassait déjà,
comme les autres fois, son corps soudé au sien et ses
ongles dansant une sarabande effrénée et douloureuse
sur sa nuque. Arrivé au rez-de-chaussée, il était prêt à
la violer pour de bon.

– Allons au *Phoenicia* prendre un verre, suggéra-t-il
avec une admirable hypocrisie.

– Non, je n'ai vraiment pas le temps. Et puis, je
n'aime pas aller là-bas, j'ai l'impression d'être une
putain.

Sous le regard de Malko, elle ajouta d'une voix pres-
sante :

– Je trouverai un endroit pour nous retrouver. Je
vous appellerai. Je vous promets.

– Bien, fit-il, résigné.

Encore une fois, il allait rentrer seul.

*
* *

Arrivé comme tous les jours à sept heures à son bureau, le colonel Trabulsi interpella Rachid Ghazir.

– Rien de neuf du côté de l'Américain, Rachid ?

– Non, *sidi*. Il est sorti à Ashrafieh hier soir et a raccompagné la fille qu'il connaît déjà.

L'officier libanais était soulagé. Si le Hezbollah lançait une opération, il serait pris entre l'arbre et l'écorce. Il avait envie de profiter de sa retraite.

– Soyez vigilants ! recommanda-t-il.

Il était presque quatre heures quand Rima appela

– Je ne vous ai pas menti, hier soir, dit-elle. Si vous voulez, nous pouvons nous retrouver à l'arrêt d'autobus en face de l'hôtel *Marriott* à cinq heures. Vous savez où c'est ?

– Tout à fait, assura Malko. C'est là qu'on ira ?

– Non, non, protesta Rima, ailleurs.

– Bien, à tout à l'heure.

Tamara Terzian avait dû raisonner la jeune chiite. La perspective de faire l'amour à cette ravissante petite allumeuse était un rayon de soleil dans un océan de nuages noirs. La date du 22 septembre se rapprochait et aucune nouvelle de Greta Mugniyeh.

CHAPITRE XXI

Dans leur petite Corolla hors d'âge, Rachid Ghazir et Osman Eddé avaient du mal à suivre la Mercedes de Malko.

– Il ne va pas encore à Beaufort ! s'exclama Osman Eddé.

Ils étaient déjà à hauteur de l'hôtel *Summerland*, en face de la banlieue chiite. La Mercedes ralentit et mit son clignotant pour tourner dans l'allée menant à l'hôtel *Hyatt* qui se dressait au bord de l'autoroute. Osman Eddé continua et s'arrêta un peu plus loin, pour permettre à Rachid Ghazir de revenir sur ses pas à pied.

Lorsqu'il arriva devant le *Hyatt*, il aperçut son « client » en train de se garer dans le parking. Le policier fit semblant d'entrer dans le *lobby* et le vit ressortir du parking et rejoindre une femme en hijab qui attendait à l'arrêt du bus, juste en face de l'hôtel. La chiite qui était avec lui la veille au soir. Ils échangèrent quelques mots et se postèrent au bord du trottoir, visiblement à la recherche d'un taxi. Trois minutes plus tard, une vieille américaine s'arrêtait devant eux. Au moment où Osman Eddé revenait sur l'autre voie au volant de la Corolla. Il eut juste le temps de tourner au carrefour avant l'hôtel pour prendre le taxi en filature.

Derrière lui, une voiture suivait également : les deux
zaarans des Forces libanaises.

***

Rima semblait mal à l'aise, se retournant sans cesse.
C'est elle qui avait demandé à Malko de laisser sa voiture au *Hyatt* et de prendre un taxi.

— Dans le quartier où on va, expliqua-t-elle, les voitures étrangères se remarquent trop.

Malko était trop content pour discuter. Il avait laissé
le Herstal dans la boîte à gants de la Mercedes, pour
ne pas effaroucher Rima, se sachant sous la protection
de ses «baby-sitters». Guidé par la jeune femme, le
chauffeur se frayait un chemin sans les ruelles tortueuses et encombrées de la banlieue sud.

— Où allons-nous ? demanda Malko.

— À Borj El-Brajnieh, répondit Rima. Une de mes
cousines a un petit appartement, elle m'a donné la clef.

Autrement dit, elle s'était enfin décidée. Le taxi s'arrêta finalement et ils descendirent. Malko regarda autour
de lui, surpris et inquiet. D'un côté un terrain vague et
de l'autre des entrepôts… Rima le rassura aussitôt.

— C'est l'immeuble là-bas. On y va séparément.

Il la suivit des yeux tandis qu'elle s'éloignait, se
disant qu'elle était vraiment bandante. Il se mit en route
à son tour. Rima l'attendait dans le couloir d'un
immeuble de huit étages. Elle s'engagea dans l'escalier, montant deux étages. Elle ouvrit une des quatre
portes. Malko découvrit un petit appartement au mobi-
lier neuf, un salon où se trouvait une télé et une
chambre. Les rideaux étaient tirés.

Rima referma soigneusement à clef et gagna la
chambre sans un mot, avant de se retourner, les yeux
baissés. Malko la prit dans ses bras et l'embrassa. Elle
lui rendit ses baisers, un peu raide. Puis il entreprit de
la déshabiller. Cette fois, elle se laissa faire, tandis qu'il

jonglait avec les boutons, les pressions et les Zip.
Quand les seins en poire de Rima apparurent, pointant
à l'horizontale, incroyablement fermes, reposant sur un
soutien-gorge blanc, Malko sut qu'elle ne se déroberait
plus. Il les caressa longuement, les soupesant dans sa
paume. Rima titubait contre lui. Il fit sauter le soutien-
gorge. Buste nu, la jeune femme se laissait caresser.
Malko entreprit de la débarrasser de sa longue jupe.

Rima dut l'aider tant c'était compliqué… Enfin,
pour la première fois, il découvrit ses jambes, longues,
fines et bien galbées. Avec une sage culotte blanche de
jeune fille.

Quand il se défit à son tour, son sexe se dressa dans
la pénombre de la chambre, mais Rima ne sembla pas
s'en apercevoir. Elle qui lui arrachait la nuque pour un
simple flirt semblait paralysée. Pourtant, elle ne protesta pas lorsqu'il fit glisser sa culotte le long de ses
jambes et l'allongea sur le lit.

C'était une situation un peu irréelle. Rima semblait
dédoublée : à la fois parfaitement docile et totalement
inerte, comme inhibée… Quand Malko posa la main
sur son sexe, elle écarta aussitôt les jambes, découvrant
l'intérieur de ses cuisses. Il se mit à la caresser, sans
obtenir de réaction.

Une poupée gonflable.

Il eut beau la caresser, tenter de l'exciter, elle resta
sans réaction. Désagréablement surpris, il demanda :

– Tu n'as pas envie de moi ?

– Si, si, affirma-t-elle, mais j'ai un peu peur.

Malko se dit que c'est en mettant un pied devant
l'autre qu'on avance. En dépit de ce contretemps, son
érection était toujours au zénith. Il écarta doucement
ses cuisses qui s'ouvrirent docilement puis s'enfonça
lentement dans son ventre.

Rima ne cligna même pas des yeux !

Il était pourtant en elle de toute sa longueur. Elle
avait noué ses bras dans son dos mais il manquait une

étincelle. Il commença à bouger en elle. Rima demeurait inerte et offerte, paralysée comme si elle avait été retenue par des liens invisibles.

— Tu ne veux pas que je te fasse l'amour ? demanda Malko.

— Si, si, murmura-t-elle, j'ai envie.

Maladroitement, elle commença à bouger sous lui et s'agrippa encore plus à son dos. Malko sentait son désir l'abandonner devant une attitude aussi bizarre. Presque un viol et pourtant, c'était Rima qui avait pris l'initiative.

Brusquement, elle l'embrassa, comme pour l'encourager. Du coup, il se mit vraiment à la baiser, oubliant son manque de réaction, exorcisant sa frustration passée. Rima ponctuait ses coups de reins par de modestes soupirs, mais ne réagit même pas lorsqu'il se vida en elle…

Malko, intrigué, s'allongea à côté d'elle.

— Qu'est-ce que tu as ? demanda-t-il.

— Rien, affirma Rima. Il y avait longtemps que je n'avais pas fait l'amour. Il faut que je m'habitue…

— Tu veux qu'on retourne dans le centre ?

— Pas tout de suite, dit-elle, je dois aller rendre la clef. Je t'appelle tout à l'heure. Tu trouveras facilement un taxi, si tu vas jusqu'au carrefour à droite.

Malko se rhabilla, mal à l'aise et déçu. Après avoir désiré Rima si longtemps, avoir constaté sa sensualité, il s'était retrouvé avec un mannequin de cire.

Lorsqu'il fut prêt à partir, elle vint brusquement vers lui, noua les bras autour de son cou et lui donna un baiser profond, sensuel, amoureux, tout en se pressant contre lui. À n'y rien comprendre…

— La prochaine fois, dit-il, j'espère que tu seras plus détendue.

La tête dans son épaule, elle hocha la tête affirmativement sans répondre.

— À tout à l'heure, *inch'Allah*, fit-elle à voix basse.

*
* *

Les deux policiers des FSI buvaient du café à la café-
téria du *Hyatt*. Après avoir suivi le taxi jusqu'à Borj
El-Brajnieh, Osman Eddé était revenu chercher son
chef.

– On a le temps ! Ils doivent baiser comme des
lapins. Elle a l'air d'une vraie salope, cette petite chiite.

– Les chiites sont chaudes comme l'enfer, renchérit
fièrement Rachid Ghazir. Celle-là a un cul...

Il méditèrent quelques instants sur la chute de reins
de la jeune assistante dentaire puis se levèrent. C'était
quand même plus prudent de se trouver là où était leur
client... Osman Eddé s'était garé sur l'avenue et ils se
dirigèrent vers la sortie. Au moment où ils franchis-
saient le portail, ils durent s'écarter pour laisser passer
une Mercedes grise qui se dirigea vers le parking.
Rachid Ghazir se retourna soudain, étonné.

– Tiens, fit-il, j'ai cru que c'était celle de notre
client.

Il revint sur ses pas et observa le véhicule en train
de se garer. Juste à côté de l'autre Mercedes. Soudain,
quelque chose lui sauta aux yeux : les deux véhicules
étaient exactement semblables ! La couleur, les plaques
d'immatriculation et le numéro, l'intérieur beige...

Tandis qu'ils observaient de loin les deux véhicules,
Rachid Ghazir vit le conducteur de la Mercedes qui
venait d'arriver quitter son véhicule et s'approcher de
celui de l'agent de la CIA. Il en ouvrit la portière, se
glissa au volant et démarra pour la garer à quelque distance de là. Il vint ensuite se remettre au volant de
l'autre et en quelques manœuvres, il la gara à la place
exacte où se trouvait auparavant celle de leur « client ».

L'homme se déplaçait en boîtant fortement, tout
son corps pivotant à chaque enjambée. Il avait les

cheveux broussailleux, une grosse moustache carrée, une silhouette maigre.

Les deux policiers se regardèrent.

— Ça sent pas bon ! dit Osman Eddé.

En quelques enjambées, il rejoignit la voiture, ouvrit la portière du conducteur qui s'apprêtait à descendre. Ce dernier lui jeta un regard surpris, qui se figea en voyant le pistolet braqué sur lui.

— Descends ! intima Osman Eddé. *Tamari !*

Comme l'autre ne bougeait pas, il le prit par son blouson et le tira à l'extérieur. Déséquilibré, l'infirme tomba à terre et se mit à gémir. Relevé brutalement par les deux policiers qui le fouillèrent, ne trouvant qu'une *bitaka*[1], un peu d'argent et des clefs.

Il s'appelait Djamil Boukra, habitait au fin fond de Hamra. Pas de profession.

Osman Eddé le secoua sérieusement.

— Qu'est-ce que tu magouilles ? Pourquoi tu as amené cette voiture ici ?

L'autre ne répondit pas, tentant de s'échapper. Rachid Ghazir, qui avait de l'expérience, tira son subordonné en arrière.

— Je n'aime pas ça. Préviens le colonel. Qu'on envoie du monde.

En un clin d'œil, il eut menotté l'infirme et ils l'entraînèrent vers leur voiture. Ils l'avaient presque atteinte lorsqu'un taxi s'arrêta devant le *Hyatt*. L'« Américain » en émergea, seul.

* * *

Malko était partagé entre la frustration et un soulagement purement physiologique. Il ne s'expliquait pas la réaction de Rima. Soudain, il se heurta presque à un groupe de trois hommes qui sortaient du parking. Son

1. Carte d'identité.

pouls grimpa brutalement. Celui qui se trouvait entre
les deux autres, les mains menottées derrière le dos,
était l'infirme, agent du réseau israélien ! Il ne connaissait pas ceux qui l'encadraient, mais supposa qu'il
s'agissait de policiers.

Il les croisa sans ralentir et se dirigea vers sa voiture.
Tout à coup, un appel retentit derrière lui.

– *Sidi !*

Il se retourna. Un des policiers gesticulait dans sa
direction, lui faisant signe de revenir sur ses pas.
Comme Malko ne bougeait pas, l'homme courut vers
lui et le prit par le bras pour le ramener vers la sortie,
au milieu d'un flot de paroles en arabe.

La seule langue qu'il pratiquait, apparemment.
Malko se dégagea, bien que l'autre ne manifeste
aucune intention agressive. La déflagration les prit tous
par surprise. Assourdissante. Du coin de l'œil, Malko
vit une gerbe de flammes s'élever d'une des voitures
garées dans le parking du *Hyatt* et un souffle d'air
brûlant le balaya.

Quand la fumée noire se dissipa, emportée par le
vent de la mer, il aperçut sa voiture qui brûlait comme
une torche, éventrée, les glaces explosées. La portière
avant, côté conducteur, avait été arrachée et s'était
encastrée dans un Nissan 4×4 garé à côté, qui commençait à brûler aussi. Malko demeura cloué sur place.
Sans l'intervention du policier, il serait mort, soufflé
par l'explosion. Soudain, il réalisa que c'était sa voiture qui venait d'exploser. Comment avait-on pu la pié-
ger dans ce parking gardé ? Le policier le tira en arrière,
le nuage de fumée arrivait vers eux. Des employés du
Hyatt accouraient avec des extincteurs, inondant de
mousse carbonique les deux véhicules en train de se
consumer. Un des deux policiers prit Malko par le bras
et l'amena près d'une Mercedes grise dont il montra la
plaque d'immatriculation..

– *Your car !*

Malko se retourna vers la voiture en train de brûler, n'y comprenant plus rien. Laquelle était sa voiture ? Il prit sa clef et la mit dans la serrure qui s'ouvrit. Il se pencha à l'intérieur et plongea la main dans la boîte à gants, effleurant la crosse du Herstal. C'était bien sa voiture ! Celle qui venait d'exploser n'était qu'une « doublette », un véhicule exactement similaire, mais piégé…

Une voiture de pompiers entra en trombe dans le parking. Les deux policiers échangèrent quelques mots en arabe et l'un d'eux demanda par gestes à Malko de venir avec lui. Le second poussa le boîteux à l'arrière de leur voiture et s'assit à côté de lui. Trente secondes plus tard, ils roulaient à toute vitesse en direction de Beyrouth. À l'arrière, le policier parlait sans arrêt dans son portable.

D'un coup, tout devint clair pour Malko. Rima l'avait sciemment attiré chez elle, afin qu'on puisse procéder à l'échange des véhicules ! Voilà pourquoi elle était si bouleversée. Il se tourna vers le policier.

– *The girl !* dit-il, *we must go see her.*

Visiblement, le Libanais ne comprenait pas. Il dut ronger son frein jusqu'à l'arrivée au QG des FSI, où ils furent accueillis par une nuée de policiers qui sortirent sans ménagement le boîteux de la voiture.

Un homme corpulent, souriant, en blouson de cuir, attendait Malko dans le hall. Il avança vers lui et lui serra la main.

– Je suis le colonel Mourad Trabulsi. Mes hommes viennent de me raconter ce qui s'est passé. Venez.

*
* *

À peine Malko était-il parti que Rima avait quitté l'appartement à son tour. Un homme l'attendait à une dizaine de mètres, dans une vieille voiture.

– *Choukran*, ma sœur, dit-il. Tu nous as rendu un grand service. Dieu te pardonne tes erreurs.

Rima inclina la tête, incapable de parler, la gorge nouée par l'émotion. Elle ignorait exactement le plan du Hezbollah, mais s'en doutait. Un espion américano-israélien ne méritait pas beaucoup de compassion. Elle se rendit compte qu'on la ramenait dans l'appartement qu'elle partageait avec ses parents. Celui où elle avait reçu son « amant » appartenait à un membre du Hezbollah vivant dans le Sud et c'était la première fois qu'elle y mettait les pieds.

Et la dernière.

Elle prit l'ascenseur comme un robot et fila dans la salle de bains. Fiévreusement, elle se déshabilla et se plongea dans l'eau chaude, prise de sanglots convulsifs. Depuis le moment où le responsable hezbollah de son quartier l'avait convoquée pour lui apprendre qu'elle fréquentait un espion israélien, elle savait que cela se terminerait mal… D'abord, ses interrogateurs l'avaient mise en condition, lui expliquant qu'à cause d'elle, le *sayyed* avait failli être assassiné par les Juifs, grâce aux informations qu'elle avait communiquées à cet espion, utilisées ensuite par une complice saoudienne qu'ils avaient repérée…

Épouvantée, Rima était devenue muette. Dans ses pires cauchemars, elle n'aurait pu imaginer pareille aventure ! Mais son sang s'était glacé encore plus lorsque l'homme qui l'interrogeait lui avait dit :

– Nous sommes prêts à te pardonner, car nous savons que tu es une bonne musulmane, que tu révères l'iman Ali et le *sayyed*. Seulement, tu dois nous aider à mettre hors d'état de nuire cet espion…

Leur proposition semblait dérisoirement facile. Elle n'était pas vierge et, de toute façon, elle avait secrètement envie de cet homme depuis le début. Même si elle avait joué les allumeuses. C'était la tradition. Ils ne lui avaient pas expliqué pourquoi elle devait se livrer à cette manip et elle n'avait pas posé la question. Imaginant qu'ils voulaient l'attirer dans la banlieue sud pour le kidnapper. Désormais, il était mort ou prisonnier du Hezbollah.

Elle demeura un bon moment allongée dans l'eau tiède, submergée par la honte. Il allait falloir peut-être affronter la police, son patron, sa famille… Pour se changer les idées, elle alluma la petite télé posée sur une étagère, calée sur Al-Manar. C'était un jeu, où chaque point gagné faisait avancer vers Al Quods. Le premier arrivé gagnait un cadeau. Au bout d'un moment, elle éteignit. Puis, d'un effort surhumain, elle s'arracha du bain, se leva et alla prendre dans l'armoire à pharmacie le rasoir qu'elle utilisait pour s'épiler. Elle ôta la lame, se replongea dans l'eau chaude et, d'un geste décidé, s'entama une veine du poignet gauche.

À sa grande surprise, elle ressentit seulement un picotement à peine douloureux. Encouragée, elle recommença, se fit plusieurs estafilades et passa à l'autre poignet. L'eau de la baignoire se teintait peu à peu de rouge. Rima jeta la lame au fond, ferma les yeux et se laissa aller. Remerciant Dieu de lui accorder une mort sans douleur.

L'homme chargé de déclencher l'explosion de la Mercedes piégée déboula dans le bureau de Walid Jalloul qui le reçut immédiatement.

— Il n'était pas dans la voiture ! annonça-t-il d'emblée.

— Pourquoi l'as-tu fait sauter, alors ? demanda aussitôt le chef de la Sécurité du Hezbollah.

— Des policiers avaient arrêté Djamil. C'était foutu. J'ai pensé qu'il valait mieux qu'elle saute.

Lui ignorait l'intégralité de l'opération. Il devait simplement planquer à proximité du *Hyatt*, de façon à déclencher l'explosion avec son téléphone portable, au moment où leur « cible » ouvrirait la portière. Le Hezbollah avait choisi ce mode opératoire pour deux raisons. D'abord, c'était plus sûr que le simple piégeage d'un véhicule, déclenché lorsqu'on y entrait. Ensuite, l'intérieur de la Mercedes n'était pas exactement semblable à l'autre : leur victime pouvait s'en apercevoir.

Walid Jalloul le renvoya. Il n'avait commis aucune faute. Il restait à évaluer les dégâts : la voiture ne mènerait nulle part, achetée à un Palestinien de Tyr par un militant muni de faux papiers. Il restait Djamil, l'espion israélien retourné. En ce moment, il devait être aux mains de la police… Walid Jalloul allait devoir affronter la fureur d'Imad Mugniyeh qui avait imaginé toute l'opération. Il ne voyait pas comment empêcher le chef des Opérations spéciales d'aller tuer lui-même cet espion.

CHAPITRE XXII

— Cher ami, lança le colonel Trabulsi à Malko, vous avez eu beaucoup de chance ! Cet attentat était destiné à vous tuer – il pouffa – et même à vous réduire en poussière ! C'était très sophistiqué. Heureusement que le sergent Eddé a eu envie de prendre un café. Sans cela… *Pfitt.*

Sans cela, se dit Malko, il serait monté dans la voiture piégée en la prenant pour la sienne. Dès le début de leur conversation, l'officier libanais avait fait allusion à la demande de protection de Christopher Stafford, ce qui expliquait la présence des policiers. Quant aux deux « baby-sitters » restés derrière Malko, ils n'avaient rien vu…

Celui-ci avait attendu deux heures, dans une salle d'attente, la fin de l'interrogatoire du boîteux dont il ignorait même le nom. Il répliqua à son tour :

— Que s'est-il passé exactement ?

— Nous ne savons pas tout, cher ami, éluda le colonel Trabulsi. Celui qui a déposé la voiture « préparée » sur le parking, Djamil Boukra, sait peu de choses.

— Il fait partie du Hezbollah ?

— Non, il est électricien de profession. Il prétend avoir été kidnappé par des hommes en armes qui l'ont emmené dans la banlieue sud, l'ont battu et menacé de le tuer, s'il n'allait pas déposer cette voiture au *Hyatt*.

— Qui étaient ces hommes, des militants du Hezbollah ?

— Non, non, affirma, offusqué, le colonel Trabulsi. Ils lui ont dit que c'était un règlement de comptes de business. Cela arrive au Liban.

C'est vrai, au pays du Cèdre, on utilisait plus facilement l'explosif que les huissiers. Question de culture. C'était quand même un superbe conte de fées…

— Et pourquoi lui ?

— Il ne sait pas.

— Donc, il a accepté de rendre ce « service » sous la menace ?

— Exactement, cher ami, triompha le colonel Trabulsi. Normalement, après avoir ramené votre voiture chez ces gens, on le laissait tranquille.

Un ange traversa la pièce en boîtant.

Le colonel libanais était sans cesse au bord d'un fou rire nerveux. Malko demanda :

— Où se trouve cet homme ?

— Je l'ai relâché, avoua le colonel Trabulsi, avec une mimique désarmante.

Malko faillit s'étrangler.

— Mais il a failli me tuer !

Mourad Trabulsi se pencha en avant.

— Cher ami, on ne peut pas le prouver ! Il n'avait aucune raison de vous tuer. Il ne connaît ceux qui l'ont kidnappé que par leurs prénoms et se dit incapable de retrouver le garage où il a pris la voiture. Nous avons son identité, bien sûr et, le cas échéant, nous pourrons le réinterroger.

Devant le silence accablé de Malko, il se leva, alla prendre dans un placard une bouteille de Chivas Regal et remplit deux verres.

— À votre chance ! dit-il en levant son verre, d'un

ton joyeux. Vous allez pouvoir récupérer votre voiture, elle est dans la cour…

Malko faillit lui parler de Rima mais se dit que c'était inutile. De toute évidence, le colonel Trabulsi souhaitait en savoir le moins possible sur ce désagréable incident. En plus, il n'y avait aucun lien direct entre le rendez-vous donné par la chiite et l'attentat. Même si, désormais, Malko était certain qu'elle l'avait sciemment attiré dans un piège.

D'où son étrange attitude. On n'a pas envie de faire l'amour avec un homme qu'on va faire assassiner.

Le colonel Trabulsi vida son verre et se leva.

– Cher ami, je vous laisse. Je suis heureux que mes hommes aient pu vous éviter – il ricana – un sort désagréable. Voici vos clefs.

Un planton raccompagna Malko jusqu'à la cour où était garée sa voiture. Dès qu'il fut rue de Damas, il composa le numéro de Rima. À la troisième sonnerie, une voix d'homme répondit en arabe. Il raccrocha et appela Tamara Terzian.

– Alors ? lança la journaliste, Rima s'est enfin bien conduite avec toi ?

– Si on veut, répliqua Malko.

Il lui relata rapidement ce qui venait de se passer. Horrifiée, Tamara Terzian n'hésita pas :

– Je l'appelle et je te rappelle.

Il était presque de retour au *Phoenicia* lorsqu'elle rappela. Bouleversée.

– Rima s'est suicidée. Elle s'est ouvert les veines. J'ai parlé à un policier appelé par sa famille. C'est horrible, je ne comprends pas..

– Moi, je comprends, fit Malko. Je voudrais te voir.

– *Yallah !* Je vais raconter une craque à mon jules, je te retrouverai vers neuf heures, en sortant du journal.

En dépit de la prudence du colonel Trabulsi, Malko n'avait aucune illusion sur les auteurs de la manip : le Hezbollah se vengeait. Chaque minute passée à

Beyrouth diminuait son espérance de vie. Pourtant, il tenait à s'accrocher à la piste Greta Mugniyeh. Son unique chance de retourner les choses en sa faveur.

Arrivé à l'hôtel, il alla au bar et se fit servir une double Stolychnaïa. Amer et triste. Il n'en voulait même pas à Rima. Prise dans un univers féroce, elle n'avait pas su résister et s'était infligé elle-même sa punition. Malko était sûr qu'une manip aussi compliquée n'avait pu être montée que par un « très bon ».

Comme Imad Mugniyeh.

La seule façon de venger ces morts et de prendre sa revanche, c'était de réussir à éliminer Nasrallah. Donc, de rester à Beyrouth.

Le colonel Trabulsi vidait la bouteille de Chivas par petites touches. Son meilleur tranquillisant. Il était assez fier de lui. Avoir sauvé un agent de la CIA sans trop indisposer le Hezbollah était un exploit délicat. Bien entendu, il n'avait pas tout dit à Malko.

Djamil Boukra, l'infirme, s'était mis totalement à table. La première partie de son récit était exact. Il avait bien été kidnappé par une équipe du Hezbollah, guidée par les aveux de Kassem Zeglé, le Druze.

Ensuite, il s'était retrouvé dans un garage de la banlieue sud dont il avait donné l'adresse. Ligoté à une planche, prêt à être immergé définitivement dans une cuve d'huile usée. Le Hezbollah pratiquait souvent cette méthode pour se débarrasser des cadavres... Ceux qui le détenaient lui avaient alors donné le choix : ou il collaborait ou on lui remplissait les poumons d'une huile qui avait déjà beaucoup servi... Or, en dépit de son infirmité, il aimait la vie. Il avait accepté. On avait sorti d'un coin du garage une portière de Mercedes, en apparence banale, mais déjà « préparée », c'est-à-dire à l'intérieur tapissé de Semtex. Et c'était à lui, Djamil

Boukra, qu'était revenu l'honneur de démonter la portière d'une Mercedes stationnée dans le garage et de remonter la portière piégée à la place. Un membre du Hezbollah avait filmé l'opération…

Djamil Boukra était désormais mouillé de tous les côtés : espion israélien pour les uns et terroriste pour les autres. Donc, en conduisant la Mercedes au *Hyatt*, il savait parfaitement ce qu'il faisait : les fils du détonateur avaient été glissés dans l'antenne radio de la voiture, afin de pouvoir commander l'explosion à distance…

Seulement, cela, Mourad Trabulsi ne pouvait pas le dire à la CIA, qui lui aurait reproché de ne pas avoir arrêté Djamil Boukra. Alors que maintenant, il pourrait arguer auprès de ses amis du Hezbollah de sa compréhension. Il leur communiquerait le procès-verbal d'interrogatoire du boiteux, dont un double resterait définitivement enfermé dans son coffre.

Quant aux Américains, ils ne pourraient que le féliciter d'avoir sauvé leur agent.

*
* *

Tamara Terzian était bouleversée. Malko avait été obligé de tout lui expliquer. Installés dans un coin du restaurant du *Phoenicia*, ils chuchotaient comme des conspirateurs. Malko, connaissant son goût pour le champagne, avait commandé une bouteille de Taittinger Comtes de Champagne Rosé à laquelle elle faisait honneur. Elle secoua la tête.

– Je n'aurais jamais dû te la présenter. Tu es un homme dangereux. Moi aussi, j'ai failli être tuée à cause de toi, mais j'étais amoureuse, et lucide.

– Je sais, moi aussi, je suis affreusement triste.

Le monde parallèle, c'était comme l'industrie cinématographique. Dans le cinéma, les producteurs amateurs perdent toujours leur argent. Dans le Renseignement, ce sont les amateurs qui trinquent les premiers.

La bouteille de Taittinger était vide. Le regard de Malko tomba sur la poitrine de Tamara, qui jouait librement sous son pull de cachemire, et une brutale pulsion lui enflamma le ventre. Le regard de la journaliste s'était brouillé d'un coup.

– Viens, dit Malko.

Elle le suivit sans mot dire jusqu'à sa chambre, et s'accota au bureau, laissant Malko s'emparer d'elle, maltraiter ses seins, violer son ventre. Ils ne s'embrassaient pas. Tous les deux voulaient que ce soit purement sexuel. Quand Malko la retourna, couchée sur le bureau, et s'enfonça d'un trait dans son ventre, une position qu'elle affectionnait, Tamara soupira :

– Je suis quand même une salope ! C'était ma copine.

C'était assez vrai et cela accrut l'excitation de Malko. Ils appartenaient tous les deux à un univers que la pauvre Rima ne soupçonnait même pas.

*
* *

De nouveau, un soleil radieux inondait Beyrouth. Malko s'était réveillé en pensant à Rima. Encore un fantôme qui hanterait ses pensées. Les vieilles pierres du château de Liezen n'étaient pas seulement imprégnées du sang de ses ennemis.

Il avait zappé entre les chaînes de télé. On ne parlait que de l'explosion de l'hôtel *Hyatt*. Aucun indice, comme d'habitude : le véhicule avait entièrement brûlé et l'explosion avait été déclenchée à distance par quelqu'un qu'on n'avait ni remarqué, ni encore moins identifié. Un des innombrables fantômes malfaisants qui pourrissaient la vie des Beyrouthins.

Malko se jeta sous la douche. Même s'il avait, la veille au soir, calmé sa libido, son cerveau était en vrac.

Et il allait encore falloir commenter ce qui s'était passé pour Chistopher Stafford, qui l'avait convié à déjeuner à l'ambassade américaine.

Lorsqu'il descendit, il repéra les deux « baby-sitters » dans le hall. Ce n'était pas inutile. Il était certain que le Hezbollah chercherait à attenter à sa vie une nouvelle fois. Le Parti de Dieu avait des moyens illimités et beaucoup d'imagination… Une Chrysler noire s'arrêta sous l'auvent. Ses glaces verdâtres révélait son blindage.

Surprise : Christopher Stafford était à l'arrière. Il serra la main de Malko, le visage grave.

— Changement de programme, annonça-t-il, on va chez les Saoudiens. Pour une conférence téléphonique avec les Schlomos et Washington. Vous avez eu de la chance hier. Ces salauds vont finir par vous avoir… Le colonel Trabulsi m'a tout raconté. Enfin, presque tout. Heureusement, il n'y a pas eu de victime.

— Si, une, corrigea Malko, Rima s'est suicidée.

Il raconta à l'Américain le rôle de la chiite dans l'attentat. L'Américain hocha la tête avec tristesse.

— Ces types sont infernaux. C'est sûrement Imad Mugniyeh qui est derrière tout cela. Il nous hait, et vous particulièrement…

Malko remarqua soudain que leur voiture était encadrée, devant et derrière, par des 4×4 aux vitres noires. Ils étaient bien protégés ; si on pouvait l'être dans une ville comme Beyrouth… Le petit convoi s'engouffra par la grille de l'ambassade d'Arabie Saoudite, ouverte sur un ordre radio. L'Américain se tourna vers Malko.

— On a découvert la voiture de Mouna Harb chez un marchand de voitures d'occasion, dans la banlieue sud. Elle y avait été amenée par un militant du Hezbollah, avec un faux certificat de vente…

Il n'y avait pas de petit bénéfice pour le Hezbollah.

Fouad El-Rorbal les accueillit sur le perron et ils gagnèrent aussitôt le grand salon un peu solennel où

avaient lieu toutes les réunions. Le Saoudien arborait
une mine d'enterrement et encore, il ne savait pas
tout...

– Nous n'avons plus d'espoir de revoir Mouna Harb
vivante, annonça-t-il.

Un ange passa, un brassard noir autour des ailes.
Christopher Stafford prit son courage à deux mains et
répondit :

– J'allais vous en parler. C'est la guerre, Fouad. Je
sais que c'est le deuxième agent que vous perdez, mais
les Israéliens ont eu des pertes aussi et c'est un miracle
si notre ami Malko est ici ce matin. Ils ont encore
essayé hier de le tuer.

– C'était vous, le *Hyatt* ? demanda aussitôt Fouad
El-Rorbal.

– Oui, confirma Malko. Les conséquences de la
pénétration du réseau israélien.

Il était partagé entre la frustration, l'amertume et la
rage. Son seul succès à ce jour, c'était d'être resté en
vie... Mais Imad Mugniyeh, l'homme qu'il avait cru
liquider treize ans plus tôt, se moquait de lui.

Christopher Stafford ouvrit sa serviette et en sortit
L'Orient-Le Jour du matin. Un article à la une était
encadré de rouge : le Hezbollah annonçait une gigantesque manifestation pour la semaine suivante, le
22 septembre, afin de célébrer la «divine victoire»
contre les Sionistes. L'article soulignait que Hassan
Nasrallah serait probablement là, en chair et en os...

L'Américain replia le journal et lança, à l'intention
du Saoudien :

– C'est la confirmation de l'information obtenue
par Malko il y a deux jours. Les Israéliens vont nous
relancer. Si Hassan Nasrallah se pavane en plein
Beyrouth, ils perdent définitivement la face.

Son regard se posa sur Malko.

– Pensez-vous que votre «source» puisse le localiser d'ici le 22 ?

Malko soupira.

– Il y a à peu près une chance sur cent, avoua-t-il. C'est un processus que je ne contrôle pas.

Christopher Stafford semblait transformé en statue de pierre. Il mit quelques secondes à réaliser.

– Donc, nous ne pouvons rien faire.

– Mon cher Christopher, reprit Malko, depuis le début, je dis que cette mission est pourrie. Les Israéliens, qui sont les mieux placés pour connaître le Hezbollah et l'infiltrer, n'ont jamais obtenu le moindre résultat contre eux. L'échec de leur guerre éclair en est la meilleure preuve. Ils n'avaient même pas repéré les bunkers construits à quelques dizaines de mètres de leurs positions ! Quant à Hassan Nasrallah, ils n'en savent guère plus sur lui que les journaux.

– Vous êtes dur ! soupira l'Américain.

– Non, objectif. Plusieurs personnes ont perdu la vie au cours de cette mission et moi, j'ai échappé de peu à la mort. Jusqu'ici, le seul résultat, c'est que nous sommes sûrs qu'Imad Mugniyeh est bien vivant et actif. Il aurait fallu dire « non » aux Israéliens.

– C'est trop tard, rétorqua Christopher Stafford, et vous savez bien que cette mission a été décidée au plus haut niveau. Je vais être inondé de messages au sujet de ce meeting du 22. Qu'est-ce que je vais répondre ?

Malko esquissa un sourire amer.

– Que les Israéliens auront enfin une occasion de liquider Hassan Nasrallah. Ils ont toujours dit que, dès qu'il se montrerait, ils l'écraseraient. Voilà une excellente occasion ! Ce journal indique l'endroit et l'heure de la manifestation. Il n'y a plus qu'à envoyer les F-16. Quelques bombes, même moyennement « intelligentes », et ils seront débarrassés de leur cauchemar.

Le chef de station de la CIA eut un haut-le-corps.

– Malko, vous savez bien que la guerre est terminée. Politiquement, une telle opération est impensable. D'autant qu'il y aurait énormément de dégâts collatéraux. Y compris dans l'opinion mondiale. Israël serait mis au banc de l'humanité. Il faut trouver autre chose.

Malko demeura silencieux. L'espoir d'obtenir de Hussein, le jeune amant de Greta Mugniyeh, une information précise en temps réel était très faible. Il repensa soudain à une des informations communiquées par Greta Mugniyeh, qui ouvrait une porte à laquelle on ne s'était pas encore attaqué.

– J'ai peut-être une solution ! avoua-t-il avec réticence, mais il y a encore tellement de « si » qu'il ne faut pas faire saliver les Israéliens.

CHAPITRE XXIII

Fouad El-Rorbal et Christopher Stafford fixèrent Malko, suspendus à ses lèvres.

– Que voulez-vous dire ? demanda le chef de station de la CIA. Quelle est cette information ?

– Voilà, expliqua Malko. Nous ne pouvons pas compter sur les révélations du jeune militant hezbollah, Hussein. Même s'il est fou amoureux de Greta Mugniyeh. Par contre, il a déjà livré une information vitale. D'après lui, Hassan Nasrallah doit se rendre, après son meeting public, à une réunion secrète des cadres du Hezbollah.

– Vous pensez qu'Imad Mugniyeh pourrait y assister ? demanda aussitôt Christopher Stafford.

Malko balaya Imad Mugniyeh d'un geste sans appel.

– Pour l'instant, c'est Hassan Nasrallah, le problème. Mon idée est très simple : il faut, dès maintenant, identifier un cadre du Hezbollah susceptible de se rendre à cette réunion, de façon à pouvoir le suivre. Et donc, à connaître le lieu de la réunion. Le reste est l'affaire de l'aviation israélienne.

Un long silence suivit son explication, puis l'Américain demanda :

– Vous avez une idée de l'identité de ce cadre ?

– Non, avoua Malko, mais d'après Hussein, ils

seront près de deux cents. Je ne peux pas croire que
les Services libanais, les Israéliens ou l'Agence ne
connaissent pas certains des cadres du Parti de Dieu.
Peut-être aussi votre ami le colonel Mourad Trabulsi
pourrait-il vous aider.

Christopher Stafford secoua la tête.

— Il est trop prudent pour se mouiller dans une opération anti-Hezbollah.

— Essayez, conseilla Malko, sous un prétexte
crédible.

Le chef de station de la CIA ne semblait pas enthou-
siaste.

— Trabulsi est très malin, prévint-il. Je vais d'abord
voir ce que nous avons sur le sujet. On ne fera appel à
lui qu'en dernier ressort.

Fouad El-Rorbal semblait satisfait, lui aussi.

— C'est une idée magnifique, approuva-t-il. Malheureusement, nous ne sommes pas assez implantés ici
pour pouvoir vous aider.

Christopher Stafford regarda sa montre.

— On fait le point demain.

Dans la voiture qui les emmenait à l'ambassade
américaine, Malko pensa soudain à quelque chose.

— Je peux aussi appeler Dieter Muller en Allemagne, suggéra-t-il. Il aura peut-être une idée.

Vingt minutes plus tard, le petit convoi franchis-
sait le *check-point* de l'ambassade américaine. Avant
même d'aller déjeuner, Christopher Stafford demanda
à son *deputy* de sortir tout ce qu'il y avait sur le
Hezbollah.

*
* *

Walid Jalloul émergea d'une réunion restreinte
réunissant Hassan Nasrallah, Imad Mugniyeh, arrivé à
Beyrouth le matin même, et deux responsables de la
sécurité qui avaient suivi depuis le début les efforts des

Israéliens et des Américains pour localiser Nasrallah.
L'échec de l'opération menée à l'hôtel *Hyatt* était un
revers. Or, le fait que Malko Linge, l'agent de la CIA
impliqué dans l'opération de Baalbeck, se trouve toujours à Beyrouth était plus qu'inquiétant.

Tous étaient des gens pragmatiques. Malko Linge
était leur adversaire, mais ils le respectaient. Il n'était
ni fou ni suicidaire et ne restait donc pas à Beyrouth,
où sa vie était menacée, sans une raison impérieuse.
Qui ne pouvait être qu'une nouvelle tentative de liquidation du *sayyed*... Il devait donc avoir une piste et
peut-être même avait-il pénétré leur « périmètre de
sécurité ».

La réunion, dans un des bunkers de la banlieue sud,
avait été houleuse.

— *Sayyed*, avait imploré Walid Jalloul, il ne faut pas
venir à ce meeting, c'est trop risqué. Prononcez votre
discours à partir d'un endroit sûr, qu'il soit retransmis
sur des écrans géants. Vos partisans comprendront...

Hassan Nasrallah, sans se troubler, avait répliqué de
sa voix douce et mesurée :

— Walid, je te remercie, mais je dois me montrer.
En chair et en os. Que ceux qui m'aiment constatent
qu'Israël n'est qu'un tigre de papier. Et Dieu me pro-
tégera... Je suppose que tu as pris toutes les précautions pour ma sécurité, comme d'habitude ?

— Bien sûr, avait affirmé chaleureusement le chef de
la Sécurité. Personne ne pourra te suivre ni même
savoir dans quel véhicule tu te trouves. J'ai prévu plus
de trente frères pour ta protection rapprochée. Là-bas,
tu parleras derrière une glace blindée, sous un toit de
toile qui empêchera de repérer ta position du ciel. Entre
toi et la foule, il y aura une haie de photographes et de
cameramen de tous les pays, qui te feront involontairement un rempart de leurs corps. Pour ton départ, nous
avons aménagé un souterrain qui part de sous la tribune

et aboutit cent mètres plus loin, à l'intérieur d'un immeuble que nous contrôlons.

– Et les voitures piégées ? avait demandé le chef du Hezbollah.

– Tous les accès à la place seront barrés par des poids lourds emplis de sable, disposés en chicane. Impossible, même pour un camion chargé d'explosifs, de franchir ce barrage. Au pire, l'explosion aurait lieu à plusieurs centaines de mètres.

– Tu vois, Walid, avait opiné Hassan Nasrallah avec un sourire enjoué, tu as tout prévu !

Walid Jalloul secouait la tête.

– *Sayyed*, j'ai un mauvais pressentiment. Les Israéliens et les Américains sont des Satans pleins d'imagination. Tu sais bien qu'on ne peut pas tout prévoir. Les hommes politiques qui ont été abattus ou victimes d'un attentat croyaient, eux aussi, avoir tout prévu. Comme Rafik Hariri.

– Dieu ne les protégeait pas comme moi, avait conclu Nasrallah. Je dois aller à ce meeting et, *inch 'Allah*, rien ne m'arrivera. Les frères veulent me voir.

Il n'y avait plus rien à dire… Mais Imad Mugniyeh bouillait.

– *Sayyed*, avait-il lancé, il y a une solution très simple. Il faut tuer cet homme avant le meeting. J'ai déjà essayé à plusieurs reprises, mais Satan l'a protégé. Il nous reste peu de temps. Laisse-moi essayer encore.

Cette fois, c'est Walid Jalloul qui était intervenu :

– Cet homme dispose d'une double protection : des mercenaires chrétiens et des policiers des FSI. Nous n'avons pas le temps d'organiser une attaque sophistiquée.

Hassan Nasrallah, en se levant, avait mis fin à la réunion.

Depuis, Walid Jalloul tournait et retournait dans sa tête les risques. Il possédait une seule certitude : quelque chose était en préparation et ce Malko Linge

en était au cœur. Hélas, il n'avait pas la moindre idée
de son plan. Or, c'est lui qui était responsable de la
sécurité du *sayyed*.

***

John Horton, le *deputy* de Christopher Stafford,
entra dans la petite salle à manger et déposa devant le
chef de station une feuille de papier où Malko aperçut
une liste de noms.

— J'étais certain que vous aviez des éléments sur les
cadres du Hezbollah ! dit-il, soulagé.

L'Américain parcourut la liste des yeux et leva la
tête pour annoncer d'une voix blanche :

— C'est vrai, j'ai une vingtaine de noms ici. Mais
pas une seule adresse !

— Comment est-ce possible ? s'insurgea Malko.

— Ces noms ont été cités dans la presse et identifiés
par des « sources » extérieures, expliqua l'Américain.

— Il faut demander aux Israéliens, dans ce cas.

— Allons-y.

Ils abandonnèrent leurs cafés pour la salle du chiffre
et, dix minutes plus tard, avaient Meir Feldman en
ligne. Dès que Christopher Stafford eut expliqué le projet, le chef du Mossad manifesta son intérêt.

— Dans une demi-heure, promit-il, vous aurez tous
les éléments que nous possédons sur le Hezbollah.

Ils retournèrent dans le bureau du chef de station
pour attendre la bonne nouvelle. Qui arriva vingt-trois
minutes plus tard. Une liasse d'une vingtaine de
feuillets envoyés par fax crypté. Tout sur le Hezbollah.
La *Choura* dirigeante, avec la liste de ses sept
membres. Une seconde liste de soixante dirigeants
locaux, le découpage des soixante-quinze zones militaires. Le nom du chef d'état-major des opérations
militaires : Ibrahim Akill. Quelques noms de dirigeants
connus, comme le trésorier du parti, Mohammed

Yazbek. Avec son adresse : le village de Boudai, dans la Bekaa

Rien cependant sur la banlieue sud de Beyrouth. Une note expliquait cette lacune par le fait que les cadres du Hezbollah étaient à mi-temps, ne se réunissaient jamais officiellement et exerçaient tous des professions légales.

Christopher Stafford reposa la liste, découragé.

– Nous ne sommes pas plus avancés, soupira-t-il. Tous ces noms-là, nous les connaissons. Personne ne va prendre le risque de suivre le cheikh Mohammed Yazbek !

– Il nous faut un dirigeant anonyme, renchérit Malko, qui ne dispose pas de protection particulière et qu'on puisse prendre en charge sans attirer l'attention. Je vais appeler Dieter Muller.

Walid Jalloul lisait, comme chaque jour, les rapports de ses agents de sécurité chargés de relever tous les faits pouvant annoncer un danger ou, simplement, sortant de l'ordinaire. Il s'arrêta sur une courte note révélant que le militant Hussein Yanouh, choisi pour veiller sur Greta Mugniyeh, puis déchargé de cette tâche pour une autre affectation, continuait à rendre visite régulièrement à l'Allemande.

Le chef de la Sécurité du Hezbollah contempla pensivement son rapport.

Perplexe.

Hussein Yanouh était un militant irréprochable, de toute confiance, au point qu'il venait d'être affecté à la sécurité rapprochée du *sayyed*. Et Greta Mugniyeh était l'épouse d'un homme qui rendait de grands services au Parti de Dieu, ce qui l'avait conduit en prison en Allemagne. En plus, elle était la tante par alliance d'Imad Mugniyeh.

Autrement dit, tous deux étaient insoupçonnables.

Il décida pourtant de diligenter une enquête sur Hussein Yanouh. En ce moment, il ne pouvait rien laisser passer.

*
* *

Dieter Muller s'était tout d'abord montré réticent, arraché à un *meeting* par l'appel de Malko. Visiblement, il n'appréciait pas le rôle qu'on lui avait fait jouer. Ensuite, son estime pour Malko l'avait un peu dégelé et celui-ci avait pu poser la question qui l'intéressait.

Le chef du BND connaissait-il des cadres du Hezbollah ?

— J'en ai rencontré un, une fois, lorsque je me trouvais avec Hassan Nasrallah, expliqua l'Allemand. Il s'appelle, je crois, Hussein Al-Husseini. Il vit entre la Bekaa et Beyrouth, mais je n'ai rien de plus précis. Cependant, je vous avertis tout de suite : il ne trahira pas Hassan Nasrallah.

— Je vous remercie, dit Malko. Et j'ai déjà oublié vous avoir parlé. *Vielen Dank*[1].

Après avoir raccroché, il se tourna vers Christopher Stafford.

— Regardez ce que vous avez sur un certain Hussein Al-Husseini. Il vit entre la Bekaa et Beyrouth.

Le chef de station appelait déjà son adjoint. Pendant que ce dernier effectuait des recherches dans la banque de données, Malko et Christopher Stafford trompèrent leur anxiété avec du mauvais café. John Horton réapparut un quart d'heure plus tard.

— Nous avons effectivement un Hussein Al-Husseini dans nos *files*, annonça-t-il. Il est viticulteur dans

1 Merci beaucoup.

la Bekaa, fils d'un dignitaire chiite, catalogué comme proche du Hezbollah. Ni adresse ni téléphone.

Il ressortit en laissant le maigre CV sur le bureau du chef de station. Malko ne se laissa pas décourager.

— Je connais quelqu'un qui peut nous aider, affirma-t-il.

Tamara Terzian répondit tout de suite.

— Tu es au journal ? demanda Malko.

— Oui.

— Je peux passer te voir ?

— O.K., accepta la jeune femme, mais viens tout de suite, après j'ai une réunion.

*
* *

— Tiens, le voilà, ton Hussein Al-Husseini, lança Tamara Terzian en extrayant une photo d'un dossier.

Un homme au nez important, des cheveux noirs foisonnants rejetés en arrière, le regard rieur, la moustache énorme.

— Il a l'air sympa, remarqua Malko.

La journaliste sourit.

— Très. Il est plutôt atypique, exubérant et de tendance laïque. Marié à une très jolie femme.

— Où vit-il ?

— Il a une propriété dans la Bekaa, avec 50 hectares de vignes, et un appartement à Beyrouth.

— Des vignes ? s'étonna Malko.

Tamara Terzian éclata de rire.

— Je t'ai dit qu'il était atypique. Quand on lui fait observer que c'est *haram* de cultiver la vigne, il rétorque que ses voisins, tous membres du Hezbollah, cultivent du haschich ou du pavot… Et sa femme ne porte pas le voile.

— Tu l'as rencontré ?

— Oui. À cause de cette histoire de vigne. (Elle

pouffa.) Il marche à la tequila. Il en a avalé quatre pendant mon interview. Qu'est-ce que tu lui veux ?

– Je ne peux pas te le dire, avoua Malko, mais il ne lui arrivera rien de mal. Il ne saura même pas que je m'intéresse à lui. Est-ce que tu as ses coordonnées ?

La journaliste lui montra la chemise enveloppant le dossier.

– Ici.

Malko nota tout : deux numéros de portable, l'adresse au village de Bouris, près de Baalbeck, et surtout celle de Beyrouth, dans le quartier de Basta.

– Je peux garder la photo ? demanda-t-il.

Sans attendre sa réponse, il la mit dans sa poche. Tamara referma le dossier et lui jeta un regard lourd.

– Je ne veux pas d'une nouvelle affaire Rima, dit-elle avant de le quitter.

Il était déjà dans l'ascenseur. Venu directement de l'ambassade américaine, ce qui éliminait le risque de filature, il y retourna.

Vingt minutes plus tard, il remettait la photo et les éléments de localisation au chef de station.

– Désormais, c'est à vous de jouer, conclut-il. Nous sommes le 20. Il nous reste deux jours. Il faut prendre en compte Hussein Al-Husseini et ne plus le lâcher. Je ne pense pas qu'il dispose d'une protection rapprochée, mais ce n'est pas totalement exclu. N'oubliez pas : si vous vous faites repérer, c'est fichu. Comment comptez-vous vous y prendre ?

– Je vais mettre dessus mes meilleurs éléments locaux, promit l'Américain. Si nous parvenons au stade final, je pourrai le localiser grâce à son portable.

– N'y comptez pas trop. Dans ce genre de réunion, les portables seront sûrement interdits. Si nous jouons bien, Hussein Al-Husseini va nous mener directement à Hassan Nasrallah dans deux jours.

CHAPITRE XXIV

Walid Jalloul avait du mal à respirer, étouffé par l'angoisse. À vingt-quatre heures du meeting de la « divine victoire », l'agent de la CIA, Malko Linge, semblait être en vacances à Beyrouth ! Les militants chargés de le surveiller ne signalaient aucune rencontre, aucun déplacement même. Il n'avait guère bougé de l'hôtel au cours des dernières vingt-quatre heures.

Il paraissait en sommeil… Et pourtant, le chef de la Sécurité du Hezbollah était certain que cet homme ne restait pas à Beyrouth, où il risquait sa vie, seulement par plaisir. Enrageant de ne pas décrypter ce qui se passait sous son nez, et bien qu'il ait pris toutes les précautions possibles et imaginables pour la sécurité du *sayyed* pendant la manifestation, il avait peur.

– Nous l'avons pris en compte, annonça triomphalement Christopher Stafford. J'ai six équipes qui se relaient. En ce moment, il fait les vendanges dans sa propriété, mais revient tous les jours à Beyrouth rejoindre sa femme qui n'en bouge pas.

Malko, lui aussi, était nerveux

– Christopher, demanda-t-il, vous êtes totalement

certain que cette ligne est *safe* ? Les Syriens ne peuvent pas nous décrypter ?

Ils communiquaient grâce à leurs Blackberry cryptés, dernière version.

— Totalement certain, affirma le chef de station. Les Syriens ne disposent pas de matériel récent, même s'ils sont bons.

— Que Dieu vous entende, soupira Malko. Et que vos gens, surtout, se montrent discrets…

Le rassemblement du Hezbollah était prévu pour le lendemain, suivi, en fin de journée, par la réunion secrète des cadres. Il n'y avait plus qu'à attendre. Malko décida d'aller retrouver Tamara pour déjeuner au *Salmontin*. Un peu de caviar et de vodka ne lui ferait pas de mal. Sans compter que la journaliste aurait peut-être le temps pour un câlin rapide. Il avait besoin de se dénouer les nerfs.

***

Avec un cri sauvage, Hussein Yanouh lâcha sa semence dans le ventre de Greta Mugniyeh et retomba sur elle, assouvi. L'Allemande n'avait pas joui, trop tendue. Le lendemain, c'était le jour du rassemblement de la « divine victoire » et elle ne verrait pas son jeune amant. Sauf miracle, elle avait donc échoué dans la mission confiée par Malko Linge et allait rester au Liban un bon moment…

Le jeune homme s'était déjà arraché d'elle et enfilait son caleçon noir. Greta lui lança, essayant d'attraper une dernière chance :

— Tu es sûr qu'on ne peut pas se voir demain ?

— Greta, jeta Hussein Yanouh, à partir de tout à l'heure, je ne quitte plus le *sayyed*. Demain, c'est Abu Ali qui viendra te chercher pour t'emmener au rassemblement. Il faut que tu sois prête à deux heures.

— Et après ?

— Il te raccompagnera ici.

— Tu ne seras pas libre ?

— Non, j'accompagnerai le *sayyed* à la réunion des cadres. Cela risque de durer, ils ne se sont pas réunis depuis longtemps. Si je ne finis pas trop tard, je viendrai, *inch 'Allah*.

Rhabillé, il fonça vers la porte. Personne ne lui avait appris l'amour romantique.

*
* *

Hussein Yanouh allait remonter sur son scooter garé au pied de l'immeuble lorsque deux militants qu'il connaissait de vue l'encadrèrent. Visiblement, ils l'attendaient.

— Que fais-tu ici, Abu Hussein ? demanda l'un d'eux.

Hussein sentit son pouls s'envoler, mais ne se démonta pas.

— J'ai apporté une invitation pour le rassemblement de la divine victoire à *Oum* Greta, prétendit-il.

— Tu es resté très longtemps, remarqua l'autre d'un ton lourd de sous-entendus. Suis-nous. *Sidi* Walid veut te voir.

*
* *

Greta Mugniyeh sentit ses jambes se dérober sous elle. Désireuse d'assister au départ de Hussein, elle l'avait observé de sa fenêtre et avait assisté à son « interception » par deux jeunes gens qui ne semblaient pas lui vouloir du bien. Quand elle le vit s'éloigner, encadré par eux, la panique la submergea. Comme une folle, elle se rua sur le téléphone.

*
* *

Malko avait pratiquement convaincu Tamara Terzian de terminer agréablement leur déjeuner quand son portable sonna.

— *Herr* Linge, annonça une voix en allemand, *Herr* Lohman souhaite vous voir de toute urgence.

— Maintenant ?

— *Jawolh.*

— Bien, fit Malko, résigné, j'arrive.

Tamara l'observait, mutine.

— Moi qui étais prête à mentir à mon rédac chef ! soupira-t-elle.

— Retrouvons-nous ce soir, suggéra Mako.

— Je verrai, fit-elle évasivement.

Furieux et angoissé, Malko se demanda la raison de cette convocation. Forcément liée à Greta Mugniyeh.

***

On frappa à la porte et Khaled, un des adjoints de Walid Jalloul, se glissa dans le bureau.

— Abu Hussein est là, annonça-t-il. Il est resté chez *Oum* Greta plus de trente minutes.

— Fais-le entrer, ordonna Walid Jalloul.

Hussein Yanouh fit son entrée, les yeux baissés, crispé, mais salua respectueusement le chef de la Sécurité.

— Tu m'as demandé, *sidi* Walid ?

— Oui, Abu Hussein. Je t'ai fait surveiller. Tu vas tous les jours rendre visite à *Oum* Greta. Or, tu n'as plus à t'occuper d'elle. Que fais-tu là-bas ?

Hussein Yanouh sentit son cœur rétrécir dans sa poitrine. Sachant qu'il avait commis une double faute. D'abord sortir de ses relations professionnelles et, surtout, avoir des relations sexuelles avec une femme mariée, de surcroit épouse d'un membre du Parti de Dieu. Les pensées s'entrechoquaient dans sa tête sous le regard inquisiteur de Walid Jalloul. Il décida de tout avouer et leva la tête, soutenant le regard glacial de son chef.

— C'est vrai, *sidi*, je l'ai vue tous les jours et j'en demande pardon à Allah.

Walid Jalloul se détendit. Ces aveux spontanés plaidaient en faveur d'un simple écart de discipline, et non d'une sombre machination. Il savait que ses jeunes militants ne gagnaient pas assez d'argent pour pouvoir se marier. À l'âge où les pulsions sexuelles sont les plus fortes. Cela avait été une imprudence de mettre en contact une belle femme seule comme Greta Mugniyeh et ce jeune homme. Il était ennuyé. Son devoir eût été de rendre compe de cet incident à Imad Mugniyeh, mais ce dernier était un homme violent et risquait de vouloir tuer le coupable. Or, Hussein Yanouh était un militant irréprochable et courageux.

— Abu Hussein, décida le chef de la Sécurité, tu as commis une faute grave et tu mérites d'être puni. Je sais que les femmes infidèles exposent leur chair comme de la viande à l'étal d'un boucher et tu as pu en être troublé. Tu vas me jurer sur l'iman Ali que tu ne reverras plus jamais cette femme.

— Je le jure, *sidi*, s'empressa de dire Hussein.

— Bien, dès la semaine prochaine, je t'enverrai dans le Hermel pour quelque temps. Il faudra que tu pries Allah le Tout-Puissant et le Miséricordieux pour t'aider à oublier cette créature de Satan.

— *Choukran, sidi, choukran*[1], bredouilla Hussein.

Avant de sortir, il baisa la main de son chef. Sachant pourtant qu'il allait beaucoup souffrir, car le sexe de Greta Mugniyeh était devenu une drogue pour lui.

**

1. Merci, monsieur, merci.

– *Frau* Mugniyeh, martela Malko, il faut absolument vous rendre à ce rassemblement. Si vous disparaissez, le Hezbollah risque de faire le lien entre les menaces qui pèsent sur Hassan Nasrallah et votre aventure avec ce jeune homme.

– Mais je les ai vus. Ils l'ont arrêté ! En bas de l'hôtel. Ils vont me kidnapper et on ne me reverra jamais.

Malko essaya de garder son calme. Greta Mugniyeh, avec ce qu'elle savait, était une bombe ambulante. Il fallait à tout prix la rassurer.

– Il ne sait rien, plaida-t-il.

– Il m'a parlé de cette réunion secrète des cadres, rétorqua-t-elle. Je suis certaine que vous allez tenter quelque chose.

– D'abord, il ne s'est même pas rendu compte qu'il donnait une information importante, assura Malko, ensuite je vous jure que nous n'allons rien faire, car nous ignorons *où* se déroule cette réunion. Vous n'avez jamais pu le lui faire dire.

– C'est vrai, reconnut Greta Mugniyeh, mais j'ai trop peur. Je ne veux pas ressortir de cette ambassade.

Malko compris qu'il fallait lâcher du lest.

– *Frau* Mugnhiyeh, dit-il, si vous allez à ce rassemblement, je m'engage à ce que vous puissiez regagner l'Allemagne sans avoir de problème là-bas.

– Vous me jurez qu'il ne m'arrivera rien ?

– Je vous le jure.

– *Schön*. J'irai, mais après-demain, je pars pour Berlin.

*

Tamara Terzian ne s'était même pas déshabillée. Pour se faire pardonner sa défection de la veille au soir, elle s'était glissée dans la chambre de Malko avant neuf heures. Quitte à être en retard au journal… Après un flirt rapide, elle s'était empalée sur lui et se balançait furieusement d'avant en arrière, sa culotte accrochée à sa cheville gauche.

– Prends mes hanches ! souffla-t-elle. Tiens-moi bien !

Le buste droit, elle s'agita de plus en plus vite et ils explosèrent en même temps.

Tandis qu'elle se ruait dans la salle de bains, Malko profita de ces quelques instants d'apaisement. Il allait en avoir besoin. C'était le calme avant la tempête. Dans quelques heures, il saurait si son ultime manip avait réussi.

Tamara ressortit en trombe, l'embrassa rapidement et s'enfuit. Elle avait horreur d'être en retard.

Malko appela aussitôt Christopher Stafford sur le Blackberry crypté.

– Où en sommes-nous ?

– La situation est sous contrôle, assura l'Américain. Le « client » est parti très tôt ce matin dans la Bekaa où il supervise ses vendanges.

Une pensée horrible traversa Malko. Et si, à cause des vendanges, Hussein Al-Husseini ne se rendait pas à la réunion des cadres du Hezbollah ?

– Envoyez-moi une voiture, demanda-t-il. Je préfère être avec vous pour la suite des événements.

*
* *

– Abu Ali ! Abu Ali[1] !

Greta Mugniyeh, assise au troisème rang des invités de marque, pour la plupart des veuves de « martyrs » ou des familles drapées de noir regroupées en face de la tente où se trouvaient tous les dignitaires du Hezbollah, était une des seules étrangères dans une mer de hijabs. L'estomac tordu d'angoisse. Les cris scandés par les partisans créaient une ambiance rappelant les grands meetings nazis d'avant-guerre.

---

1. Le Téméraire ! Le Téméraire !

L'immense place des Martyrs, à Haret Hreik, était noire de monde.

L'Allemande se retourna : des milliers de drapeaux flottaient au-dessus de la foule occupant toute la place rectangulaire. Des centaines de milliers de personnes se trouvaient là depuis plusieurs heures, debout sous un soleil encore chaud. Bizarrement, parmi les drapeaux jaunes du Hezbollah, flottaient ceux du Parti communiste libanais, rouges, ornés de la faucille et du marteau. Avec quelques timides fanions orange du parti chrétien du général Aoun et les oriflammes vertes du PSN, le parti nationaliste prosyrien, ornés d'une croix celtique.

Des guetteurs occupaient les toits plats des immeubles cernant la place. Les abords étaient sévèrement filtrés. Comme les autres invités de marque, Greta Mugniyeh avait été amenée en minibus puis escortée à pied par des militants armés, à travers un dédale de petites rues.

Tous les accès à la place comportaient des portails magnétiques filtrant les arrivants. D'énormes camions disposés en chicanes, chargés de sable, empêchaient tout véhicule piégé de s'approcher de la tente à monture métallique sous laquelle se tenaient les dirigeants du Hezbollah et où les rejoindrait Hassan Nasrallah.

Très habilement, on avait disposé entre lui et la foule des militants les estrades destinées à la presse. En plus des glaces blindées protégeant l'estrade, le chef du Hezbollah avait, pour le protéger, un véritable mur humain, celui des centaines de journalistes venus de tous les pays...

Les deux grands écrans à cristaux liquides suspendus face à la foule restaient encore désespérément sombres. Greta Mugniyeh regarda sa montre. Quatre heures et demie ! C'était interminable. Des orateurs du Hezbollah enchaînaient des discours pour faire patienter la foule. Peu à peu, l'angoisse de Greta Mugniyeh

s'apaisa. Soudain, il y eut un mouvement de foule
devant elle et plusieurs hommes vêtus tous de la même
façon, lunettes noires, costumes noirs et chemises
blanches, micro dans l'oreille, prirent position au
milieu des journalistes, face à la foule.

La garde rapprochée de Hassan Nasrallah.

Par l'entrebâillement d'une veste, Greta Mugniyeh
aperçut la crosse d'un pistolet. Le cœur battant, elle
chercha des yeux Hussein, sans l'apercevoir. Ils étaient
plusieurs dizaines comme lui et il pouvait se trouver
plus loin ou au pied de la tribune.

Un cri puissant jaillit de milliers de poitrines. Le
visage d'Hassan Nasrallah venait d'apparaître sur les
écrans géants, avec son éternel turban noir, ses fines
lunettes, sa tenue brune.

Pendant un long moment, il fut impossible d'entendre ce qu'il disait, tant les hurlements de ses partisans étaient assourdissants. Les cris de « Abu Ali ! »
reprirent de plus belle. Les militants étaient en transes
de le savoir en chair et en os à quelques mètres d'eux.
Enfin, on put entendre son discours, prononcé de son
habituelle voix calme, ponctué de gestes amples.
Comme toujours, il parlait sans notes. Greta Mugniyeh
ne comprenait que quelques mots au passage, mais la
foule, elle, buvait ses paroles. Elle éclata en hurlements
de joie lorsqu'il affirma que le Hezbollah disposait de
deux fois plus de missiles qu'avant la guerre et qu'il
continuerait à défendre le sol libanais. C'était du délire.

Filmé par des dizaines de caméras qui retransmet-
taient au monde entier ce défi à Israël, le chef du Hezbollah savourait sa victoire. Lui que le Premier ministre
israélien, Ehoud Olmert, avait traité de « rat caché
dans un trou » paradait au soleil, en plein Beyrouth,
s'exposant physiquement aux coups de ses adversaires.

* *
*

Meir Feldman fumait sans interruption pour maîtriser sa fureur. Une chaîne de télévision israélienne retransmettait en direct le meeting de Hassan Nasrallah, et le chef du Mossad avait l'impression que le leader chiite s'adressait directement à lui... Jamais il n'avait ressenti une telle humiliation. Un mois de guerre, 156 morts, une défaite militaire humiliante, des retombées extrêmement négatives pour Israël, pour en arriver à cette parade audacieuse !

Il écrasa sa cigarette dans le cendrier et appela le chef d'état-major, lui aussi à son bureau.

— Tout est prêt ? demanda-t-il.

— *Ken*[1].

Depuis le matin, six F-16 étaient en état d'alerte, sur une base du nord d'Israël, non loin du Golan, avec un chargement de bombes de gros calibre, capables de percer de grandes épaisseurs de béton. Leur décollage pouvait s'effectuer en douze minutes. Même en volant très bas, ils atteindraient Beyrouth en une dizaine de minutes. L'armée libanaise ne possédant pas d'armes antiaériennes dignes de ce nom et la Forpronu n'ayant pas le droit d'utiliser les siennes sans une autorisation écrite des Nations unies, à New York, ce n'était pas une mission très périlleuse. À part les missiles sol-air Sam 16 et 18 possédés par le Hezbollah, qui ne s'en n'était encore jamais servi. Tous étaient des pilotes aguerris. Il ne leur manquait qu'un élément : les coordonnées de la cible. L'immeuble où devait se trouver Hassan Nasrallah.

Il fallait 100 % de certitude.

Meir Feldman alluma une autre cigarette et lança à son ami, le chef d'état-major :

— J'attends

Tout reposait sur l'information que devait leur communiquer la station de la CIA à Beyrouth.

1. Oui

* *
*

En dépit des sandwichs et du buffet froid préparés
dans le bureau de Christopher Stafford, Malko n'avait
bu que du mauvais café. Incapable d'avaler un petit
pois. Il regarda sa Breitling. 5 h 40.

Sur l'écran de la télé, Hassan Nasrallah gesticulait
toujours. Il avait commencé son discours vers cinq
heures et, généralement, il parlait longtemps.

Malko se tourna vers le chef de station.

— Vous avez des nouvelles de la Bekaa ?

— Il y a cinq minutes, il était toujours là-bas, répondit l'Américain.

Autrement dit, Hussein Al-Husseini avait préféré ses
vendanges au rassemblement de la « divine victoire ».

L'attente continuait. Malko contemplait d'un
œil distrait le chef du Hezbollah en train de pérorer. De
la Bekaa à la banlieue sud, il fallait une heure et demie.

Un tonnerre d'applaudissements monta de la foule.
Hassan Nasrallah venait de terminer son discours. Les
drapeaux jaunes s'agitaient frénétiquement. Puis,
quand la caméra se braqua à nouveau sur la tribune,
celle-ci était déjà vide : le chef du Hezbollah s'était
éclipsé, sans qu'on voie comment.

Un téléphone sonna sur le bureau de Christopher
Stafford et il alla répondre, de quelques monosyllabes.
Il raccrocha et se tourna vers Malko.

— Les Schlomos s'impatientent. Ils sont en train de
monter leur Golgotha…

Dix minutes s'écoulèrent dans un silence pesant,
puis un autre téléphone sonna. Malko entendit le chef
de station pousser une brève exclamation. Déjà, l'Américain se retournait vers lui.

— Il vient de sauter dans sa Mercedes. Il file vers
Beyrouth.

CHAPITRE XXV

Malko sentit son pouls s'envoler. Le premier obstacle venait de tomber : Hussein Al-Husseini avait écourté ses vendanges pour venir à Beyrouth assister à la réunion des cadres du Hezbollah. Intérieurement, il bénit Greta Mugniyeh. Sans cette information cruciale, ils n'auraient rien pu faire.

– Une seconde équipe le prend en charge, dans quelques minutes, annonça le chef de station.

– Quand sera-t-il à Beyrouth ?

– Au train où il roule, un peu plus d'une heure.

Ou il arriverait en retard, ou la réunion commençait plus tard.

Malko ne tenait plus en place.

– Je veux aller là-bas, lança-t-il.

– Là-bas ? demanda l'Américain, éberlué.

– Je veux participer à la dernière phase de cette opération, insista Malko. Je crois l'avoir mérité. Nous savons que cette réunion va se dérouler dans la banlieue sud. Si je pars maintenant, je peux me positionner de façon que l'équipe qui suit Hussein Al-Husseini fasse la jonction avec moi.

Christopher Stafford demeura silencieux d'interminables secondes, puis lâcha :

– Vous allez prendre un risque de sécurité. Risquer

aussi de faire échouer l'opération ; imaginez que l'on vous repère...

– Il fait nuit, rétorqua Malko. Vous avez bien un véhicule banalisé à mettre à ma disposition. Avec un chauffeur qui connaît la banlieue sud.

– Oui, reconnut l'Américain, mais il ne sera pas blindé...

– Peu importe. Qu'avez-vous prévu pour le stade ultime de l'opération ?

– Un de nos hommes dispose d'une balise utilisée par les « spotters ». Dès qu'on a repéré l'immeuble où se trouve Nasrallah, il active la balise, la positionne et se sauve. Les F-16 ne mettront pas longtemps à arriver. À partir de ce moment, l'opération nous échappe : tout devient électronique. Je dois simplement avertir Meir Feldman que la balise est activée et en place.

Il sortit du bureau pour donner des instructions à sa secrétaire.

Malko s'approcha de la carte où un des assistants épinglait les positions successives de la voiture de Hussein Al-Husseini en route pour Beyrouth. Il n'était plus loin de Chtaura. Christopher Stafford réapparut, accompagné d'un homme aux cheveux très courts, mince, au visage en lame de couteau.

– Ahmed va vous conduire, dit-il, il connaît la banlieue sud comme sa porche, il y habite. Vous avez une Toyota en plaques libanaises, au nom d'un cousin de Ahmed, un commerçant. Je vais donner des instructions à mon *case officer* qui commande l'opération, James Angleton, pour qu'il vous remette la balise. Bonne chance.

Walid Jalloul en avait oublié l'agent de la CIA, absorbé par la sécurité immédiate de Hassan Nasrallah. Jusqu'ici, tout s'était bien passé. Le leader du Hezbollah avait quitté le meeting sans être repéré et était en route pour la salle souterraine où se tenait la réunion des cadres. Afin de ne pas attirer l'attention, la plupart des participants avaient gagné le lieu de la réunion pendant le discours de Nasrallah, qui monopolisait l'attention.

Un de ses nombreux téléphones sonna et une voix annonça :

– Le *sayyed* est bien arrivé.

Le chef de la Sécurité poussa un ouf de soulagement. L'immeuble sélectionné possédait un abri aménagé dans son troisième sous-sol, sous les parkings. De quoi accueillir cinq cents personnes, dans un local climatisé, avec des postes de secours. Le rez-de-chaussée de cet immeuble d'habitation était occupé par un grand centre commercial ouvert tard, ce qui générait beaucoup d'animation. Sans parler des centaines de locataires logés dans ses dix étages.

L'accès à l'abri se faisait par un passage souterrain partant d'un autre immeuble, de l'autre côté de la place.

Les Israéliens n'avaient jamais soupçonné l'existence de cet abri, pourtant utilisé à plusieurs reprises pendant les bombardements du mois de juillet.

Walid Jalloul se prépara à rejoindre son chef. Lui aussi voulait assister à cette première réunion depuis la guerre. Il se dit qu'il avait eu tort de s'alarmer, ses craintes d'attentat n'étaient pas fondées.

*
**

– Le sujet a abandonné sa voiture et continue à pied, annonça la voix d'un des *case officers* de la CIA. Il a été pris en compte par la nouvelle équipe.

Christopher Stafford alla examiner la carte. Le dernier point localisé se trouvait au sud de Borj El-Brajnieh, non loin de la zone hezbollah.

Un de ses téléphones sonna sur son bureau.

– Alors ? demanda la voix chargée d'anxiété de Meir Feldman.

L'Israélien paraissait tellement à cran que l'Américain décida de l'encourager.

– Nous y sommes presque ! assura-t-il. Vous pouvez faire décoller vos appareils. Qu'ils demeurent au-dessus du territoire israélien. Dès que la balise sera activée, je vous donnerai le top.

Il raccrocha, de plus en plus tendu. La voiture de Hussein Al-Husseini avait atteint la banlieue sud, en passant par Hazmiyé afin d'éviter le nord de la ville. Elle roulait désormais vers l'ouest, vers Borj El-Brajnieh. Il appela Malko, parti depuis plus d'une demi-heure.

– Où êtes-vous ?

– Au rond-point, en face de la Cité sportive, dit Malko. Nous attendons.

Il avait sur les genoux une carte de la banlieue sud datant de la colonisation, divisée en secteurs numérotés, avec des rues également numérotées. Tous les participants à l'opération possédaient les mêmes cartes.

*
* *

– Le sujet vient de pénétrer dans un petit immeuble en bordure de la place n° 4, secteur 70, annonça la voix de James Angleton, responsable de la dernière équipe chargée de pister Hussein Al-Husseini.

– Un petit immeuble ! répéta le chef de station.

Un abri pouvant accueillir plusieurs centaines de personnes devait se trouver sous un grand immeuble. À moins que ce petit immeuble communique avec un autre... Il demanda à James Angleton de prévoir un contact et appela Malko.

– Mettez-vous en route. Vous allez retrouver une femme en tchador noir qui se trouve au coin des rues

32 et 56, secteur 70. Elle fait partie de l'équipe qui a eu le dernier contact visuel avec le sujet.

– J'y vais, répondit Malko.

Ahmed se lança vers le sud, se frayant difficilement un chemin dans les embouteillages monstrueux créés par les participants au rassemblement du Hezbollah qui rentraient chez eux. Vingt minutes plus tard, aux coordonnées indiquées, il aperçut une femme immobile au bord du trottoir, enveloppée dans une abaya noire. Ahmed s'arrêta en face d'elle et Malko lui adressa un signe discret. Aussitôt, elle se hâta de monter dans le véhicule. Elle avait un type arabe prononcé, mais parlait anglais avec l'accent américain.

– Il est entré là, annonça-t-elle, désignant un petit immeuble, à une trentaine de mètres, en bordure d'une assez grande place.

– Très bien, conclut Malko. Je vais voir. Vous avez quelque chose pour moi, je crois ?

La femme fouilla sous son abaya et tendit à Malko un objet rectangulaire noir.

– Voilà la balise, expliqua-t-elle. Avant de la mettre en place, vous tirez sur le cylindre qui déplie l'antenne et l'active automatiquement.

Malko empocha la balise et dit à Ahmed :

– Restez ici.

Il se fondit dans l'obscurité, à pied. Personne ne le remarqua. Arrivé devant le bâtiment où avait disparu Hussein Al-Husseini, il regarda autour de lui. Le bâtiment ne mesurait pas plus de cent cinquante mètres carrés au sol et il était flanqué de deux terrains vagues. Malko tourna son regard de l'autre côté de la place vers un bloc d'immeubles d'une douzaine d'étages dont le rez-de-chaussée était occupé par un supermarché.

C'était, dans son champ visuel, l'immeuble le plus important. Il contourna la place. Plus il approchait du supermarché, plus la foule était dense. Le magasin était bondé de familles en train de faire leurs courses. Malko plongea dans la cohue. Ne sachant pas vraiment ce qu'il cherchait. Il pénétra dans le magasin sans rien observer d'anormal. Et c'est en ressortant que son regard fut attiré par un homme seul, appuyé à un Caddy vide. Contrairement aux gens qui s'affairaient partout, il était immobile, une main glissée dans l'ouverture de sa veste. Un des lampadaires éclairait son visage et soudain, Malko revit des photos montrées par le chef de station de la CIA, le jour où Greta Mugniyeh était partie pour Tyr avec son jeune « guide » du Hezbollah. Un photographe de la CIA, dissimulé dans un fourgon, avait pris des clichés.

L'homme appuyé au Caddy était sans conteste Hussein, le jeune amant de Greta Mugniyeh. Malko se hâta de plonger dans une zone peu éclairée, de l'adrénaline plein les artères. Il venait de toucher le jackpot. Si ce garçon, d'après l'Allemande, était désormais affecté à la protection de Hassan Nasrallah et se trouvait là, c'est que le leader du Hezbollah s'y trouvait aussi.

Il examina le building. Sa surface était suffisante pour que le sous-sol dissimule un abri souterrain, dont personne ne pouvait soupçonner l'existence si l'accès se faisait à partir d'un autre bâtiment. Il se retourna : le petit immeuble où avait disparu Hussein Al-Husseini ne se trouvait qu'à une cinquantaine de mètres. Le Hezbollah avait creusé des souterrains beaucoup plus longs...

Il décida de faire le tour de l'immeuble afin de déterminer où placer la balise.

*
* *

— Nos avions ont pris l'air, annonça Meir Feldman d'une voix tendue. Vous n'avez toujours rien ?

Christopher Stafford était sur des charbons ardents, attendant à chaque seconde un appel de Malko. Ce

dernier devait chercher l'endroit propice pour placer la
balise électronique.

– C'est une question de minutes, promit-il. Je vous
rappelle.

Il sentait l'Israélien particulièrement nerveux, mais
il ne contrôlait pas la situation.

Il n'y avait plus qu'à prier.

*
* *

Malko avait déjà repéré trois autres guetteurs en faisant le tour de l'immeuble. Il n'y avait plus de doute :
Hassan Nasrallah se trouvait dans le sous-sol, sous le
supermarché. Trouver un endroit où dissimuler la
balise ne posait pas vraiment de problème.

C'est au moment où il relevait la tête afin de voir si
on pouvait la placer sur le toit qu'il éprouva une sensation bizarre. Comme un vertige. Les dizaines de
fenêtres allumées s'emmêlaient en une grande tâche
lumineuse dansante. Comme si elle se reflétait dans
l'eau. Il demeura immobile, fixant l'immeuble plein
comme une ruche. S'il activait cette balise, dans
quelques minutes, les bombes israéliennes allaient
réduire le bâtiment en poussière, avec tous ceux qui s'y
trouvaient. Sans parler des clients du supermarché. Des
centaines de morts, incluant les cadres du Hezbollah,
écrasés sous des tonnes de décombres, avec leur chef,
Hassan Nasrallah. En un éclair, il revit les immeubles
éventrés, réduits à un tas de gravats, de Haret Hreik. Et
encore, dans ce cas, les habitants, prévenus, avaient pu
parfois évacuer les lieux.

Ce qui ne serait pas le cas ici.

Comme un automate, il se remit en route, s'éloignant
du supermarché. Dès qu'il fut sorti de la zone éclairée,
il sortit son Blackberry et sélectionna le numéro de
Christopher Stafford. Lequel mit deux secondes à
répondre.

– Malko ! Ca y est ?

– *Abort*[1] *!* fit Malko. Impossible de localiser le sujet. Je rentre.

Il repartit vers la voiture où l'attendait Ahmed et la *case officer* de la CIA.

Alors qu'il passait devant une énorme poubelle recouverte de chats faméliques et affamés, il y jeta la balise. Puis, il se retourna vers le building au sous-sol duquel se trouvaient Hassan Nasrallah et les cadres du Hezbollah, repensant à la vieille définition de son métier, donnée il y avait bien longtemps :

« *Nachrichtendienst ist Herrendienst*[2]. »

Ce n'était pas le fait d'un homme d'honneur d'écraser sous des bombes des centaines d'innocents, même pour tuer son pire ennemi.

Au moment où il retrouvait le véhicule de la CIA, un bruit de tonnerre ébranla le quartier. Plusieurs ombres passèrent au ras des toits, dans un hurlement assourdissant de réacteurs. Frustrée, l'aviation israélienne s'offrait une petite compensation.

1. Annulez !
2. Le Renseignement est un métier de gentlemen.

Cercle
Poche

Charles
Bösersach

*Dies
Irae*

Gianni
Segré

*La
Confirmation*

Sylvain
Saulnier

La petite
Marie

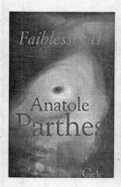

Faiblesse

Anatole
Parthes

*L'Amant
de
mon père*

Albert
Russo

Rose
et
Carma

Nicolas
Meilcourt

L'érotisme a trouvé
sa collection…

Le Cercle poche
Prix France TTC 6 € et 9 €

Les premières aventures de Richard Blade

Projeté
par un ordinateur à travers l'immensité
de l'Univers et du Temps,
Richard Blade parcourt les mondes inconnus
des dimensions X pour le compte du
service secret britannique.

Pour toute commande, 5,80 € / titre
(Port : 2 € par livre)
envoyer votre chèque à
GECEP, 15 chemin des Courtilles - 92600 ASNIERES

Désormais, vous pouvez retrouver les premières aventures de MACK BOLAN

L'EXÉCUTEUR

COLLECTOR

SÉRIE CULTE

SÉRIE KILLER

SAS THÉMATIQUES : 20 €

5 titres rassemblés
pour mieux traquer la vérité

INTÉGRALE

INTÉGRALE BRUSSOLO

BRUSSOLO
DOCTEUR
SQUELETTE

INTÉGRALE BRUSSOLO

BRUSSOLO
LA NUIT
DU VENIN

INTÉGRALE BRUSSOLO

BRUSSOLO
LA MEUTE
HURLANTE I

INTÉGRALE BRUSSOLO

BRUSSOLO
DANGER,
PARKING MINÉ!

INTÉGRALE BRUSSOLO

BRUSSOLO
LES SEMEURS
D'ABÎMES

INTÉGRALE BRUSSOLO

BRUSSOLO
L'AMBULANCE

BRUSSOLO

PRIX TTC : 6 €

Achevé d'imprimer sur les presses de

BUSSIÈRE
GROUPE CPI

à Saint-Amand-Montrond (Cher)
en décembre 2006

Mise en pages : Bussière

ÉDITIONS GÉRARD DE VILLIERS
14, rue Léonce Reynaud - 75116 Paris
Tél. : 01-40-70-95-57

— N° d'imp. : 62372-064364/1. —
Dépôt légal : janvier 2007.

Imprimé en France